ARLWY'R SÊR

Arlwy'r Sêr

Angharad Tomos

Argraffiad cyntaf: 2023
ⓗ testun: Angharad Tomos 2023

ISBN clawr meddal: 978-1-84527-865-6

ISBN elyfr: 978-1-84524-529-0

CYNGOR LLYFRAU CYMRU

Cyhoeddwyd gyda chymorth Cyngor Llyfrau Cymru

Cynllun y clawr: Eleri Owen
Llawysgrifen Silyn ar y clawr drwy garedigrwydd yr Archifau a Chasgliadau
Arbennig, Prifysgol Bangor
Llun Geoff Charles o Rhiannon Silyn ar Bont Trefechan (tudalen 25) drwy
garedigrwydd Llyfrgell Genedlaethol Cymru
Llun Brynllidiart ar dudalen 352 drwy garedigrwydd Lloyd Jones

Cyhoeddwyd gan Wasg Carreg Gwalch,
12 Iard yr Orsaf, Llanrwst, Dyffryn Conwy, Cymru LL26 0EH.
Ffôn: 01492 642031
e-bost: llyfrau@carreg-gwalch.cymru
lle ar y we: www.carreg-gwalch.cymru

Argraffwyd a chyhoeddwyd yng Nghymru

Cyflwynedig i

Iona, Luned, a Sally Silyn Roberts,
gyda diolch

Y Wŷs

"Dyred i'r fedw gadeiriog
I grefydd y gwŷd a'r gog."

Dafydd ap Gwilym

Y goedwig gynt fu'n gwahodd Dafydd fwyn
   A'i Forfudd wresog i rodfeydd y dail,
   I ganu a chusanu bob yn ail,
A chyd-addoli wrth allorau swyn,
Sy'n gwysio Nan a'i bardd i deml y llwyn,
   I wrando dwsmel gainc yr adar mân,
   A suon tyner pur awelon glân,
A bair i'r galon flin anghofio'i chŵyn.
Mae'r sêr yn eilio'r alwad, em fy serch,
   A'r lloer yn addo'i golau ar y daith,
Gad inni brofi gwleddoedd hud, fy merch,
   Cyn dyfod hirnos ddu'r gwahanu maith.
Mae serch yn addaw inni arlwy'r sêr
O loyw win a phasgedigion pêr.

Silyn, 1915

Pennod 1

22 Ffordd y Coleg, Bangor, 1963

Pa mor hir mae dyn yn byw? Neu 'ddynes' yn f'achos i. Dyna'r cwestiwn fu ar fy meddwl drwy'r bore, wrth geisio rhoi trefn ar y drôr. Nid 'mod i'n teimlo'n wan nac yn llegach, ond fedra i ddim byw am byth. A minnau'n 85, dwi'n gwthio fy lwc braidd, mae'n rhaid i mi droi ati. Amser... amser... dyna be dwi 'di bod yn brin ohono erioed. Nid gormod o waith, ond dim digon o amser.

'And now for the BBC news. Two Chinese brothers who were fishermen have died after coming across a piece of radioactive cobalt 60 on their land, the youngest brother being only seven years old... Duma Nokwe, the Secretary General of the ANC has fled South Africa... and the Beatles song, "Please Please Me" is reaching record sales...'

Dwi'n methu rhoi fy llaw ar y *Radio Times* yng nghanol yr holl bapurau 'ma. Dyna'r drwg efo tynnu llanast i 'mhen. Be ar wyneb daear oedd y ddau frawd 'na'n da efo darn o ddeunydd ymbelydrol – o ble fydda fo wedi dod? Reit, mae'r pentwr yna wedi ei wneud. Does dim angen cyffwrdd yn rheina... Ydw i wedi dechrau ar y rhain? Do – rydw i wedi nodi'r blynyddoedd ar y rhain, tan... fan hyn... fan hyn ro'n i... A'r dyn hwnnw'n dianc o Dde Affrica – gwaethygu mae'r sefyllfa yno. Be ro'n i'n chwilio amdano? Ia, y *Radio Times*. Os na cha' i drefn ar raglenni'r dydd, mi fydda i wedi colli rhywbeth, does dim yn sicrach...

Dyna gloch y drws... dyna'r peth olaf ydw i ei eisiau yng nghanol yr annibendod hwn. Pwy sydd 'na? Duwcs, dim ond Dafydd Thomas, Y Betws, a fydd dim gwahaniaeth ganddo fo am y llanast.

'Dowch i mewn, Dafydd, yn ei chanol ydw i... mi ddiffodda

i y radio rŵan. Drwodd â chi. Gymerwch chi baned?'

'Gan eich bod yn cynnig...'

Wn i ddim pam mae gen i bechod drosto, meddwl amdano'n hen ac yn byw ar ei ben ei hun. Diawch, mae o'n iau na mi. Nid bod hynny'n deud dim. Ond mae Dafydd Thomas a minnau'n deall ein gilydd. Fynta'n byw bedwar drws i lawr, 'dan ni i mewn ac allan o dai ein gilydd yn ddyddiol, ond mi fydda i'n amau weithiau ydi o'n cael digon i'w fwyta...

'Dyma chi – paned inni'n dau, esgus inni eistedd i lawr a chael hoe.'

Edrychodd Dafydd Thomas ar y pentwr papurau ar y bwrdd, a'r bocsys oddi tano. 'Rydach chi'n brysur, Mrs Silyn... nid 'mod i rioed wedi eich gweld yn dal eich dwylo.'

Gosodais y ddwy baned ar y bwrdd, a'r bowlen siwgr. 'Mynd drwy bapurau Silyn ydw i... trio rhoi trefn arnynt...'

'Roedd trefn go lew arnyn nhw pan ges i eu menthyg i sgwennu'r cofiant.'

'Mae bron i ddeng mlynedd ers hynny,' atebais.

Roedd golwg bryderus ar ei wyneb, 'Ond ro'n i'n meddwl 'mod i wedi cael gweld bob dim...'

'Do, do, mi gawsoch, ond roeddech *chi* yn deall, toeddech? Diawch, roeddech yn ei nabod cyn neb arall. Dwi'n trio mynd drwyddynt i nodi beth yw eu harwyddocâd i'r rhai fydd yn eu darllen yn y dyfodol.'

'Mae honna'n dasg aruthrol.'

'Dyna pam dwi bron â drysu,' cyfaddefais. 'A chwestiwn pellach ydi pwy gaiff beth. Ddylwn i roi rhai ohonynt i'r Llyfrgell Genedlaethol?'

'Hoffech chi i mi holi Doc Tom?'

Edrychais arno. 'Dwi'n meddwl 'mod i wedi gwneud – ond dydw i ddim yn cofio be ddeudodd o!' Dechreuais chwerthin a gwenodd Dafydd Thomas. 'Sobr o beth ydi henaint, 'te? Ia, tasech chi'n gofyn iddo fo, mi fyddwn i'n ddiolchgar iawn... Beth ydi'r Beatles?'

'Dim syniad.'

'Sôn amdanyn nhw ar y newyddion – deud bod eu cân yn boblogaidd iawn...'

'Dim obadeia.' Wyddwn i ddim pam ro'n i'n gofyn iddo fo.

'Meddwl ro'n i, Dafydd, dydi honna ddim yn stori newyddion nac ydi? Fasa chi ddim wedi cael hynny ar y penawdau ers talwm, na fasach? Waeth pa mor boblogaidd oedd un o'r *comic songs*...'

'Mae o wedi mynd yn fyd rhyfedd, Mrs Silyn. Ar fater arall, chwilio am rywbeth i *Lleufer* oeddwn i.'

Wrth gwrs. Dyna fydda fo'n ei wneud bob diwrnod, doedd neb tebyg iddo. Ers sefydlu'r cylchgrawn i Gymdeithas Addysg y Gweithwyr, roedd Dafydd Thomas wedi ymroi yn llwyr i'r dasg. Siŵr ei fod wrthi ers bron i ugain mlynedd bellach.

'Beth oedd gennych chi mewn golwg?'

'Wel, rydw i wedi gofyn i chi o'r blaen, Mrs Silyn, a bellach mae wedi mynd yn ben set.'

Rhaid 'mod i wedi anghofio. 'Oeddwn i wedi gaddo rhywbeth i chi?'

'Oeddech, mae o i lawr gen i yn y llyfr bach. "Mrs Silyn – atgofion plentyndod".'

Doedd dim byd yn dianc efo'r llyfr bach. Dim ond i chi grybwyll syniad ac fe ddeuai pensil Dafydd Thomas allan, a dyna hi. Fasa waeth iddo fod ar gerrig Sinai ddim.

'Does gen i ddim cof o gwbl.'

Doedd o ddim yn hapus, roedd hynny'n amlwg o'i wyneb. Tolltais ragor o de iddo.

'Wn i ddim be i neud rŵan. Mae gen i ddalen wag.' Ochneidiodd. 'Fel rheol, mae gen i ddeunydd wrth gefn, ond dwi wedi ei ddefnyddio i gyd. Tydach chi ddim yn cofio y stori honno oedd gennych chi am Feibl eich nain?'

'Ydw'n tad.'

'Honno oedd y stori ro'n i ei heisiau – roedd hi'n un hynod o ddifyr, ac mi fyddai'r darllenwyr yn ei mwynhau.'

'Wel, drychwch ar y llanast 'ma, Dafydd Thomas – fedra i wneud dim heddiw. Dwi wedi tynnu'r rhain i 'mhen... a wiw i mi eu clirio, neu mi gollaf y tipyn trefn oedd gen i arnynt.'

Edrychodd ar y deunydd gan ddweud ei fod o'n cydymdeimlo. Ond roedd ei ddalen yn dal yn wag. Dyn styfnig oedd Dafydd Thomas, a wnâi o ddim gadael heb addewid o rywbeth.

'Mrs Silyn, ga' i gynnig rhywbeth arall i chi? Beth tasech chi yn adrodd y stori i mi, a minnau'n cymryd nodiadau, yna yn ei sgwennu fy hun, a chithau'n bwrw golwg drosti – cyn i mi ei hanfon ymaith?'

Edrychodd arna i drwy ei sbectol gron â ffrâm denau aur. Roedd o eisiau ateb, rŵan.

Fy nhro i i ochneidio oedd hi wedyn.

'Os mai dyna'r unig ffordd, does dim dewis. Ond dwi eisiau ei dweud hi'n iawn. Wnaiff hi 'mo'r tro yn flêr...' Brathais fy nhafod. Doedd dim byd blêr am *Lleufer*. Roedd Dafydd Thomas yn berffeithydd. 'O'm rhan fy hun rŵan, dwi'n ei feddwl... ydach chi eisiau pensil a phapur?'

Roedd o eisiau papur, ond roedd ganddo bensil – ym mhoced ei gôt, fel bob amser.

'Mae 'na ddalen o bapur yn fan hyn... O! Drychwch, dyma fo – dwi 'di bod yn chwilio am y *Radio Times* ers ben bore... mae 'na raglen dda heno fel mae'n digwydd bod – ro'n i wedi meddwl deud wrthoch chi. Mae 'na griw o Rwsiaid yn mynd mewn roced, ac ro'n i'n meddwl y bydda honno'n gwneud rhaglen ddifyr. Mi wna i ganfod yr amser i chi...'

Dyna pam roedden ni'n gymaint o ffrindiau: roeddem ar yr un donfedd. Ffraeo yn ddychrynllyd weithiau, fel ci a chath, gan fod y ddau ohonon ni mor bengaled – fo yn waeth na mi – ond roedd gennym gymaint yn gyffredin, wedi rhannu cymaint hefyd ar hyd y blynyddoedd, ac yn rhannu'r un gwerthoedd a'r awch am newid. Pan fyddai Dafydd Thomas yn mynd i'r Sowth at ei ferch dros y gaeaf, gallai'r misoedd fod yn rhai meithion.

'Ydach chi'n barod?' gofynnodd, a'i bensil yn ei law fel gohebydd. Byddai rhywun yn meddwl ei fod yn gwneud cyfweliad pwysig, yn hytrach na chofnodi atgofion hen wreigen. Ond roedd hi'n stori dda...

'Well i chi egluro mai un o Nant Bwlch yr Heyrn oedd fy nain, o ochr fy mam, 'lly – Tyn'r-Ardd – wedyn 'rôl iddi briodi y symudodd i Dŷ Newydd, Llanrhychwyn. Doedd o ddim yn dŷ newydd o bell ffordd, to gwellt oedd arno pan o'n i'n ei gofio, ond falle ei fod o'n fwy newydd na'r gweddill ers talwm...'

Gwyliais Dafydd Thomas yn gwneud nodiadau mewn llaw fer wrth i mi siarad. Ro'n i'n mynd yn ôl ymhell i'r gorffennol... faint oedd fy oed i? Doeddwn i fawr mwy na naw... mi fyddai hynny tua 1886, ffordd 'na. Brensiach, ro'n i wedi byw yn hir. Ond roedd y digwyddiadau fel ddoe. Rhaid eu bod wedi gwneud argraff ddofn arna i...

'Mae eisiau i chi egluro sut oes oedd hi, mae pethau mor wahanol rŵan... Mi fyddai dydd Sul Nain yn dechrau tua chwech o'r gloch ar nos Sadwrn – yn hynny o beth, doedd na ddim gwau na gwnïo ar y Saboth. A tua chwech nos Sadwrn, byddai'n hel ei phethau a'u gosod yn y fasged wnïo fawr, a'i hongian ar ddistyn to'r gegin tan fore Llun...'

'Felly bydda fy nain innau. Faint oedd oed eich nain bryd hynny?'

'Does wybod – fel Methiwsala, 'te? Tydi pawb yn hen pan dach chi'n blentyn? Synnwn i ddim ei bod hi'n cael ei geni tua'r 1820au... Beth bynnag, daeth Nain o'r oedfa un nos Sul a golwg gynhyrfus arni, a'r peth cyntaf wnaeth hi oedd dod i'r gegin a thynnu'r fasged wnïo i lawr. Roedden ni'r plant yn gegrwth, welson ni ddim byd tebyg. Ddeudodd yr un ohonom air, dim ond ei gwylio yn tynnu'r siswrn mawr allan. Roedd beth wnaeth hi wedyn yn fwy anghredadwy fyth. Roedd hen Feibl mawr y teulu ar y bwrdd – fanno oedd o drwy'r amser – ar agor. Dyma hi'n gafael yn y tudalennau yn y canol a'u torri allan efo'r siswrn! Yr eglurhad oedd bod y pregethwr wedi dweud yn y capel nad oedd yr Apocryffa i fod yn y Beibl, ac y dylid ei dynnu allan a'i losgi. Ac roedd Nain wedi cymryd ei air fel efengyl... dyna'r stori.'

Roedd gwên ar wyneb Dafydd Thomas. Roedd wedi deud wrtha i fwy nag unwaith 'mod i'n un dda am ddeud stori.

'Ydi hynny'n eich bodloni?'

'Ydi, ydi. Rydach chi'n ei hadrodd yn dda iawn. Oes gennych chi atgof arall, yn digwydd bod?'

Roedd y dyn yn bod yn farus rŵan. Ond ro'n i wedi mwynhau adrodd y stori. Dyna oedd y drwg efo Ers Talwm, roedd ganddo'r gallu hudol i'ch tynnu chi i mewn i'w we. A'r mwya roeddech chi'n gadael iddo, y cryfa'n y byd oedd y dynfa.

'Mi fedrwn ddeud stori'r wisg sidan. Ydach chi wedi clywed honna?'

'Bosib 'mod i, ond dydw i ddim yn ei chofio...'

'Rhyfedd ydi plentyndod 'te? Dwi'n clywed arogl y cwpwrdd *press* yn Tŷ Newydd rŵan, dwi'n cofio'r arogl yn y gegin, dwi'n gallu gweld y gegin, a'r staer, a'r tŷ mor fyw. Dwi'n cofio sut roedd y staer yn gwichian, dwi'n cofio'r synau wrth i mi fynd i gysgu... mae o'n rhyfeddol.'

'Gall fod yn gysur hefyd. Roedd popeth yn saffach ers talwm.'

'Oedd o? Wn i ddim os ydw i'n cytuno efo chi... dydw i rioed wedi teimlo ofn fel yr ofn a deimlwn yn blentyn – ofn amrwd, dychrynllyd fyddai'n codi gwallt eich pen chi.'

Edrychodd Dafydd Thomas yn syn arna i.

'Faswn i ddim wedi meddwl amdanoch fel plentyn ofnus...'

'Nid dyna ddeudais i. Falle mai gormod o ddychymyg oedd gen i. Yn Llundain oedd fy nghartref, wrth gwrs, a dydw i ddim yn cofio bod ofn gymaint â hynny adre. Ond roedd Llanrhychwyn yn fyd gwahanol i hogan o Lundain, toedd? Falle mai dylanwad Nain oedd o. Falle mai byw yn agos at natur... dwn i'm. Eisiau stori'r ffrog sidan oeddech chi, 'te? Ydach chi am gofnodi hon?'

'Os nad oes wahaniaeth gennych chi.'

'Ydach chi eisiau rhagor o de?'

'Na, bydd rhaid i mi ei throi yn go fuan.'

'Rhoswch i ginio... nid 'mod i'n gaddo lot...'

'Na, fydd gen i ddim amser i ginio heddiw, a'r proflenni i fod i gael eu postio...'

'Mae hi'n ben set arnoch go iawn felly?'

'Mae arna i ofn ei bod hi – fel bob tro, 'thgwrs.'

Ro'n i'n hoffi ei acen. Er ei fod o'n byw ym Mangor ers blynyddoedd doedd y dinc o acen Maldwyn ddim wedi diflannu. Er bod ganddo dymer, roedd mwynder Maldwyn yn rhan ohono. Roedd yn ŵr bonheddig iawn.

'Mae'r stori yma'n perthyn i gyfnod arall, achos erbyn hyn roedd Taid a Nain wedi marw. Modryb Lis oedd yn gofalu am Dŷ Newydd 'radeg honno, a ni blant yn dal i ddod yno ar wyliau, am tua tair wythnos neu fis. Fi oedd yr hynaf o'r plant, roedd 'na bedwar ohonom. Byddai Modryb Lis yn sôn am wisg sidan oedd gan Nain, sidan tew hardd oedd yn sefyll ei hun. Câi'r wisg ei chadw yn y cwpwrdd *press* – lle i gadw dillad gorau – a doedd wiw i ni ei agor. Beth bynnag, y diwrnod arbennig yma, mi aeth Modryb i'r ffair yn Llanrwst, a'm gadael i yng ngofal y plantos – a doedd y trefniant ddim yn fy mhlesio o gwbl! Ond wedyn, mi welais fy nghyfle… gan nad oedd oedolyn yn y tŷ, bu'r demtasiwn i agor y cwpwrdd *press* yn ormod i mi. Dwi'n cofio'r bore'n iawn, a minnau'n mentro i fyny'r staer, yn gwybod 'mod i'n mentro, ond yn methu atal fy hun 'run pryd – peth rhyfedd ydi hynny, 'te? A dwi'n cofio sefyll o flaen y cwpwrdd, a'r cynnwrf – cynnwrf y gwaharddedig! A phan agorais i o, dyna lle roedd y ffrog sidan yn ei holl ogoniant! Roedd hi'n dywyll, ond roedd hi'n sgleinio'n olau wrth i'r drws agor… ro'n i'n syllu'n gegagored…'

Edrychodd Dafydd Thomas arna i, a stopio sgwennu. 'Chawsoch chi 'mo'ch siomi, felly?'

'Dim o gwbl. Roedd cael ei gweld a'i bodio yn ddigon o ryfeddod i mi. Ond dyma i chi be ro'n i am ei ddweud. Mi fûm yn chwilota welwn i rywbeth arall yn y cwpwrdd, a wir i chi, wrth i mi ymbalfalu, mi deimlais ryw becyn sgwâr yn y gwaelod ac mi codais i o…'

Roedd Dafydd Thomas â'i ben i lawr, wedi ailgydio yn ei gofnodi.

'Wyddoch chi beth oedd o?'

'Dim syniad.'

'Dalennau o bapur oedden nhw, wedi eu plygu a'u gwasgu'n dynn. A dyma fi'n eu hagor, a gweld mai'r dalennau roedd Nain wedi eu torri allan o'r Beibl flynyddoedd ynghynt oedden nhw – rhyfeddol, 'te? Felly chawson nhw 'mo'u llosgi yn y diwedd, dim ond eu cadw yng ngwaelod y cwpwrdd.'

'Wel, wel,' meddai Dafydd Thomas, a rhoi'r bensil yn ôl yn ei boced. 'Ro'n i'n cofio ei bod yn stori drawiadol, ond chofiais i ddim fod y dalennau o'r Apocryffa wedi dod i'r fei wedyn. Mi wna i gynnwys y ddwy stori, os ydi hynny'n iawn efo chi, ac mi wnaiff y darn olaf ddiweddglo del.'

Rhoddais y cwpanau a'r soseri ar yr hambwrdd, a chodi.

'Reit – gobeithio bydd o'n swnio yn iawn, a ddim fatha tase hen ddynes yn ffwndro. Mi fydd yn rhaid i mi ailafael yn y gwaith 'ma neu mi fydd hi'n bnawn, a minnau heb wneud nemor ddim.'

Cododd Dafydd Thomas, ond roedd o'n syllu yn arw ar y papurach oedd ar y bwrdd.

'Ydi'r dalennau yn dal gennych chi o hyd?'

'Falle y dof o hyd iddynt wrth fynd drwy bapurau Silyn. Fo brynodd Tŷ Newydd gan y teulu a daeth Mam i fyw yno, tra oedd hi'n gwarchod y plant. Y freuddwyd oedd y byddai'n gwneud cartref inni i gyd...'

'Pan ddaethoch chi'n ôl o'r Barri?'

'Roedd o wedi ei brynu cyn hynny – ro'n i'n byw yno efo'r plant a Mam, a Silyn lawr yn y Barri, ac yn dod i fyny pan allai. Fuo 'na waith clirio mawr: fy modryb yn symud ei dodrefn, ac eisiau cael gwared o'r papurach a'r hen lyfrau oedd wedi hel yno dros y blynyddoedd. Roedd hi am eu llosgi nhw... mi fedrwch chi ddychmygu Silyn yn arswydo llosgi papurau, ac mi aeth drwyddynt, a chadw llawer ohonynt... a siŵr i chi, mi ddaeth o hyd i'r dalennau o'r Apocryffa!... siŵr y dof ar eu traws eto...'

Es â'r llestri drwodd i'r gegin a phan ddois yn ôl, roedd Dafydd Thomas yn sefyll fel delw, yn edrych ar y papurau ar y bwrdd.

'Rydach chi'n bell i ffwrdd, Dafydd...'

'Meddwl ro'n i... beth fydda Silyn wedi ei ddeud...'

'Am beth?'

'Neu eich nain, tase hi'n dod i hynny. Tase rhywun wedi rhagfynegi iddi y byddai ŵyr i John Jones Talysarn yn darllen darn o'r Apocryffa uwchben bedd Silyn... ydach chi'n cofio?'

Cofio? Dwi'n gwneud dim yn aml ond ail-fyw y diwrnod hwnnw, dim ond i'm argyhoeddi fy hun ei fod o wedi mynd, ac nad ydi o yma ddim mwy. George Davies, bendith arno, yn ŵr eiddil ym mynwent Glanadda uwchben y bedd agored.

A'r cannoedd oedd yno. A rhyw dderyn bach ar y goeden. A dagrau'n llifo i lawr gruddiau Williams Parry... am awr gwbl wallgof oedd hi... a'r twll o'm blaen yn diriaethu'r twll oedd wedi ein sobri i gyd. Silyn mewn bedd?

A dyma Dafydd Thomas yn dechrau adrodd, 'Canmolwn yn awr y gwŷr enwog...'

a dyma finna'n cydadrodd yr adnodau efo fo.

George M. Ll. Davies, roedd ei lais fel organ fawr y diwrnod hwnnw. Ac i feddwl beth ddaeth ohono fo mewn rhai blynyddoedd. Mae'n dda na wyddom beth sydd o'n blaenau.

Pennod 2

Cwm Silyn, Dyffryn Nantlle, 1879

Saif yno, ar derfyn Cae Isa, yn rhyfeddu at y cylch mynyddoedd o'i gwmpas, y cylch o greigiau sydd wedi ei warchod erioed. Clogwyn y Cysgod... Craig yr Ogof... Cymffyrch... a Chraig Cwm Silyn. Dydi ei gartref ond megis sgwâr bach yn y pellter. Yno, ym Mrynllidiart, y mae ei fam a Nel a'r gwartheg a'r ieir a'r defaid. Ar y dde, rhwng y Garn a Mynydd Mawr, saif yr Wyddfa'n gadarn ac urddasol. Yr unig sŵn sydd i'w glywed yn y pellter yw sŵn y chwarel, lle mae ei dad yn ddyfal efo'i gŷn yn torri'r garreg. Unrhyw funud rŵan, bydd yr hwter yn canu, a bydd y cannoedd sgidiau hoelion mawr i'w clywed yn troi am adref.

Ond mae digon o amser i fynd i lawr i Gwm Tawelwch, achos os ydi rhywun yn chwilio am dangnefedd, dyna lle mae'n trigo. Nid yw'r fan hon wedi newid ers dechrau'r byd, ac mae yno i'w ganfod o'r newydd bob tro. Dydi Cwm Silyn ddim o'r byd hwn. Wrth gerdded i lawr at y llyn, mae mannau eraill yn diflannu o fod, nes mai dim ond fo sydd ar ôl, a'r creigiau mawr i'w amddiffyn.

Wrth edrych arnynt, llais ei dad ddaw i'w glyw, yn cadw dyletswydd uwchben yr hen Feibl teulol, fel y gwnâi yn ddyddiol; 'Dyrchafaf fy llygaid i'r mynyddoedd, o'r lle y daw fy nghymorth'... 'Yr Arglwydd yw dy geidwad... efe a geidw dy fynediad a'th ddyfodiad, o'r pryd hwn hyd yn dragywydd...' Roedd y Salmydd yn gyfarwydd â Chwm Silyn. Yn wir, cyfeirio at fan hyn oedd awdur Genesis, '... a thywyllwch oedd ar wyneb y dyfnder, ac Ysbryd Duw yn ymsymud ar wyneb y dyfroedd'. Bron na all ei weld. Mewn lle fel hyn, mae geiriau felly yn gwneud synnwyr. Cwm Tragwyddoldeb ydyw.

Mae wedi camu tu hwnt i ffiniau amser. Uwch ei ben, yn yr ogof anhygyrch honno, mae Owain Glyndŵr yn cuddio. Tu hwnt i'r graig draw fan'co, yr ochr arall i'r llyn, gall weld clogyn y Brenin Arthur. Hwnt ac yma, mae yna wastad berygl o du'r gelyn, dyna pam mae'n rhaid iddo fod ar ei wyliadwriaeth drwy'r amser. Does wybod lle mae'r Marchog Du yn llechu. Mae'n adnabod pob cilcyn o'r mynydd. Fo yw un o farchogion dewr y Ford Gron.

Daw'r llynnoedd i'r golwg, ac aiff i lawr tuag atynt. Mae wedi camu i fyd diamser bellach. Does neb arall i'w weld, dim ôl llaw dyn... dim ond fo, a'r mynyddoedd mawr yn gylch o'i amgylch – a'r llyn anhygyrch. Caiff ei lesmeirio gan donnau'r llyn yn llepian yn araf, eu sŵn yw'r unig beth a glyw... ac yn sydyn, fe'i gwêl. Yn codi o'r llyn, mae'n gweld y llaw yn codi'r cleddyf, a'r perlau sy'n ei addurno yn disgleirio yn yr haul. Hwn yw Caledfwlch. Wrth iddo syllu arno, mae'r lliwiau yn gwanhau, ac yn y man, dim ond dŵr y llyn sydd i'w weld drachefn. Diflannodd. Pam mae o'n ymddangos weithiau? Pwy ŵyr pryd y caiff ei weld nesaf? Felly bydd ei fywyd, yn troedio'r llwybr cul hwnnw rhwng y byd hwn a'r byd tu hwnt. Mae'n troi'n ôl am Frynllidiart, ac yn dringo'r bryn. Wrth grwydro'r creigiau hyn yn ddyddiol, daeth yn gyfarwydd â threigl a thro'r tymhorau. Terfynau ei fyd yw'r waliau cerrig a wahana'r mynydd oddi wrth weddill y byd. Pobl y tu draw yw pawb arall.

Daeth i adnabod tyfiant y mynydd, yn gors a mawndir, yn hesg a rhedyn a grug. Gŵyr am dymhorau'r adar ac anifeiliaid y ffridd. Nid Robert Roberts neu 'hogyn cochwallt Robat John' mohono yn fan hyn, ond dyn yn ei oed a'i amser, boed yn herwr neu'n farchog. Meirch, nid gwartheg, sy'n teithio gydag o, ac achubodd sawl rhiain deg o grafangau gwalch bygythiol. Pan ddaw'r tywydd oer a'r eira, caiff y tirwedd ei weddnewid yn llwyr, ond bydd yn dal i grwydro'r mynyddoedd, yn sylwi ar y patrymau gogoneddus a lunia'r rhew, yn balasau cain ac yn rhyfeddodau disglair. Tyfodd y bachgen yn rhamantydd digyfaddawd, ac felly y bu weddill ei fywyd. A Dyffryn Nantlle a'i ffurfiodd yn freuddwydiwr.

Ond beth oedd i'w ddisgwyl efo'i dad yn adrodd y straeon hyn yn nosweithiol wrth y simdde fawr? Roedd ei dad yn stôr ddihysbudd o chwedlau a straeon o bob math. Straeon y Mabinogi a chwedlau'r Brenin Arthur oedd ei hoff rai. Roeddent mor wahanol i'r deunydd a gâi yn yr ysgol. Baich oedd yr ysgol a dim arall... i feddwl ei fod yn gwneud y daith dair milltir i Ysgol Nebo yn ddyddiol, dim ond i ymlafnio efo gwersi yn Saesneg nad oedd yn iaith gyfarwydd. Ac roedd ei dad wedi dysgu iddo ddarllen cyn iddo gychwyn mynd yno. Roedd ei fam hithau yn wraig lengar, ac yn eistedd wrth ei wely yn canu ac yn adrodd telynegion iddo. Wrth ddysgu'r rhain ar ei gof, llais ei fam a glywai yn ei ben. A hithau hefyd a soniodd wrtho am yr Ynys Hud. Yr ynys tu hwnt i'r don a welai o ffenestr y llofft.

'Weli di hi, Robat?' ac roedd o yn ei gweld, a'i thraethau yn felyn ac yn hudol. O'r ynys honno roedd hi wedi dod yn ferch ifanc, i briodi ei dad. Ar yr ynys honno, roedd pob atgof yn deg, a phob dydd yn felys... 'ynys Afallon ei hun...'

Mae sŵn yr hwter yn torri ar ei feddyliau, ac mae'n rhaid iddo droi tuag adref. Mae'n gyndyn i adael y rhos, a throi'n ôl i ffurf plentyn drachefn. Cwm Silyn yw ei adref go iawn, fan hyn mae'n gallu bod yn fo'i hun, a rhoi rhyddid i'w ddychymyg.

Tybed sut brofiad fyddai aros ar y mynydd drwy'r nos? Mae'n camu drwy'r grug tuag at Frynllidiart, a phan mae'n codi ei ben, gwêl ei fam yn tywys Blacan a Seren yn ôl i Gae Mawr Cefn Tŷ. Wedi cyrraedd, bydd arogl adref yn llenwi'r lle. Bydd Mot yn ysgwyd ei gynffon i'w groesawu a bydd bwyd ar y bwrdd, a thân yn clecian. Bydd ei fam yn dod i mewn wedi godro, a bydd hi'n amser i ddarllen a sgwrsio.

Weithiau, dydi pethau ddim mor ddiddos. Mae ochr greulon i wyneb y graig. Mae'n dal i gofio'r dydd y daeth ei dad adre a methu yngan gair. Ac yn y man caiff wybod fod pedwar chwarelwr wedi colli eu bywydau y diwrnod hwnnw, a chofia sylwi ar yr ofn yn llygaid ei fam. Mae rhaid mynd yno i ennill bywoliaeth, ond gŵyr pawb y gall fod yn berygl einioes.

Dro arall, mae'r mynydd ei hun yn gallu bod yn fygythiol. Pan dyfai'n hŷn, byddai disgwyl iddo yntau daro sach ar ei gefn a dilyn ei dad tua'r ucheldir a hithau'n storm o eira. Byddai'r plu eira yn trywanu ei wyneb yn giaidd, ac anodd fyddai gweld ffurf ei dad o'i flaen. Yna, ym môn clawdd, lle roedd yr eira wedi lluwchio ddyfnaf, byddai'r ddau ohonynt yn gorfod tyllu i ddynnu dafad unig i'r wyneb. Ambell dro, byddai wedi trengi. Ar nosweithiau felly, roedd y mynydd yn ffyrnig, a'r elfennau yn brwydro yn erbyn y naill a'r llall, a doedd ganddo yntau ddim llai nag ofn. Ond wastad, byddai cysgod mawr ei dad o'i flaen, yn ei arwain yn ddiogel adref... Gwyddai ar adegau felly ei fod yn dal yn fachgen, a'r unig waredigaeth oedd ganddo oedd dilyn ôl traed ei dad yn yr eira.

'Gwneler dy ewyllys' oedd arwyddair ei dad, ac roedd ei ffydd yn gwbl gadarn. Ei ffydd a'i cynhaliodd, ei ffydd ddiysgog a'i galluogodd i greu tyddyn ar ben y Cymffyrch efo'i ddwy law a nerth bôn braich. Ei ffydd gadarn a barodd iddo allu helpu i godi capel Tanrallt yn dŷ gweddi. Grym ffydd roddodd iddo'r nerth i gerdded i fyny'r mynydd, i Fwlch-Dros-y-Ferr er mwyn cyrraedd Sasiwn y Bala. Welodd o rioed neb mwy cadarn ei ddaliadau. Os cwestiynai unrhyw beth, ateb ei dad oedd 'gwneler dy ewyllys'. Ambell waith, teimlai'n ddiffygiol nad oedd o'n meddu'r un ffydd, ond addawai ei dad y deuai gydag amser. Doedd yntau ddim mor siŵr. Roedd cymaint o'i le efo'r drefn, cymaint o bethau nad oedd o'n eu deall.

Pennod 3

Pont Trefechan, Aberystwyth, Chwefror 2il, 1963

Daeth yn ddelwedd eiconig ymhen blynyddoedd, ond ar y bore Sadwrn oer hwnnw o Chwefror, doedd gan y bobl ifanc ar y bont fawr o syniad beth oeddent yn ei wneud. Roeddent wedi gosod posteri ar y Swyddfa Bost efo'r geiriau 'Defnyddiwch yr Iaith Gymraeg' arnynt, ond doedd yr heddlu ddim wedi ymateb iddynt o'r gwbl. Hon oedd protest gyhoeddus gyntaf Cymdeithas yr Iaith Gymraeg, a'r holl bwynt oedd cael gwŷs yn Gymraeg. Er mwyn cael gwŷs, roedd yn rhaid i rywun gael ei restio. Yn llawn rhwystredigaeth, aethant i'r Home Cafe i drafod a mawr oedd y dadlau beth ddylid ei wneud. Does neb yn cofio bellach pwy awgrymodd eu bod yn rhwystro'r brif ffordd i mewn i'r dref, oedd yn mynd dros Bont Trefechan, ond i fanno yr aethant. Sefyllian wnaethon nhw i ddechrau, ond yn fuan, dyma fentro eistedd i lawr, a'r munud y gwnaethon nhw hynny, roeddent yn rhwystro'r ceir. Wrth gwrs, daeth y gyrwyr allan, bu geiriau chwerw a theimladau cryf, ond eglurodd y protestwyr eu safbwynt a dweud mai creu cythrwfl oedd holl ddiben y brotest. Myfyrwyr Aberystwyth a Bangor oedd y rhan fwyaf ohonynt, ond roedd wynebau hŷn yn eu mysg. A'i hwyneb hi yw un ohonynt. Dydi hi ddim yn edrych gymaint â hynny'n hŷn na'r lleill, ond mae'n tynnu at ei hanner cant, ac yn ddigon hen i fod yn fam iddynt. Does neb arall efo hi'n gwmni; ar ei phen ei hun y daeth. Ac mi gytunodd i fynd yr ail filltir, ac eistedd ar y bont. Bob yn hyn a hyn, daw car heibio a bydd ambell yrrwr diamynedd yn dod allan a rhoi llond pen i'r protestwyr, ond am y rhan fwyaf o'r amser, mater o eistedd yno ar y ffordd ydyw, yn dal y poster.

Mae Rhiannon yn falch ei bod wedi dod. Mae yn anghyfforddus, yn oer, ond fanno mae hi eisiau bod, a dydi hi ddim wedi cael gwneud yr hyn mae hi ei eisiau yn aml yn ei bywyd. Mae'n dechrau pluo, ac mae hi'n gwenu. Mor frau yw'r plu eira, mor ansylweddol! Fel geiriau Cymraeg yn cael eu hynganu, ac yna'n diflannu... ond mor dlws. Eira geiriau... Bob tro mae'n gweld eira, caiff ei hatgoffa o Rwsia. A fedr hi ddim meddwl am Rwsia heb feddwl am Geoffrey. A pheth mor felys a chynnes 'radeg honno oedd cariad... ond pe na bai wedi mynd i Rwsia, fyddai hi ddim wedi gorfod wynebu poen tor-priodas. Er, tase hi ddim wedi cyfarfod Geoffrey, fyddai hi ddim wedi esgor ar Bera, ac felly y sigla ei meddwl yn ôl a mlaen wrth i'w chorff siglo i symudiad y protestwyr wrth iddynt ganu.

Caiff yr iaith ei lle, caiff yr iaith ei lle,
Caiff yr iaith ei lle rhyw ddydd...
O mi wn dan fy mron, fe wn i,
Caiff yr iaith ei lle rhyw ddydd.

Peth rhyfedd ydi grym torf. Mae cysur i'w gael ohoni, yn ogystal â chynhesrwydd.

Roedd yna gadernid. Roedden nhw'n gwneud safiad dros y Gymraeg. Fel gyda cymaint o bethau, mae Rhiannon yn canfod ei hun yn holi beth fyddai barn ei thad am yr hyn roedd yn ei wneud. Doedd neb wedi caru'r Gymraeg yn fwy nag o. Roedd Cymru hithau yn golygu popeth iddo. Byddai wedi ei chefnogi. Falle na fyddai wedi eistedd ar draws ffordd, ond roedd ei oes o yn un wahanol. Rhoddodd ei hun mewn sefyllfaoedd llawer mwy heriol. Rebel fuo fo, gydol ei fywyd. Rebel parchus. Meddylia beth fyddai llawer o'r myfyrwyr hŷn yn ei ddweud pe gwyddent mai cefnogwr y Blaid Lafur fu hi. Caiff yr argraff eu bod i gyd yn genedlaetholwyr tanbaid. Iddynt hwy, y Sefydliad oedd y Blaid Lafur. Ond wyddan nhw 'mo'i hanes. Plant yr Ail Ryfel Byd ydi'r rhain, a hithau'n un o fabis y Rhyfel Byd Cyntaf! Maen nhw i gyd mor ifanc... yn iau na Bera.

Wrth feddwl, mae'n siŵr mai plant capel oedden nhw, llawer yn Fethodistiaid. Beth ddywedent pe gwyddent ei bod hi'n Babydd? Roedd cymaint o bethau yn wahanol yn ei chylch. Nid bod hynny'n brofiad dieithr iddi. Dyw hi erioed wedi teimlo 'fel rhan o'r criw'.

Tybed sut brofiad yw bod yn fyfyriwr yn yr oes hon? Caent gymaint mwy o ryddid nag a gafodd hi. Mae merched yn cael rhyddid mewn meysydd na freuddwydiodd amdanynt. Maent mor gyfforddus hefyd yng nghwmni dynion. Edrycha o'i chwmpas a sylwi cymaint o ffotograffwyr sydd yno. Wel, hyd yn oed os na ddeuai'r heddlu, câi'r brotest dipyn go lew o sylw...

Mae un car yn rhefru ei injan, ac yn ymwthio ymlaen. Mae'r dorf yn aflonydd, ac mae rhai yn symud o'r ffordd. Mae 'na weiddi, mae 'na alw enwau, mae'n mynd yn fudr.

'Ewch mas o'r blydi ffordd, diawled, neu bydda i'n gyrru drosoch chi'r blydi *hooligans*!'

'Cymraeg!'

'Rof i blydi Cymraeg i chi – symudwch!'

Mae'n canu corn y car ac yn gyrru yn ei flaen, ac yn sydyn, mae'r protestwyr yn sylweddoli ei fod o ddifri. Mae dau lanc yn herio drwy bwyso yn erbyn y bonet, ond maent yn gosod eu hunain mewn perygl, ac mae eraill yn gweiddi arnynt i adael iddo fynd. Yn sydyn, mae'n bandemoniwm, ac mae pawb yn codi ar eu traed, ond mae Rhiannon yn baglu ac yn disgyn ar ei hwyneb ar y palmant. Mae'n aros yno, a'i boch yn cyffwrdd y palmant oer. Nid yw yn gwneud ymdrech i godi.

Mwya sydyn, mae rhywun yn gweiddi;

'Mae wedi syrthio!'

'Pwy ydi hi?'

'Wn i ddim ... oes rhywun yn ei nabod?'

Mae'n gorwedd yno ar ei hochr, a daw merch ati.

'Ydach chi'n iawn?'

Mae'n clywed cliciau camerâu... ac mae'n ateb yn dawel;

'Dwi'n iawn, ond falle'i bod hi'n well stori os ydw i'n aros yma am dipyn...'

'Mae hi'n iawn!' gwaeddodd y ferch wrth y gweddill, 'dim ond ei bod yn dod ati ei hun...'

'Beth ydi eich enw?'

'Rhiannon Silyn Roberts.'

Doedd hi ddim i wybod ar y pryd, ond daeth y llun ohoni, yn llipa ac ar ei hyd ar bont Trefechan, yn rhan o hanes Cymru. Er na ddaeth y plismyn, er na restiwyd neb, roedd y lluniau dros y papurau i gyd y diwrnod wedyn... nid yn unig yn *Y Cymro* a'r *Western Mail* ond yr *Express*, y *Daily Herald*, yr *Observer* a'r *Times* a'r *Guardian*. Rhyfedd ydi grym protest.

Ac fe gafodd ei hawr o ryddid. Fel roedd Cymru'n newid, roedd Rhiannon yn newid. Roedd hi'n falch iddi fynychu Ysgol Haf Plaid Cymru y flwyddyn cynt, ac yn falch iddi fod yn un o'r deuddeg ddaeth ynghyd i ffurfio mudiad newydd, Cymdeithas yr Iaith Gymraeg. A hithau'n byw yn Llundain, doedd hi ddim yn credu y gallai fod o werth, ond roedd hi'n ysgrifenyddes, ac yn gallu teipio a dyblygu deunydd. Pan sgrifennodd John Davies lythyr i wahodd pobl i Bont Trefechan, hi gafodd y gwaith o'i deipio a'i ddyblygu. Ac wedi teipio'r llythyr, doedd dim am ei hatal rhag mynd ar y bont y diwrnod hwnnw a gweld beth ddigwyddai. Diau mai hyn yn y man a'i denodd yn ôl i Gymru, i Gasnewydd, ond roedd o'n gyfnod lle roedd unrhyw beth yn bosibl.

Rhiannon yn yr eira. Mae'n swnio fel cerdd, ac mewn ffordd yr oedd hi, tase 'na fardd wedi dod heibio a'i llunio. Rhiannon yn yr eira, yn oer, yn aros, ac yn fodlon – neu yn gorfod – cario'r baich.

Pennod 4

22 Ffordd y Coleg, 1963

Camodd David Thomas dros y trothwy a gosod ei het ar y bachyn. Roedd o ymysg yr ychydig bobl y gwyddai Mary Silyn amdanynt oedd yn dal yn gyndyn o adael y tŷ heb ei het.

'Ydach chi'n brysur y dyddiau yma?' holodd Mary.

'Bron â gorffen y llyfr ar Ann Griffiths – ond mae'r wasg yn anghytuno ar y teitl.'

'Beth ydi hwnnw felly?'

'*Stori Dditectif* garwn i ei alw fo,' meddai, gan dynnu ei gôt a gosod honno ar y bachyn, a mynd drwodd i'r ystafell fyw.

'I be fasa chi eisiau ei alw'n hynny?'

'Wel, dyna fuo hi i mi... yr ymchwil... a cheisio canfod y dirgelion. Mae'n deitl sy'n bachu sylw pobl, ac yn gyfoes.'

'Ond mae'n camarwain pobl. Dychmygwch y siom o brynu llyfr a dach chi'n disgwyl stori gynhyrfus gyfoes, ac yna canfod mai emynyddes ydi'r prif gymeriad. Be mae'r wasg eisiau ei alw?'

'*Ann Griffiths a'i theulu.*'

'Syniad llawer callach. Mi af i wneud paned.'

Aeth Mary i'r gegin a dod yn ôl efo hambwrdd. Rhyfedd, fyddai hi byth yn cael cynnig paned pan âi hi i'r Betws. Pethau od ydi dynion...

'Ond mi gaiff pobl sy'n prynu'r llyfr yn disgwyl cael bywyd Ann Griffiths eu siomi. Mae'n llawer mwy cynhyrfus clywed fod ei brawd wedi lladd rhywun...'

'Ddaethoch chi o hyd i gysylltiad teuluol yn y diwedd?'

'Naddo... wel, nid efo teulu Ann,' atebodd David Thomas, 'ond roedd David Davies yn un o aelodau'r rheithgor wrth benderfynu oedd brawd Ann yn llofrudd ai peidio.'

'A phwy oedd David Davies?'

'Hen hen daid i mi.'

'Wel, dyna i chi ryw fath o gysylltiad efo'r Fendigaid Ann,' meddai Mary wrth basio'r baned o de iddo. Roedd wedi gwrando hyd syrffed ar Dafydd Thomas yn trafod Ann Griffiths, ac roedd yn falch fod y llyfr yn mynd i'r Wasg.

'Ond nid y Fendigaid Ann ydi'r testun heddiw. Roeddech chi eisiau fy marn i am rywbeth meddech chi ar y ffôn...' meddai David Thomas.

'Samuel Roberts sydd dan sylw – glywsoch chi ei fod wedi marw?'

'Do, er nad o'n i yn ei nabod yn dda. Roedd o'n byw ar Ffordd Caergybi, oedd?'

'Oedd, ac yn dod i Tabernacl.'

'Fuoch chi'n dda iawn wrtho, Mrs Silyn..'

Roedd rhywbeth felly yn ei chylch. Os gwelai hi fod rhywun mewn angen, roedd yn rhaid iddi gael ei helpu. Roedd hi'n ymarferol iawn ei sosialaeth, ac efo calon fawr. Roedd rhai yn cymryd yn ei herbyn oherwydd ei bod mor blaen ei thafod, ond roedd y rhai oedd yn ei hadnabod yn meddwl y byd ohoni.

'Dyna sy'n drist. Wnes i ddim gymaint â hynny iddo fo.'

'A dyna sy'n eich poeni?' Rhoddodd David Thomas y gwpan ar y bwrdd, a gwrando arni. Roedd ganddo gant a mil o ddyletswyddau, ond weithiau, roedd gwrando yn bwysicach na dim.

Ochneidiodd Mary. 'Naci – wel, mae hynny yn fy mhoeni, ond nid dyna'r flaenoriaeth. Wedi iddo fo fynd yn wael, i Ysbyty Cefni yr aeth o – ac wedi iddo farw, mi ddaru nhw ganfod nad oedd o wedi sgwennu ewyllys.'

Nodiodd David Thomas. 'Nid eich problem chi ydi hynny, naci?'

'Wel, ia, achos pan aeth o i'r ysbyty mi ofynnon nhw iddo pwy oedd ei *next of kin*, ac mi roddodd y creadur fy enw i!' Edrychodd Mary ar ei chyfaill. 'Welwch chi 'mhenbleth i?'

'Does ganddo fo ddim teulu o gwbl?'

'Nid yng Nghymru – maen nhw i gyd yn Merica. A doedd gan y dyn fawr o arian. Dach chi'n gweld, pan fu'r trafferthion efo'r cnydau yn yr Unol Daleithiau, mi gollodd y teulu eu harian i gyd, ac mi ddaeth Samuel yn ôl i Gymru.'

Roedd David Thomas wedi colli rhediad y stori erbyn hyn, ac yn methu gwneud rhych na phen ohoni. Pam oedd Mrs Silyn yn canfod ei hun mewn trafferthion fel hyn? Syllai Mary ar y tebot fel petai gwaredigaeth am ddod o hwnnw. Roedd ganddo biti drosti.

'Ond doedd o ddim yn perthyn dafn o waed i chi, nag oedd?'

'Oedd a nag oedd. Perthynas i Silyn oedd o...'

Dyna hi felly, meddyliodd David Thomas, os oedd cysylltiad efo Silyn, fyddai Mary byth yn gadael i'r mater fod. Er bod cymaint o flynyddoedd wedi mynd heibio ers ei farw, i Mary, roedd o fel ddoe. Welodd o ddim cwlwm tynnach rhwng dau erioed, nid hyd yn oed rhyngddo fo ei hun a Bet...

'Mi ddaeth ar fy ngofyn ym 1934...'

Fyddai pethau byth yn syml efo Mary. Roedd wastad rhyw stori fyddai'n mynd yn ôl i'r cyn oesoedd.

'Be oedd o eisiau 'radeg honno?'

'Gwaith, fel pawb arall. Chwarelwr oedd o – yn Chwarel y Penrhyn – fatha R.T. Roberts, rhyfedd 'te? Wedyn aeth o i Merica efo'r teulu, am ryw chwarter canrif... gweithio mewn siop baent, ac fel cipar yn San Francisco, fuo fo. Ac wedyn dod 'nôl i fan hyn, ar ddechrau'r tridegau.'

'Oeddech chi'n gallu ei helpu?'

'Nes i ei helpu i wneud CV, ac mi sgwennais at gwmni ro'n i'n meddwl allai ei gyflogi, ond eu hymateb hwy oedd ei fod rhy hen.'

'Ond mi gadwoch chi gysylltiad efo fo.'

'Dyna'r peth lleiaf fedrwn i ei wneud. Ro'n i'n teimlo'n euog nad o'n i wedi gallu gwneud mwy... a rŵan mae wedi dod ar fy ngofyn eto. Bydd rhaid i mi wneud mwy y tro hwn.'

'Ydi hyn yn golygu eich bod yn gorfod helpu efo'r cynhebrwng?'

'Bob dim, a'i gladdu. Doedd o ddim eisiau *cremation* – wnaeth o hynny yn ddigon plaen.'

'Dwi'n gweld eich penbleth chi, Mary, a dim teulu i fynd ar eu gofyn. Sut oedd o'n perthyn i Silyn?'

'Disgynnydd o deulu Merica...'

Doedd hynny'n golygu dim. 'A beth oedd y cysylltiad efo Merica, deudwch?'

'Wel R.T. Roberts, 'te? Merthyr cyntaf Chwarel y Cae! Mi bechodd yn erbyn yr Arglwydd Penrhyn yn y streic, a gorfu iddo fynd i Merica i gael gwaith, a'r creadur 'mond yn ddwy ar bymtheg oed.'

'Streic 1900?'

'Naci'n tad, streic 1846. Dwi 'di deud yr hanes wrthoch chi o'r blaen. Mi fuo R.T. yn helpu Lincoln yn yr etholiad...'

Roedd Mrs Silyn yn trafod materion oedd wedi digwydd dros ganrif yn ôl – sut oedd disgwyl iddo gofio hyn? A sut roedden nhw wedi cyrraedd Lincoln mwya sydyn?

'Wyddech chi fod Silyn wedi cyfarfod Roosevelt?'

'Gwyddwn.' Ac yntau wedi sgwennu'r cofiant, oni wyddai bopeth am Silyn?

'Ac un o ddisgynyddion R.T. ydi Samuel Roberts?' holodd David Thomas, yn ceisio cael rhyw fath o gyfeiriad i'r sgwrs.

'Ia. Roedd o eisiau mynd yn ôl at ei berthnasau yn Merica, ond châi o ddim. Doedd gynno fod 'mo'r cyfoeth digonol, ac roedd wedi cadw ei Ddinasyddiaeth Brydeinig. Dwi 'di trio cysylltu efo'r nith – roedd hi'n anfon cerdyn iddo bob Dolig a Phasg.'

'A dydach chi ddim wedi cael lwc?'

'Naddo. Dim byd. Mae'r mater yn fy nghadw i ar ddi-hun, deud y gwir wrthoch chi.'

'Garech chi i mi gysylltu efo'r Cyngor i weld beth ydi'r trefniadau o ran claddu rhywun ar y plwyf?'

'Bobl, na. Na... dwi wedi meddwl am y peth, ac wedi dyfalu beth ddeuda Silyn am y mater, a dwi wedi datrys y broblem honno. Mi gaiff o'i gladdu ym medd Silyn, mae digon o le ynddo, 'toes?'

Bedd Silyn? Doedd David Thomas ddim wedi disgwyl

hynny. Os oedd un lle yn sanctaidd i Mary, y darn o ddaear lle claddwyd ei gŵr oedd fanno.

'Be arall wna i, Dafydd?'

'Wel, os ydach chi wedi meddwl digon am y peth... mae o'n gynnig hael iawn, ond ...' Sut ar y ddaear oedd ei ddeud o? 'Mae'n golygu agor y bedd... mae o'n fater emosiynol, tydi?'

'Ydi... ydi, dwi wedi meddwl am hynny. Yr hyn sy'n fy mhoeni rŵan ydi ymateb y plant. Dwi'n eitha sicr mai dyna fyddai Silyn yn ei gynnig yn ddatrysiad, ond wn i ddim sut bydd y plant yn ymateb i'r peth.'

'Ydach chi wedi cysylltu â nhw?'

'Dim ond Glynn hyd yma, a doedd o ddim yn frwd iawn. Doedd o ddim yn meddwl basa Meilir a Rhiannon yn ymateb yn dda chwaith, yn enwedig Rhiannon...'

'Oedd Glynn yn gallu cynnig ateb arall?'

'Nag oedd. 'Mond rhoi rhybudd i mi mai petha fel hyn sy'n digwydd os ydw i'n ymhel ormod â bywydau pobl eraill...'

Doedd hyn ddim yn synnu David Thomas. Swyddog uchel yn yr RAF oedd Glynn, a doedd o ddim wedi etifeddu, neu heb fabwysiadu, credoau Sosialaidd ei rieni. Ond, o ystyried y mater o'i safbwynt o, doedd o'n gwneud dim synnwyr i agor bedd ei dad – a'i fedd yntau yn y man o bosib – er mwyn gwneud lle i ddieithryn. Doedd agor bedd byth yn fater syml, yn enwedig y bedd hwn. Golygai ddatod 'bolltau'r dorau dwys' fel y cyfeiriodd Williams Parry atynt.

''Runig beth ddyweda i, Mrs Silyn, mae angen datrys y broblem, ac rydach chi wedi bod yn anghyffredin o hael. Os ydach chi'n fodlon nad ydi o'n mynd yn groes i ddymuniadau Silyn, yna mi ddylai hynny roi tawelwch meddwl i chi. A fydda fo'n gwneud dim drwg cael gair efo gweinidog y Tabernacl hefyd.'

Ac ar y nodyn hwnnw y gwahanodd y ddau. Ar ôl gwisgo ei het, trodd David Thomas at Mary. 'A gobeithio cewch chi noson o gwsg heno, Mrs Silyn.'

'Diolch i chi – a diolch am fod yn ffrind mewn cyfyngder.'

Aeth David Thomas tuag adre gan drio cofio hanes Merthyr cyntaf Chwarel y Cae.

Pennod 5

Caer Engan, Dyffryn Nantlle, Awst 1895

Roedd yr haf yn ei elfen y nos Sul honno, a chloddiau'r dyffryn yn drwm o wyddfid a suo'r gwenyn. Ar ei ffordd o Dalysarn oedd Silyn ar ôl bod yn pregethu, ac wedi penderfynu galw heibio ei gyn-athro yn y chwarel, Robert Williams Caer Engan. Aeth ei bregeth yn iawn, a sylwai ei fod yn magu hyder yn y pulpud. Roedd yn ysgafn ei droed wrth gerdded heibio'r hengaer. Mor wahanol oedd o i'r amser hwnnw flwyddyn ynghynt! Bu yn ei wely am fisoedd maith, yn methu'n glir â chael gwared o hen lesgedd, a chollodd ei flwyddyn gyntaf yn y coleg. Ond bellach roedd yn holliach ac yn llawn bywiogrwydd llanc pedair ar hugain oed. Gan ei fod yn byw ym Mangor bellach, ni châi gyfle mor aml i weld Robert Williams, dyn yr oedd ganddo feddwl y byd ohono. Nid yn unig roedd o wedi ei ddysgu i drin cŷn a morthwyl yn y chwarel, ond roedd hefyd wedi ei gyflwyno i'r gynghanedd, yn ogystal ag i Anant ac Owain Meirig. Bu'n golled drom i Robert Williams pan gollodd ei wraig, ac yntau'n dal yn ŵr ifanc, ond cafodd hapusrwydd pan briododd eilwaith efo Dori Hendre Cennin.

Curodd ar ddrws y tŷ fferm, a phan agorodd Robert Williams ef, daeth gwên lydan dros ei wyneb.

'Robat Brynllidiart, achan! Dyma beth ydi newydd da ... wel, dwi'n falch o dy weld, frawd.'

'Diolch yn fawr, Robat Williams – ro'n i'n cadw cyhoeddiad yn Nhalysarn, a dyma achub ar y cyfle...'

'Bendith arnat. A sut mae bywyd yn y Coleg?'

Edrychodd Silyn ar ei gyfaill a'i lygaid yn disgleirio. 'Dwi'n cael digon o fodd i fyw!'

'Ac mae'n dipyn haws na thrin llechi!'

'Ydi – dwi'n cyfri 'mendithion. A dwi mor falch i mi gael yr ysgoloriaeth. Ro'n i wedi meddwl y byddai'n rhyw estyniad o Ysgol Clynnog, ond mae o'n gwbl wahanol.'

'Rwyt ti'n haeddu'r cyfan – ddeudais i o'r cychwyn dy fod yn hogyn peniog, cyn gynted ag y daethost ti i'r chwarel yn hogyn. Tyrd i mewn.'

Gwenu'n swil wnaeth y llanc, ac wrth gamu dros y rhiniog, clywodd sŵn lleisiau.

'Mae gennych ymwelwyr?'

'Chwaer Dori sydd wedi dod draw.'

Trodd Silyn gan fynnu na fyddai'n tarfu arnynt.

'Paid â bod yn wirion,' mynnodd Robert, ''mond Lora sydd 'ma, a ffrind iddi o Lundain.'

'O, Llundain, aiê?' meddai'r ymwelydd yn smala.

'Tyrd i ddeud helô wrthyn nhw. Gawn ni fynd i'r gegin wedyn i sgwrsio...' ac agorodd Robert ddrws y stafell fyw.

Tawelodd y rhai oedd yn y stafell wrth weld y drws yn agor.

'Ylwch pwy sydd wedi galw, chwarae teg iddo – Robat Brynllidiart. Rhaid ei fod wedi synhwyro mor unig own i, ar fy mhen fy hun mewn llond stafell o ferched!'

'Ddrwg gen i darfu arnoch, a hithau'n nos Sul,' meddai'r ymwelydd yn dawel.

Cododd Dori. 'Pwy darfu? Mae hi'n braf dy weld – dydan ni ddim yn cael y cyfle yn aml, ers i ti fynd i'r coleg. Eistedd... rwyt ti'n nabod Lora, fy chwaer, dwyt? A dyma ni hogan newydd – Mary Parry o Lundain.'

Edrychodd Silyn ar y ferch ifanc oedd yn eistedd yn y gadair bellaf, ac fe'i rhyfeddwyd gan ei thlysni. Roedd ei gwallt tywyll yn donnau, wedi ei godi ar ei gwar, ond yr hyn a'i denodd fwyaf oedd y llygaid sionc, tanbaid. Sut yn y byd oedd un fel hon wedi cyrraedd Caer Engan?

'Ydi hi'n siarad Cymraeg?' sibrydodd y llanc.

'Mae'n deall ambell air,' meddai Dori.

Aeth Silyn ati ac ysgwyd ei llaw. 'I'm glad to meet you. I'm Robert Roberts... Do you like North Wales?'

'I do, thank you,' atebodd Mary. 'It's so beautiful here...'

Sylweddolodd ei fod yn syllu arni, a mwya sydyn, ffrwydrodd Dori a Lora, yn methu atal eu chwerthin. Wrth ei weld mewn penbleth, mynnodd Robert Williams ddod i'r adwy.

'Cymraes lân, loyw ydi hi, Robat. Tynnu dy goes di maen nhw.'

Gwridodd y llanc, ac edrych ar y ferch ddieithr. Roedd ei llygaid yn dawnsio, ac yn llawn direidi. Teimlodd yn ffŵl, ond gwenodd o weld y genod yn chwerthin yn afreolus. Llamodd rhywbeth o'i fewn o glywed ei bod yn Gymraes. Roedd o'i hun yn hoff o chwarae triciau ar bobl, ond anaml y byddai rhywun yn llwyddo i gael y gorau arno.

'Mae'n ddrwg gen i,' meddai Mary, 'fedrwn i ddim peidio.'

Cyfarfu llygaid y ddau a theimlodd Mary y gwrid yn dod i'w hwyneb ei hun, oedd yn brofiad dieithr.

'Rhai drwg ydach chi, genod. Mi ddylech gynnig paned i'r creadur rŵan, wedi cael y fath sbort ar ei ben,' meddai Robert Williams. Cododd Dori a mynd i'r gegin i roi'r tegell ar y tân.

'Gweld dy fod yn dal ati i farddoni, a dy fod wedi cael enw barddol hyd yn oed! Silyn, ia?'

'Mater o raid oedd hynny. Mae mwy nag un Robat Roberts, felly mi rois Silyn yn y canol. Ond bellach, fel Silyn dwi'n cael fy nabod...'

' "Silyn" – enw da i fardd. Tyrd drwodd i'r gegin, achan, inni gael sgwrs gall.'

Y peth olaf roedd y llanc eisiau ei wneud y funud honno oedd neilltuo i'r gegin.

'Dwi'n credu 'mod i'n haeddu eglurhad yn gyntaf,' meddai Silyn, gan gofio. 'Chi soniodd fod y ferch ifanc yn byw yn Llundain, felly rhaid eich bod chithau yn rhan o'r cynllwyn!'

'*Mae* Mary yn byw yn Llundain!' meddai Lora.

Wyddai Silyn ddim beth i'w gredu. Edrychodd ar Mary eto – roedd hi mor ifanc!

'Ydach chi?' holodd Silyn.

'Ers pan o'n i'n dair,' atebodd Mary. Sylwodd Silyn nad oedd llediaith arni o gwbl.

Daeth Dori drwodd efo'r hambwrdd a dechrau tollti'r te.

'Fy ffrind i ydi hi,' eglurodd Lora. 'Yn nhŷ mam Mary yn Llundain yr ydan ni wedi bod, yn dysgu gweini. Mae Mary wedi dod aton ni i Hendre Cennin ar wyliau.'

'Ac ers iddi gyrraedd, 'mond tynnu coes sydd wedi bod, dwi'n amau,' meddai Dori wrth roi cwpaned i'r ymwelydd.

'Well, I'm very pleased to meet you,' meddai Silyn, ac am unwaith, doedd tafod chwim Mary ddim yn gallu meddwl am ateb.

'Robat... neu Silyn... oedd fy hen bartner yn y chwarel, Mary. Cymydog ydi o – o Frynllidiart, i fyny'r ffordd,' eglurodd Robert Williams.

Chwarelwr, meddyliodd Mary, ac yn syth roedd eisiau gwybod mwy amdano. Roedd wedi cael ei chyfareddu gan y gŵr ifanc efo'r wyneb gwelw a'r gwallt cringoch cyrliog. Roedd hi'n chwilfrydig yn ei gylch.

'Ond mae'n fyfyriwr bellach yn y Brifysgol ym Mangor.'

Myfyriwr ... diddorol.

Aeth Dori i'r gegin i nôl mwy o ddŵr poeth a gwenodd o weld Silyn yn syllu ar Mary.

Sylwodd Silyn fod y ferch o Lundain yn dal ei hun yn urddasol. Mynnai ei gwallt du ddianc yn rhydd o'r pinnau, gan ddawnsio'n gyrls o gwmpas ei thalcen.

'Mae o wedi dechrau pregethu hefyd, yn do, achan? Ar ei ffordd adre o gyhoeddiad roedd o rŵan...'

Pregethwr yn ogystal, ystyriodd Mary.

'Wel, yn Nhanrallt roddodd o'i bregeth gyntaf, 'te? Y capel bach rydw i a thad Silyn yn flaenoriaid ynddo, capel ar hyd y ffordd hon – ar y ffordd i Dalysarn, heibio Taldrwst.'

'Methodist ydach chithau felly?' holodd Mary'r gŵr ifanc.

'Ia, ia... i ba gapel yr ewch chi?'

''Run fath, yr Hen Gorff – capel Cymraeg Hammersmith.'

Roedd hi'n hyderus iawn am rywun mor ifanc. Ac eto, falle mai dyna roedd magwrfa yn Llundain yn ei roi i rywun.

Ar hynny agorodd y drws yn araf a daeth bachgen bach i

mewn yn hanner cysgu. Dychrynodd braidd o weld yr holl bobl, a safodd yno'n syfrdan.

'Robat!' meddai Lora, a mynd ato. 'Be wyt ti'n da ar dy draed, pwt? Wedi galw draw i weld dy fam ydan ni, ac mae Silyn wedi galw heibio hefyd – tydan ni'n griw?'

'Lle mae Mam?'

'Mi ddaw rŵan, 'machgen i,' meddai ei dad, gan droi at Mary. 'Robert Einion ydi'r creadur bach yma rydan ni wedi'i ddeffro efo'n sŵn...'

'Dwi eisiau Mam...' meddai'r bychan.

Daeth Dori drwodd efo'r tebot.

'Robat bach, be wyt ti'n neud ar dy draed?'

'Dwi'm yn gallu cysgu...'

'Mi ddaw Mam i fyny efo ti rŵan. Lora – wnei di dollti rhagor o de? Robat, deud nos dawch wrth Anti Lora a'i ffrindia.'

'Nos dawch,' meddai'r creadur bach yn gysglyd, ac aeth Dori ag o i'r llofft.

Roedd yn amlwg nad oedd bwriad o gwbl bellach gan Silyn i fynd i'r gegin.

'Ac am faint ydach chi'n aros yn Hendre Cennin?' gofynnodd Silyn i Mary.

'Dim ond am rhyw dridiau arall, mwya'r piti.'

Biti mawr, meddyliodd Silyn. Byddai wedi hoffi gweld mwy ohoni.

'Mae hi wedi cael digon arnom bellach,' meddai Lora efo gwên.

'Ond mae un peth dwi eisiau ei wneud cyn mynd,' meddai Mary. 'Dwi 'di deud sawl tro 'mod i eisiau cerdded i ben mynydd...'

'Mae'r tywydd yn rhy boeth,' meddai Lora.

'Tyrd yn dy flaen – er fy mwyn i!' erfyniodd Mary.

Roedd hi'n daer, doedd dim gwadu hynny. Roedd hi'n arian byw o ferch. Daeth Dori yn ei hôl i'r stafell.

'Mae o'n cysgu'n sownd rŵan. Munud y rhoddodd o'i ben ar y gobennydd, mi ddaeth Huwcyn Cwsg.'

'Faint ydi ei oed o bellach?' holodd Silyn.

'Mae Robat Einion yn bedair oed, creda neu beidio.'

'Dwi'n cofio dydd ei eni yn iawn...'

'Dori, fyddet ti'n fodlon dod efo ni i gerdded?' gofynnodd Mary.

Trodd Dori at Silyn. 'Dydi hon ddim yn un i aros yn llonydd fel gweli di,' meddai. 'Lle fyddet ti'n awgrymu iddynt fynd?'

Edrychodd Silyn arnynt. 'Dim ond un lle sydd 'na 'te? Copa Cwm Silyn – chewch chi ddim lle brafiach.'

'Dyna ni, dyna hynny wedi ei setlo,' meddai Mary, uwchben ei digon.

Roedd Silyn wrth ei fodd yn ei gwylio, cymaint oedd ei brwdfrydedd. Roedd ei llygaid ar dân ac edrychai i bobman ar unwaith.

'A ti ddim ffansi cerdded i rywle llai serth, Mary?' gofynnodd Dori. 'Mae copa Cwm Silyn yn dipyn o heic. Rhyw dro hamddenol ar dir fflat i Dalysarn neu rywle felly?'

'Mi gaf ddigon o gerdded tir fflat yn Earl's Court yr wythnos nesa. Dwi eisiau manteisio ar y tywydd braf 'ma a'r golygfeydd.'

'O'r gorau 'ta,' meddai Dori, 'gei di dy ddymuniad. Lle fasa orau iddyn nhw gychwyn, Silyn?'

'Ar hyd y ffordd hon – dilyn y lôn tan Ffordd Tyddyn Anas, a fyny fanno tan ddowch chi i Faen y Gaseg. Pryd oeddech chi'n meddwl mynd?'

Cododd Mary ei hysgwyddau, 'Fory?'

Gwelodd Silyn ei gyfle, 'Os mai fory fydd hi, y peth hawsaf fyddai i mi ddod i'ch cyfarfod ac mi ddof efo chi i ddangos y ffordd...'

'Fyddet ti?' gofynnodd Dori. 'Mae hynny'n gynnig caredig.'

Gwenodd Silyn, a goleuodd ei wyneb. 'Faswn i wrth fy modd. Hynny ydi, os nad oeddech wedi trefnu trip 'merched yn unig'?''

Trodd Dori at y lleill, 'Be ydach chi'n ei ddeud genod: ydan ni'n croesawu tywysydd?'

'Iawn efo mi,' atebodd Lora.

'Mary?'

Ddaru Mary ddim ateb yn syth, a llyncodd Silyn ei boer. *Deud rywbeth, ferch, yn lle fy arteithio fel hyn...*

'Wel,' meddai Mary, a'i phen ar un ochr fel petai'n dwys ystyried. 'Mi rydach yn nabod yr ardal...'

'Fel cledr fy llaw.'

'Ac rydach yn Fethodist.'

'Glân gloyw.'

Nodiodd. 'Ia, fasa well i chi ddod 'ta – rhag ofn inni fynd ar gyfeiliorn...' meddai'n bwyllog gan edrych ar Silyn a gwenu'n chwareus.

'Dyna hynny wedi'i setlo 'ta,' meddai Dori. 'Dwi'n cael fy nhemtio i ddod efo chi. Dydw i ddim wedi bod ar y mynydd ers tro. Ga' i weld os fedr rhywun ofalu am Robat Einion...'

'Neu tyrd â fo – gorau po fwyaf,' meddai Lora. 'Rydw i'n edrych ymlaen.'

'A falle byddai'n well i chi aros yma heno, genod. I be deithiwch chi'n ôl i Hendre Cennin heno, dim ond i ddychwelyd bore fory?'

Dyna pryd y sylweddolodd Silyn ei fod wedi aros yn llawer hwy nag yr oedd o wedi'i fwriadu, felly ffarweliodd, ac fe'i hebryngwyd i'r drws gan Robat Williams.

'Mae'n ddrwg iawn gen i na chawsom ein sgwrs gall wedi'r cwbl, a dy fod wedi gorfod dioddef clebar y gwragedd drwy'r nos. Druan ohonat,' meddai'n wamal. 'Ac maen nhw wedi dy hudo i'w rhwyd fory eto...'

'Tydi bywyd yn greulon?' meddai Silyn wrtho efo gwên. 'Mi gawn sgwrs gall rywbryd eto. Da bo ti!'

Pan adawodd Silyn Gaer Engan y noson honno, a throi tua Brynllidiart, gwyddai fod rhywbeth rhyfeddol wedi digwydd yn ei fywyd. Unwaith eto, roedd Robat Williams wedi ei dywys ar lwybr gwahanol ac agor ei lygaid i fyd newydd.

Pennod 6

22 Ffordd y Coleg, Bangor, 1963

Edrychodd Mary ar ei dwylo a rhyfeddu fod ganddi ddwylo hen wraig. Roedd y bysedd wedi eu hanffurfio, y croen yn rhychiog a thenau a'r gwythiennau yn dangos. Ar ei llaw chwith, roedd ei modrwy briodas yn llac am ei bys. Roedd wedi ailgydio yn y gwaith o roi trefn ar bapurau ei gŵr, a doedd dim gwadu ei fod yn ymdrech. Câi ei hatgoffa o sefyll yn nŵr y môr, a chlywed tynfa'r llanw yn rym dan ei thraed, yn ceisio ei orau i'w sugno ymaith.

Brwydr yn erbyn llanw atgofion fu ei bywyd. Brwydr chwerwfelys, ond roedd hiraeth yn bygwth ei boddi'n ddyddiol. Ydi o fel hyn i bawb, tybed? Os ydyw, mae o'n fyd tristach nag a ddychmygodd neb erioed... Gweddwon y byd yn smalio byw, ond yn methu gwneud synnwyr o fyd sydd heb eu hanwyliaid. Gwaith, gwaith, gwaith – dyna a'i hachubodd. Dim ond iddi barhau i weithio a chario'r baich, fyddai hi ddim yn cael amser i fyfyrio ar y boen.

Mary, be gebyst wyt ti'n ei wneud rŵan 'ta? Dos ymlaen â'th waith, neu fyddi dithau hefyd wedi dy gladdu cyn gorffen y dasg. Bydd rhywun yn clirio'r tŷ 'ma, ac yn gweld yr holl bapurach ar y bwrdd, ac yn lluchio'r cyfan heb feddwl dim. Tyrd 'laen, gafael yn y papur nesa a phenderfyna lle mae o'n mynd. Twt lol! Dwyt ti ddim yn aml fel hyn...

Ac wrth gwrs, y peth nesaf oedd y cerdyn Nadolig. Pam yn y byd oedd yn rhaid i hwn ddod i'r wyneb? Y cerdyn Nadolig dela erioed, un Fictorianaidd digon o ryfeddod – doedden nhw ddim yn gwneud petha felly bellach. A'r geiriau ynddo: 'Still closer linked in Friendship's ties each passing year.' Ac mi cadwodd o fo, yr holl flynyddoedd! 'Machgen gwyn i.

Mae'n agor y cerdyn sydd fawr mwy na bocs matsys ac yn edrych ar ei llofnod taclus, 'Nadolig Llawen i chi. Mary Parry. Nadolig 1895'. Mor ffurfiol, mor sidêt. Cerdyn i nodi y Nadolig cyntaf hwnnw fel cariadon.

1895... deunaw oed oed hi. A'r gwyliau cofiadwy hwnnw yn Hendre Cennin, pan gafodd fynd ar ei phen ei hun i aros efo Lora. Onid oedd yr haul wedi tywynnu bob dydd, a hithau'n teimlo mor henaidd ei bod wedi cael mynd mor bell ar ei phen ei hun? Yr holl sgyrsiau roedd hi a Lora wedi eu cael, y chwerthin a'r rhannu, ac yna'r daith i Ddyffryn Nantlle. A hwythau yn ymweld â chwaer Lora, a Silyn yn galw heibio – ar hap – ar ei ffordd o oedfa. Beth petaent wedi galw yng Nghaer Engan ryw noson arall? Beth petai Silyn wedi mynd yn syth adre heb alw ar ei gyfaill? Fydden nhw rioed wedi cwrdd. Byddai patrwm y sêr wedi ei ddrysu, a byddai ei bywyd yn gwbl wahanol.

Roedd o'n gyfarfyddiad oedd i fod i ddigwydd, yn un a ragordeiniwyd, ac a ddaeth â dau enaid ynghyd...

Dotiodd ato, y llanc swil efo'r mop o wallt cringoch, yn welw ei wedd, ond efo'r presenoldeb rhyfeddaf. Dotiodd yntau ati hithau, a mynnu mynd â nhw i ben Cwm Silyn. Ac am y filfed gwaith, bu Mary yn ail-fyw y diwrnod bythgofiadwy hwnnw...

'O, mae'n dda cael dianc i ben mynydd, tydi?' meddai Mary wrth gerdded i fyny Lôn Tyddyn Agnes. 'Mi fydda i'n teimlo bod mynydd yn lle arbennig iawn. Dach chi'm yn meddwl?'

'Ydan, Mary,' meddai'r ddwy chwaer fel côr.

'Mae'n siŵr dy fod yn cael cerdded mynyddodd pan wyt ti yn nhŷ dy fodryb?' gofynnodd Dori.

'Ydw, peth cyffredin iawn ydi dringo'r mynydd yn Llanrhychwyn – y Grinllwm. Ond bryn ydi hwnnw o'i gymharu efo be sydd gynnoch chi fan hyn.'

'Mae edrych ar y copa yn torri 'nghalon i,' cwynodd Lora. 'Fyddwn ni wedi blino'n racs cyn cyrraedd hanner ffordd.'

'Twt, y beth wantan. Be sy'n bod efo ti? Ti'n iau na mi – fagith o archwaeth,' meddai Dori. 'A pheidiwch ag anghofio, 'dan ni'n cael tywysydd i'n harwain. Mae o'n hogyn clên, tydi Mary?'

'Silyn? Ydi, ac yn greadur diddorol. Sut ddaeth Robert i'w nabod?'

'Fo oedd ei athro yn y chwarel – daeth i'r chwarel pan oedd yn bedair ar ddeg. "Hogyn peniog Brynllidiart" fydda Robert yn ei ddeud amdano. "Mi aiff hwnna 'mhell..." Ac roedd y cysylltiad efo capel Tanrallt, wrth gwrs...'

'Lle mae Tanrallt felly?' holodd Mary.

'Syth oddi tanom, dydi o fawr o le – dim ond tua dwsin o dai, ond lle gweithgar tu hwnt. 'Mond tua pymtheng mlynedd yn ôl y codwyd y capel... O, dacw fo yn fan'cw!'

Wrth Dyddyn y Gaseg, roedd Silyn yn eistedd ar y giât yn aros amdanynt.

'Mae o wedi cofio!' meddai Lora.

'Fasa Robat Brynllidiart ddim yn anghofio,' meddai Dori, 'nid os ydi o wedi rhoi ei air.'

'Bore da,' cyfarchodd Silyn hwy, 'dach chi'n barod amdani?'

'Mae Lora yn cwyno'n barod,' meddai Dori gan chwerthin.

'A chdi ydi'r fenga ohonon ni,' meddai Silyn.

'Na, Mary ydi'r fenga,' atebodd Lora fel bwled o wn.

'Wel, Miss Parry, os bydd y daith yn profi'n ormod, 'mond i chi ddeud, a gewch chi aros nes byddwn ni'n cyrraedd y copa. Dydi ddim tamaid o ots.'

'Fydde adar ysglyfaethus ddim yn fy atal rhag cyrraedd y copa heddiw,' meddai Mary. 'Dowch!'

'Hogan benderfynol ydi hi, Silyn,' meddai Dori efo gwên, 'rhag ofn nad wyt wedi sylwi!'

Ia, cwmni difyr aeth i gopa Cwm Silyn y diwrnod hwnnw, a bu'r tywydd yn fendigedig. Cafodd Silyn gyfle i siarad efo'r ferch o Lundain.

'Wyt ti'n mwynhau?'

'Wrth fy modd,' atebodd hithau.

'Cwestiwn gwirion, mae'n berffaith amlwg ar dy wyneb dy

fod uwchben dy ddigon. Roeddet yn benderfynol o wneud y daith...'

'Wn i ddim beth ydi o... ond mae mynyddoedd yn gwneud i mi deimlo cymaint mwy byw.'

Stopiodd Mary a syllu o'i chwmpas.

'Dallt yn iawn. Dydi 'nghartref i 'mond dafliad carreg o fan hyn – draw i'r cyfeiriad yna,' amneidiodd. 'Wedi byw yno ers dydd fy ngeni. Mae'n galed yn y gaeaf, cofia.'

Gallai Mary gredu yn hawdd. 'Ond mae'n hardd.'

Roedd y ddwy arall yn dod atynt islaw.

'Go wahanol i Lundain, tydi?'

'Llai o bobl, yn bendant,' meddai Mary, gan wenu.

'Wyt ti wedi byw yno ar hyd dy fywyd?' gofynnodd Silyn, yn methu tynnu ei lygad oddi arni.

'Ers pan o'n i'n dair. Mam yn mynd yno i weini pan oedd yn ifanc, a 'nhad yn saer, ac mi benderfynodd Mam y carai fynd yn ôl i Lundain ac agor tŷ lojing yno.'

'Un o le ydi dy dad?'

'Sir Fflint – Moel Fama.'

'Pobl y Ffin ydach chi'n fanno.'

Edrychodd Mary ar Silyn. Doedd hi ddim wedi meddwl am hynny o'r blaen, ond oedd, roedd o'n ddisgrifiad addas. Ailgychwynnodd y ddau gerdded, a gwyliodd Silyn hi. Eistedd yn sidêt oedd hi yng Nghaer Engan. Roedd ei gweld yn cerdded mor benderfynol yn awr yn rhoi gwedd arall arni.

'Mi ydw i'n teimlo yn un o bobl y ffin yn aml,' meddai Mary, 'un droed yn un lle a'r llall yn rhywle arall. Mae'n fwy na lle, mae o'n ddau ddiwylliant, yn ddwy ffordd o feddwl... a dwi byth yn teimlo'n rhan gyflawn o 'run...'

Mor wahanol iddo fo, meddyliodd Silyn. Roedd o'n un â'r mynydd hwn. Roedd yn nabod pob modfedd ohono, wedi crwydro'r rhosdir ers iddo ddysgu cerdded.

'Ond fasa'n well gen ti 'tae dy rieni wedi aros yng Nghymru?'

Pendronodd Mary, 'Dyna ryfedd 'te? Na faswn. Faswn i ddim wedi colli cael fy magu yn Llundain – mae o'n lle rhy ddiddorol. A dwi'n lecio 'mod i'n cael dod i fan hyn ac i dŷ fy modryb yn Llanrhychwyn.'

'Garwn i fynd i Lundain,' meddai Silyn. 'Mi gaf – rhyw ddydd.'

'Ym Mangor wyt ti ar hyn o bryd?'

'Ia – 'dw innau wedi symud rhyw fymryn, do?' meddai, efo gwên. 'Ond mae Nel, fy chwaer, yn dal ym Mrynllidiart. Am bum mlynedd ar ôl gadael yr ysgol, gweithio yn y chwarel ro'n i.'

'Sut brofiad oedd hynny?'

'Dyna oedd pawb yn ei wneud. Doeddet ti ddim yn ei gwestiynu. Gweithio yn y chwarel mae pawb yma, drwy eu bywydau.'

'Be barodd i ti ddod oddi yno?'

'Fy iechyd oedd i'w gyfrif am hynny, ac mi ges ddamwain. Llwyddais i gael mynd i Ysgol Clynnog, dyna oedd f'achubiaeth. Fel arall, byddwn yn dal ar wyneb y graig, fel Nhad.'

'Am faint y buost ti'n Ysgol Clynnog? Os nad ydw i'n holi gormod!' chwarddodd. Pan chwarddai, roedd fel petai glöyn byw yn ysgwyd ei adenydd.

''Mots gen i. Tair blynedd fûm i yng Nghlynnog, a ges i ysgoloriaeth i fynd i Goleg Bangor. Roedd hynny'n fraint fawr. Ond mi fûm i'n wael eto am flwyddyn, a dyna pryd ddarllenais i bob dim fedrwn i gael gafael arno.'

Doedd hi ddim wedi bod yn hawdd arno, meddyliodd Mary. Roeddent yn dringo darn go serth o'r mynydd erbyn hyn, ac yn fyr eu gwynt.

'Arhoswn ni yma am dipyn i gael hoe. Rhoslas ydi enw'r darn yna...' meddai Silyn. 'A 'nhro i ydi bellach i dy holi di...'

Safodd Mary i wynebu'r olygfa oddi tani. Welodd hi ddim golygfa debyg, ac ar y gorwel roedd y môr yn disgleirio'n las. Roedd yr awyr mor bur.

'Be garet ti ei wybod amdanaf?'

Popeth, meddyliodd Silyn, unrhyw beth, doedd dim ots.

Dim ond ei fod yn cael bod yn ei chwmni a chael gwrando ar ei llais, a sŵn ei chwerthin. Trodd ato ac edrych yn smala, a gofynnodd Silyn y peth cyntaf ddaeth i'w ben.

'Oes gen ti frodyr a chwiorydd?'

'Oes.'

'Deud fwy...'

'Fi ydi'r hynaf.' Roedd hi'n pryfocio.

'Ia...'

'Mae Evan ddwy flynedd yn iau na mi, Myfanwy wedyn a Henry ydi bach y nyth.'

'Llond tŷ go iawn felly.'

'Ia, a pheth braf ydi hynny.'

Yn y man, ymunodd y merched â hwy.

'Rydan ni dipyn arafach na chi,' meddai Dori, 'mae'n siŵr ei bod yn tynnu at amser cinio!'

'Mae gen i ofn nad ydw i wedi dod â briwsionyn efo mi – ar wahân i afal,' meddai Silyn yn swil.

'Does ganddon ninnau fawr, ond mi fedrwn ni rannu,' meddai Dori, 'ond ydi'n well cyrraedd y copa gyntaf?'

'Well inni wneud yr ymdrech, tydi?' cytunodd Silyn, 'i ddeud ein bod wedi haeddu'r enllyn. Mae hi'n dipyn o ddringfa i'r copa, ond mae hi werth bob tamaid!'

Ac yn wir, mi roedd hi. Roedd angen anian gafr i ddringo dros y creigiau ysgythrog, ond llai na hanner awr gymerodd hi, ac roedd golygfa anhygoel o'r copa. Gallai un edrych o'i gwmpas a chael ei ryfeddu gan y mynyddoedd i bob cyfeiriad – Eifionydd, Môn, Llanberis a Meirionnydd.

'Dach chi'n deall pam 'mod i am i chi weld fan hyn?' gofynnodd Silyn. Edrychai ymhell, bell i ffwrdd, ac yn amlwg, roedd ei feddwl ar bethau eraill. Ond doedd y merched fawr o dro yn ei dynnu i'r presennol wrth estyn y brechdanau roeddent wedi'u paratoi, a photel o de oer.

Syllodd Mary i'r tân. O'r cychwyn cyntaf roeddent yn

gyfforddus yng nghwmni ei gilydd, fel petaent wedi nabod y naill a'r llall erioed. Theimlodd hi rioed yn chwithig nac yn bell yn ei gwmni. Wrth gwrdd, roedd fel petai dau hanner wedi dod ynghyd, a dod yn rhywbeth cyflawn.

Pennod 7

13 Regent Street, Bangor, 1897

Annwyl Miss Parry,

Y Sul nesaf dwi'n rhwym yn Llanrwst. Sut olwg sydd ar y coed a'r Grinllan yn y gaeaf? Y mae pelydrau y lloer fel ysbrydion claerwynion wedi crwydro ar hyd-ddynt ganwaith er pan oeddem ni yno. Fe fuont yno filiynau o droeon cyn hynny ac fe ddeuent eto lawer miliwn o weithiau eto ar ôl ein myned ni ymaith. Y mae dyn yn mynd ac yn dod, ond mae'r briallu yn aros o hyd.

Does dim yn rhoi mwy o fwynhad i mi na gweld dy lawysgrifen ar amlen ddaw gyda'r post. Pan ddarllenais dy lythyrau cyntaf, rhoddaist yr argraff dy fod yn ferch ifanc 'matter of fact' iawn, ond gwn y gwir bellach. Yr unig beth a ofynnaf gennyt, Mary, yw i ti sgwennu'n amlach. Mae dy lythyrau fel ymweliadau angylion, yn dod yn annisgwyl, ac yn bethau prin. Ond dwi eisiau i ti sgwennu ym mha bynnag hwyl rwyt ynddo – sgwenna pan ti'n hapus, sgwenna pan ti'n ddrwg dy hwyl, pan mae dy gwpan yn llawn, neu pan wyt wedi cyrraedd y gwaelodion. Dwi'n sychedu am unrhyw fath o newydd amdanat.

Mae'r Awen yn garedig efo mi y dyddiau hyn, ac mae diolch am lawer o hynny i ti, Mary. Nid wyf yn gyfrifol am y pethau yr wyf yn ysgrifennu, ac os digwydd i mi wneud rhywbeth anfarwol, mi leciwn i'r byd wybod pwy sy'n haeddu'r clod. Mae O.M. wedi cyhoeddi tair o'm cerddi yn *Cymru* – meddylia, tair yn yr un rhifyn! Anfonaf gopi o 'Gorffwys Don' efo'r llythyr hwn, gan mai Llyn Geirionnydd fu'r symbyliad. Gobeithio y daw â sawl atgof hyfryd yn ôl i ti. Ond rhyfedd ydi'r modd y daw yr Awen heibio yn annisgwyl, ar adegau eraill, gall gadw draw, a does wybod beth fydd yn ei chymell. Byron a'i crisialodd i mi, rhaid i'r enaid gael 'the feeling infinite', meddai. Ac nid peth hawdd cael gafael arno ydi hwnnw, yng nghanol sŵn a dwndwr y ffatri ddeallusol hon yn y coleg.

Mae'n ymddangos fod dy astudiaethau di yn mynd yn iawn, yn enwedig os wyt wedi pasio Chemistry a Maths hefyd. Well done, Mary. Dywedaist yn dy lythyr 'mod i'n teimlo yn bur gas at bawb ar y pryd, ond doeddwn i ddim. Nid yr Anglo Saxon oedd yn peri i mi fod yn flin ychwaith. Ychydig mae pethau felly yn pwyso ar fy meddwl. Nid teimlo yn gas at bobl yw fy mherygl i, ond peidio teimlo fy ffordd yn y byd. Yr uffern wyf yn ofni fwyaf yw indifference. What's the use of bothering? Dyna'r cwestiwn damniol i mi. A'r peth fydd yn fy nghadw rhag taflu popeth i'r gwynt weithiau fydd y teimlad fod hynny'n cowardly.

Ac mae'n anodd iawn rhoi fyny pan mae hynny'n ymddangos fel ildio. No, when death comes, let it find no fighting.

Y mae yr Easter Crisis yn cael sylw mawr ar hyn o bryd. Y mae yma amryw fechgyn wedi pledgio eu hunain i fynd allan i ymladd dros Groeg os bydd angen. Rhaid i mi addef na bûm yn teimlo mor angerddol erioed gyda dim ag wyf ar y cwestiwn yma. Fy enw i a Mr Aman Jones oedd y ddau gyntaf ar y list of volunteers. Os y bydd galw, ac os y cawn nifer o fechgyn, teimlwn awydd cryf i fynd allan efo Mr Allen Upward.

Ymddiheuriadau lu am anghofio diolch am yr anrheg pen-blwydd – fe blesiodd yn arw. Pethau prin iawn ydi anrhegion pen-blwydd yn fy hanes. Wn i ddim yn iawn beth yw fy mlwyddyn geni, ond mae wedi 1870 yn bendant. Roedd llyfr Whitier yn gyfrol hardd iawn. Mi gei di fod yn athro Whitier i mi yn awr! Esgeulustod difrifol oedd peidio cydnabod na diolch am yr anrheg. Petawn yn 'practical man' buaswn wedi gwneud, ond ti ydi'r un ymarferol ohonom.

Ysgrifenna lythyr ataf, Mary, un maith anhrefnus am bopeth dan haul. Hitia befo am ei ffurf neu'r atalnodi, dim ots os mai un frawddeg faith ddiderfyn ydyw. Byddai yn newid o dy lythyrau byr, matter of fact. Dywedi weithiau na fyddai dy hanes o ddiddordeb i mi – wrth gwrs ei fod, mae unrhyw beth yn ymwneud â thi yn fy niddori, ti yw echel fy myd.

Mae Hudson Wms wedi bod yn fy holi amryw o weithiau am y ferch wallddu lygatddu oedd yn sefyll y Matric, 'honno fuo chi yn mynd hefo hi am dro'. Ac y mae y student oedd wedi meddwl mai actress oeddet yn parhau yn yr un cyfeiliornad o hyd. Wedi i mi ddod yn ôl, gofynnodd i mi a welswn yr actress. Wedyn dywedais innau fy mod wedi bod yn crwydro hyd a lled Lloegr yn chwilio amdani yn yr holidays, a fy mod o'r diwedd wedi mynd ar ei hôl i Lundain ac wedi ei gweld yno, a fy mod dros fy mhen mewn cariad efo hi! Pan glywodd fy stori, ofnais ei fod bron â syrthio ar ei liniau ar y ffordd i offrymu gweddi dros frawd o bregethwr wedi ei lygad-dynnu gan actress. Pan weli di o eto, bydd rhaid i ti gymryd arnat mai actress wyt ti...

Y cwestiwn mawr yw pryd gwelwn ni'n gilydd nesaf? Fydd dim gwaredigaeth i mi nes daw diwedd ar yr exams. Pryd fyddi di yn ymweld â Chymru eto?

Mae Wil yntau yn cwyno am yr exams. Ond fedrwn ni ddim 'studio drwy'r amser. Yr wythnos dwytha, aeth Wil a fi i Ogwen Lake ac i ben y Glyder Fawr. Bûm efo'r magazine coleg drwy y bore a'r pnawn y diwrnod cynt – a heno, cawn nofio a chwarae tennis. Y mae nofio allan ymhell a dod yn ôl yn gwanio un yn arw iawn. Ond gwnaiff fyd o les i'r enaid.

Os hoffet gael dy bombardio â phob math o rigymau llon, lleddf, gad i mi gael dau lythyr yr wythnos gennyt. Yr wyf yn dechrau teimlo fy hun yn llithro i ysbryd breuddwydiol angenrheidiol i ysgrifennu cerdd. Mae'n deimlad rhyfedd, fel rhywbeth nad oes gen i unrhyw reolaeth drosto.

Is all that we see or seem
But a dream within a dream?

Dos ymlaen yn dy berffeithrwydd, Mary, a byddi yn rhoi llawer iawn o hyfrydwch i un unig ac alltudedig, yma ar strydoedd Bangor neu ar unigeddau Dyffryn Nantlle.

Ymhen dipyn, bwriadaf ddringo Cwm Silyn fy hun a threulio peth o'r nos yn ei gorgu noethlwm. Yma caf wrando am gynghanedd y bydoedd (music of the spheres) a chaf roi tro i'r gorffennol. Gresyn na buaset yno gyda mi. Ond pwy ŵyr na byddi? Fis Awst mae'n rhaid mynd i ben yr Wyddfa efo'n gilydd. Fan honno y mae Natur yn traethu ei chyfrinach i neb a fedd glustiau i wrando arni.

I wander about a good deal now and then in the afternoon. I've been on the banks of the Ogwen once. I only deplored your absence. How much sweeter the music of the Ogwen would have been for you and me together. But the future is always golden; at least, let us hope so, you may in time become very great, learned, illustrious even, but in my sweetest thoughts, you will live as the upright, wilful, outspoken tomboy of a girl as you were when I first knew you. I must confess that I have never met with anyone like you anywhere. You stand alone among the flowers that blow, there is one which cannot be classified with the others. Before meeting you, I thought I had probed the mystery of woman. But you are my problem. You are like a stream, ever changing and still ever the same. You have changed since I met you first, but you are Mary still in all respects. Is it I or you who has changed? Perhaps both of us have changed. Let me know what you think of as freely as I have written to you.

Wn i ddim pam y daeth hynny i gyd i mi yn Saesneg! Cyn ffarwelio, dwi eisiau diolch i ti eto Mary anwylaf, am yr inspiration i ganu'r cerddi serch. Ond nid rhai newyddion oeddynt i gyd. Yr wyt wedi gweld rhai ohonynt o'r blaen. Yn wir, chdi pia nhw. Ac oni bae amdanat, ni ddaethent erioed i fod.

Tra'n mynd am dro wrth Goed Menai pnawn 'ma, codais y brigyn hwn o eiddew a dwi'n ei anfon atat fel gwobr i ti am ddarllen y llythyr hwn yn amyneddgar i'w ddiwedd.

Remember me always as an old companion of sunny days,

Silyn

GORFFWYS DON

Gorffwys, don, yn dawel, dawel;
Paid a digio wrth yr awel
    Sy'n cusanu ewyn gwyn dy frig;
Huna'r waen a huna'r mynydd;
Pam y byddi di'n aflonydd?
    Pam y curi'r lan mor ddig?

Pâr i Olwen landeg huno'n
Suol siffrwd dy furmuron, –
    Dwsmel seiniau pêr y tonnog gôr;
Dyro 'nghymlith a'i breuddwydion
Serch ganiadau'r môr forynion, –
    Swynol fiwsig dwfn y môr.

Sibrwd, don, mor ddwfn a chynnes
Yw anfarwol serch fy mynwes,
    Serch fy nghalon at fy lili dlos;
Paid a phoeni'r lân forwynig
Gyda chŵyn y gwyliwr unig
    Grwydra'r forlan yn y nos.

Tyner gwsg gusana'i hamrant,
Gwenau ar ei min chwareuant,
    Pur dangnefedd yn ei mynwes drig.
Gorffwys, don, yn dawel, dawel;
Paid â digio wrth yr awel
    Ddawnsia'n ysgafn ar dy frig.

Pennod 8

Brynllidiart, Dyffryn Nantlle, Ebrill 1898

Pa mor hir mae dyn yn byw? dyfalodd Silyn wrth edrych ar wyneb ei dad ar ei wely angau. 'Dyddiau dyn sydd fel glaswelltyn...' Estynnodd am y Beibl oedd wrth ochr y gwely, a throi at y salm, 'megis blodeuyn y maes, felly y blodeua efe. Canys y gwynt a â drosto, ac ni bydd mwy ohono; a'i le nid edwyn ddim ohono ef mwy...' Aeth ias i lawr ei asgwrn cefn. Fyddai hynny ddim yn digwydd yn achos ei dad, fyddai Brynllidiart byth yn anghofio Robert John Pen Cymffyrch.

Edrychodd ar yr wyneb gwelw ar y gobennydd; roedd o'n cysgu. Y gŵr cydnerth hwn – wedi ei gaethiwo i wely. Peth dieithr iawn oedd ei weld mewn gwendid. Allan roedd o wedi arfer gweld ei dad erioed, naill yn trin y tir, neu yn mynd neu'n dod o'r chwarel. Roedd wedi rhoi ei fywyd i ofalu a thendian y tyddyn. Ers iddo ddod i Frynllidiart yn ŵr ifanc efo'i wraig gyntaf, roedd wedi rhoi oes o wasanaeth i droi'r tir a'i feithrin, i gael bywoliaeth ohono. Tir gwael oedd o, ond fe ddaliodd ati. Syllodd ar glawr tywyll y Beibl cyfarwydd, ac agor yr wynebddalen.

Robert Roberts, Brynllidiart, Llanllyfni yw gwir berchennog y Beibl hwn.
A dig a fydd os dygir. Ei oed 33, 1853.

Gwenodd wrth ddarllen y sgrifen gyfarwydd. Roedd hyn yn crynhoi ei dad, balchder, pwt o gynghanedd, a'i Feibl.

Agorodd ei dad ei lygaid a gwylio'i fab.

'Da was,' meddai'n floesg, 'darllen adnod i mi, wnei di?'

Aeth Silyn yn ôl at y salm, 'Ond trugaredd yr Arglwydd sydd

o dragwyddoldeb i dragwyddoldeb, ar y rhai a'i hofnant ef...' roedd ei dad yn cydadrodd y geiriau efo fo, a thawodd Silyn. 'I'r sawl a gadwant ei gyfamod ef, ac a gofiant ei orchmynion i'w gwneuthur...' meddai'r hen ŵr, ond roedd ei lygaid wedi cau unwaith eto.

Os oedd rhywun wedi cadw ei orchmynion, Robert Roberts oedd hwnnw, gan gynnal oedfa bob dydd ar ei aelwyd cyhyd ag y cofiai Silyn. Diolch iddo a Robert Caer Engan fod yna gapel yn Nhanrallt o gwbl. Trin a chodi cerrig fuo fo gydol ei fywyd, ac yntau'n ŵr cryf dros chwe throedfedd. Tan iddo dorri ei ffêr rai blynyddoedd yn ôl wrth neidio dros wal, roedd wedi dal ati yn rhyfeddol.

Agorodd y drws a daeth Nel, ei chwaer, i mewn gan sibrwd, 'Sut mae o?'

'Agorodd ei lygaid jest rŵan a gofyn am adnod...'

Gwenodd Nel. ''Mond darllen fedrwn ni iddo, creadur. Tydi ei anadl ddim rhy rhwydd...'

Bu'r brawd a'r chwaer yn edrych arno am dipyn, heb ddweud gair. Na, doedd o ddim yn anadlu'n esmwyth o gwbl, ac roedd golwg boenus arno.

'Sut mae Mam?' gofynnodd Silyn.

'Cysgu mae hi – dydi ddim yn cysgu yn y nos, nac ydi?'

Trodd Silyn i edrych arni, 'Mi 'rosa i efo fo heno. Dydi o 'mond yn ddeg.'

'Wnaiff hi ddim gadael i ti. Mae'n gwneud y daith hon ei hun.'

Edrychodd Silyn ar ei dad yn y gwely, a'r blanced o wlanen Gymreig a orchuddiai'r cynfasau. 'Dyna sy'n mynd at fy nghalon. Mi fedra i gadw cwmni iddi, o leiaf...'

'Ddo' i â phaned i ti rŵan, Robat. Oes gen ti rywbeth i'w ddarllen?'

'Oes, paid â phoeni amdanaf i. Diolch i ti.'

Dylai ddarllen, meddyliodd Silyn. Ymhen dipyn, byddai ar ei flwyddyn olaf yn y coleg a byddai'n rhaid canolbwyntio'n llwyr ar y gwaith academaidd. Ond roedd cymaint o bethau eraill yn mynd â'i fryd... rhwng y Gymdeithas Ddadlau, Cylchgrawn y Coleg, y Gymdeithas Gymraeg ac yntau'n ysgrifennydd iddi. Ond onid dyma ddiléit bod yn y coleg?

Tybed beth fyddai ei dad wedi ei wneud petai ef wedi cael cyfle i gael addysg prifysgol. Byddai'r euogrwydd yn para i fod yn rhan fawr o'i gynhysgaeth, ei fod ef wedi cael y fath gyfle, ond bod ei dad wedi gorfod dal ati i weithio yn y chwarel. A Robert Caer Engan, dylai yntau fod wedi cael addysg hefyd, yntau yn hyddysg yn y cynganeddion, ac yn cynnal y capel yn Nhanrallt efo'i dad. A'i fam – beth petai ei fam wedi cael coleg, a Nel hithau?

Agorodd ei dad ei lygaid.

'Sut ddiwrnod... ydi hi heddiw?' gofynnodd.

'Dydi hi ddim yn ddrwg...' atebodd Silyn gan edrych drwy'r ffenest ar yr olygfa gyfarwydd.

'Fyddwn i wedi hen fynd... am y chwarel erbyn hyn.' Dyna fu ei fywyd, y llwybr at y chwarel. 'Peth rhyfedd ydi... gorwedd... yn y gwely. Mae cymaint i'w wneud...'

'Maen nhw i gyd yn meddwl amdanoch yn y chwarel, 'Nhad, roedd Ifan Taldrwst yn deud ddoe bod llawer yn cofio atoch ac yn holi amdanoch yn y Caban.'

Daeth holl ferw'r Caban yn ôl i Silyn: y trafod, y dadlau, y darllen a'r dadansoddi. Oedd, roedd y chwarel yn ysgol galed a chreulon, ond fe ddysgodd gymaint yno. Llawer mwy nag y gwnaeth yn Ysgol Nebo. Yn y chwarel yr ymaelododd ag undeb, yno y dysgodd am achosion streic Dinorwig, câi Y Werin ei ddarllen yn rheolaidd yno bob wythnos, a mawr oedd y trafod ynghylch Pwnc y Tir, Iwerddon a Datgysylltu. Ia, y chwarel a'i ffurfiodd, a'i wneud yr hyn ydoedd. Fanno, a Chapel Tanrallt wrth gwrs.

Daeth ei chwaer i fyny'r grisiau efo paned iddo.

'Rydw i am bicio i lawr i Danrallt, wyt ti eisiau rhywbeth? Mae'n fore digon braf. Mi ofynnaf i Joseph ddod i fyny i dorri'r ysgall.'

'Mi wna i hynny pnawn 'ma, Nel, paid â phoeni.'

'Fedri di ddim gwneud bob dim rownd fan hyn...' Rhoddodd ei llaw ym mhoced ei barclod. 'O, mi ddaeth llythyr i ti yn y post – sgrifen gyfarwydd,' meddai efo gwên a rhoi'r amlen iddo. Llawysgrifen Mary oedd arni, a goleuodd wyneb Silyn.

'Ro'n i'n amau y byddai hynny'n plesio. Hwyl i ti.'

Mary annwyl, gwyn ei byd. Petai ond yn cael ei chwmni y funud honno. Darllenodd y llythyr.

Neuadd Alexandra, Aberystwyth,
1898

F'annwyl Silyn,

Beth ddywedaf? Pwy arall fyddai'n gwneud rhywbeth felly? Roedd y merched eraill llawn eiddigedd! Roeddent wedi cynhyrfu lawn cymaint â mi. Gwaeddodd un fod y postmon wedi cyrraedd, a byddwn wedi hoffi mynd i'm stafell ac agor y bocs ar fy mhen fy hun, ond roeddent yn clochdar cymaint fel bod rhaid i mi ei agor yn syth.

Wna i ddim anghofio y syrpreis o weld tusw o lili'r dyffrynnoedd. Wrth gwrs, cochais at fôn fy nghlustiau, er mawr foddhad i bawb. Ond welson nhw 'mo'r gerdd, dwi'n falch o ddeud.

Ydyn, mae'r blodau yn dlws odiaeth, ond gallai unrhyw un fod wedi eu hanfon. Dim ond ti allai fod wedi cyfansoddi'r gerdd. Rydw i wedi ei darllen drosodd a throsodd a phan af i gysgu, dyna'r geiriau aiff drwy fy meddwl (wedi dweud fy mhader wrth gwrs!)

... Gwyn a gwridog, pur a gwresog
Megis serch dy fardd.

Sylwa! Dwi wedi eu dysgu ar fy nghof! Petaet ti ar y maes llafur, byddwn yn llwyddo gydag anrhydedd yn fy arholiadau.

Silyn annwyl, fe roddwn rywbeth i fod efo ti rŵan, yn gwmni i ti ym Mrynllidiart, a dy dad mor wael. Cofia fi ato, a dwi'n meddwl amdanat nos a dydd ac yn ysu am dy weld,

Yn gorlifo o gariad,
Mary

Bendith arni. Roeddent yn canlyn ers tair blynedd bellach, a phan fyddai wedi gorffen ei astudiaethau, byddent yn priodi, a byddai ei fyd yn gyflawn. Ni allai feddwl am gymar gwell, roedd hi mor llawn o gariad, ac yn ferch abl, ddiddorol, yn llawn direidi a doedd wybod beth a wnâi nesaf. Ac i feddwl y caent ryw ddydd rannu cartref a'u bywydau...

Yna gwawriodd arno na châi ei dad weld dydd ei briodas, na magu ei blant ar ei lin fel taid.

'Wnei di ganu i mi?'

Gwthiodd Silyn y llythyr i'w boced yn frysiog, fel petai'n llanc pymtheg oed. 'Wrth gwrs y gwna i.' Ac yn ei lais tenor tlws, canodd Silyn eiriau hoff emyn ei dad, gan feddwl eu bod mor addas i dyddynwr oedd yn byw ar ben Cymffyrch.

> Rwy'n edrych dros y bryniau pell,
>> Amdanat bob yr awr;
> Tyrd, fy Anwylyd, mae'n hwyrhau,
>> A'r haul bron mynd i lawr.

Edrychodd ar wyneb ei dad, a gwylio'r deigryn yn llifo'n dawel ar ei rudd. Gwylltiodd efo'i hun am fethu gallu lleddfu ei boen na'i bryder. Gwylltiodd efo Duw am mai fel hyn roedd yn rhaid i bethau fod.

Amser cinio, daeth Silyn i lawr i'r gegin. Roedd ei fam wedi mynd ati i baratoi'r bwyd, ond edrychai'n flinedig.

'Mae Joseph am ddod i fyny pnawn 'ma i wneud y cae cefn.'

'Ddylwn i ei helpu, debyg...'

'Mae gen ti dy waith coleg, ac mae Joseph yn deall,' atebodd Nel. 'Diawcs, ers i ni ddechrau canlyn mae o bron yn un o'r teulu...'

'Dydw i ddim am i ti or-wneud pethau,' ategodd ei fam, a throdd Silyn i edrych arni.

'Mam, os oes rhywun yn gor-wneud pethau, nid fi ydi hwnnw...'

Gwthiodd ei fam y plât oddi wrthi.

'Sgen i ddim archwaeth...'

'Mam...'

'Fedra i ddim gorfodi fy hun i fwyta.' Rhoddodd ei phen yn ei dwylo. 'Wn i ddim beth i'w wneud. Pryder ydi o... ond fedra i ddim gorfodi fy hun i beidio poeni chwaith.' Ochneidiodd. 'Pethau ymarferol, fatha... wel, be ddaw o'r lle 'ma... wedi i Robat fynd?'

Hwn oedd y tro cynta iddi ei roi mewn geiriau.

'Digon i'r diwrnod ei ddrwg ei hun.'

'Paid, Robat. Dydi hynny ddim yn help. Mae rhaid i mi feddwl am y godro heno, a'r plannu a beth sy'n digwydd efo... bob dim. Mae 'na filiau i'w talu. Tydi bywyd ddim yn dod i stop...'

Sylweddolodd yr hyn ddywedodd ac edrychodd i fyw llygad ei mab, a gafael yn ei fraich.

'Mam...'

'Mae o ar fy meddwl i... dydw i ddim yn gallu canolbwyntio ar dy dad fel y dylwn i. Mae o'n fy nghadw'n effro yn y nos, mae'r peth cyntaf ddaw i 'mhen yn y bore. Dwi'n gwybod ei fod o'n deud yn y Llyfr Mawr am roi ein pwysau ar yr Arglwydd, ond mae rhaid cynnal y lle 'ma o ddydd i ddydd.'

Edrychodd Silyn ar y bwrdd, ar y lliain, ar y platiau gwyn a'r cyllyll a ffyrc. Cymaint o ymdrech roedd ei fam yn wneud i gadw defodau bach bob dydd fel tase bywyd 'run fath ag arfer. Ac eto roedd ofn marwolaeth wedi taenu ei wae dros y pethau mwya cyffredin. Roedd y Disgwyl Mawr wedi cydio ynddynt, gan droi eu byd wyneb i waered.

'Mam, mi steddwn ni i lawr heno, a mynd drwy bob dim, a cheisio rhoi trefn ar betha. Fedrwn ni wneud dim mwy.'

Roedd dagrau yn llenwi llygaid Elen Roberts.

'Diolch i ti. Yr ofn 'ma ydi o. Fedra i 'mo'i ddiodda... mae o'n fy mwyta yn fyw. Ofn yr hyn a ddaw.'

'Dwi'n gwybod.' Cododd i'w chofleidio.

Rai dyddiau'n ddiweddarach roedd Silyn yn llofft ei rieni, ac roedd ei dad yn gorwedd yn llonydd. Syllodd drwy'r ffenest a gweld yr haul yn goleuo traethau Môn. Dacw draeth Niwbwrch i'w weld yn glir, ac Ynys Llanddwyn. Sawl gwaith roedd ei fam wedi dangos ei bro enedigol iddo cyn iddo fynd i gysgu, ac yntau'n dychmygu peth mor rhamantus oedd byw ar ynys. Onid yr olygfa hon oedd wedi peri iddo feddwl mai honno oedd ei Ynys Afallon?

Anesmwythodd ei dad, ac roedd ei anadl yn llafurus ac yn swnllyd. Ymhen dipyn, daeth Nel a'i fam i gyd-eistedd ag o, a'i fam yn dal llaw ei dad heb yngan gair.

Y noson honno, ymadawodd Robert Roberts â Brynllidiart a daeth cyfnod yn hanes y gymdogaeth i ben. Wrth hebrwng yr arch o'r tŷ ar y drol, cerddodd Silyn i lawr y mynydd ar ei hôl. Yr hyn a lanwai ei feddwl oedd y daith gyntaf honno i'r chwarel, ac mor falch yr ydoedd yn cael dilyn yn ôl troed ei dad. Hwn oedd y tro olaf iddo gael ei ddilyn.

Pennod 9

Agorodd y drws, a daeth Mary i mewn gan roi ei llaw yn ysgafn ar ysgwydd ei chariad, a chusanu ei war.

'Brysur?'

'Nid gwaith coleg ydi o... o'r diwedd, dwi'n meddwl 'mod i wedi llwyddo i orffen y gerdd ...' Ers wythnosau, roedd y gerdd wedi bod yn ei gadw yn effro'r nos, a gwyddai Mary faint a olygai iddo. Roedd Silyn wedi cychwyn ar gwrs BD yng Ngholeg y Bala efo bwriad o fynd i'r Weinidogaeth, ac roedd yn gweithio ar ei draethawd MA. 'Studio ddylai o fod yn ei wneud, ond yr Awen gâi'r flaenoriaeth. Syllodd Silyn ar y ddalen.

> O Dduw, ai priflys y gwyllnos
> Fydd cartref fy ysbryd mwy?

Feiddiai o orffen ar nodyn o'r fath? Oedd o'n rhywbeth gweddus i ddarpar weinidog ei wneud? Ond cyw-bregethwr ai peidio, roedd yn rhaid iddo fod yn driw iddo'i hun. A beth oedd y llinell honno gan Shelley?

> Our sweetest songs are those that tell the saddest thoughts

Roedd wedi rhoi cynnig ar gyfieithu'r llinell honno;

> Ei gân felusaf draetha'i ddyfnaf wae

'Ga' i ei darllen?'

'Cei, cariad.'

Cusanodd ei llaw, a chofleidiodd Mary ef tra oedd yn darllen y gerdd dros ei ysgwydd.

I lawr i briflys y gwyllnos
    O'r byd y crwydrodd y bardd,
Lle'r eistedd ysbrydion breuddwydiol
    Ar seddau o farmor hardd...

'Lle wyt ti'n cael y delweddau 'ma, Silyn?'

'Dod maen nhw... does wybod o ble. Mi rydw i wedi gwneud y daith droeon.'

Do, meddyliodd Mary. Ers marw ei dad, roedd Silyn wedi bod yn dioddef pyliau o ddigalondid pur ddwys. Ond doedd hi erioed wedi gallu treiddio i'w feddwl ac amgyffred y tywyllwch roedd o'n ei brofi. Roedd geiriau'r gerdd yn dod yn llawer nes at roi'r profiad mewn geiriau.

Brenhines gororau'r cysgodion
    Sydd yno'n arlwyo gwledd
O seigiau marwolaeth mewn bywyd,
    A gwinoedd perllannau'r bedd.

Sobrodd Mary, 'Mae hi mor drist, Silyn...'

Edrychodd arni. 'Fel'na daeth hi.'

Syllodd Mary i'w lygaid. 'Ond mae'n codi ofn arna i. Mae'n ddarlun erchyll... Priflys y Gwyllnos... a'r wraig hon yn arlwyo'r wledd.'

'Ydw i'n iawn yn rhoi mynegiant i'r drychiolaethau 'ma?'

'Os ydyn nhw'n mynegi dy brofiad di, mae o'n wirionedd, tydi?'

Sawl gwaith, roeddent wedi cael y drafodaeth hon, ac wedi ystyried beth oedd celf, a gwir ddiben barddoniaeth. Cofleidiodd Mary o eto, a mwytho'i wallt â'i gwefusau.

'Mae'n gerdd bwerus, ond yn gwbl amddifad o obaith...'

Trodd Silyn i wynebu ei gariad. 'Doeddet ti ddim yn gwirioni ar y delyneg 'na, 'Y Bedd Dan Fy Mron', y gwnes i ennill efo hi yn y Coleg.'

' "Bedd ieuanc freuddwydion yw'r bedd dan fy mron"... y gerdd joli honno?'

Gwenodd Silyn. 'Honno... ond mi benderfynais fod rhaid i mi daro nodyn gobeithiol ar y diwedd: "Mi sangaf ar falchder anobaith / A chreaf o'r nos olau dydd..." Ond fedra i 'mo'i wneud o bob tro, fel rhyw fformiwla. Ambell waith, dydi'r gobaith ddim yno.'

'Falle mai cwestiwn o'i chyhoeddi ydi o wedyn,' meddai Mary, 'Cadwa'r amheuon i ti dy hun, a chyhoeddi'r rhai sy'n cynnig gobaith.'

Ysgydwodd Silyn ei ben. 'Dwi'n anghytuno. Weithiau, rwyt ti eisiau i'r bardd roi llais i'th ofid a'th anobaith. Fedrwn ni ddim pedlera gobaith drwy'r amser...'

'Dwi'n credu y dylen ni,' meddai Mary.

Roedd hi mor hawdd i'r natur ddynol wlychu ei thraed yng Nghors Anobaith. Roedd hi'n ddyletswydd ar y rhai oedd â gweledigaeth i lewyrchu gobaith a'i denu oddi ar y llwybrau tywyll. Ond byth ers iddi nabod Silyn, er ei fod mor gymdeithasol a llawn dirieidi, roedd gwythïen sobr o ddwys yn ei gymeriad. Gallai guddio ei iselder yn dda, ond treiddiai i'r wyneb yn gyson yn ei farddoniaeth.

Cerddodd Mary at y ffenestr, 'Mi wnei di ei chyhoeddi felly?'

'Bosib...' Cododd a cherdded at ei hochr, a syllodd y ddau ar y mynd a dod islaw.

'Mi garwn i gyhoeddi cyfrol o farddoniaeth.'

Goleuodd wyneb Mary. 'O ddifri? Pryd?'

'Dwi'n tynnu at fy neg ar hugain, ac mi ddyliwn i gael cyfrol bellach, debyg.'

'Cynhyrfus! Ac mae gen ti ddigon o gerddi...'

'Dyna'r peth – mae'n rhaid iddyn nhw fod o safon ddigon da os ydw i'n eu cyhoeddi.'

'Gwna'n siŵr fod ambell un hapus yn eu mysg.'

Islaw, roedd y postmon yn mynd o'r naill dŷ i'r llall yn y rhes.

'Y dewis arall ydi cyhoeddi cyfrol ar y cyd efo rhywun arall...

mae 'na fachgen ifanc yn y coleg – William John Gruffydd – andros o fardd da, ac rydan ni wedi trafod cyhoeddi ar y cyd. Mi gawn weld.'

'Dwi'n falch drosot ti, Silyn.'

Dalient ddwylo'i gilydd, a chusanodd Silyn hi.

'Mae'n braf cael treulio amser efo ti, Mary. Ti ydi'r ochr heulog i mi – ti'n fy nhynnu i o'r gwyll.'

'Ffrind y lleuad wyt ti – taset ti'n cysgu yn lle crwydro yng ngolau lleuad, mi wnâi les mawr i ti. Fase treulio mwy o amser yn yr haul yn codi'th galon!'

Roedd Silyn wedi cael pythefnos o wyliau, ac yn lletya heb fod yn bell o gartref Mary, a chaent weld ei gilydd bob dydd.

'Dwi'n trio 'ngorau yn ystod y pythefnos yma...'

'Mae'n braf tydi, Silyn? Yn lle rhyw gwarfod bob hyn a hyn, mae dy gael di'n ddyddiol yn deimlad hollol wahanol. Reit, ydan ni am fentro allan, neu wyt ti wedi cael pwl difrifol o brydyddu?'

'Dwi'n credu 'mod i wedi gorffen y gerdd, Mary. Os meiddiaf ei gorffen ar y cwestiwn hwnnw...'

'O leiaf rwyt yn ei ofyn fel cwestiwn, ac rwyt yn arddel dy Dduw.'

Edrychodd Silyn arni. 'Mi rydw i yn ddarpar weinidog, wedi'r cwbl.'

Syllodd Mary i fyw ei lygaid. 'Ond bardd wyt ti gyntaf... a fase Duw ddim am i chdi beidio holi dy gwestiynau. Ddim digon sydd yn holi y dyddiau hyn, ddywedwn i. Reit, lle'r awn ni?

'Arwain y ffordd, Mary, ac mi'th ddilynaf... fel cysgod.'

Dau ifanc a brwd adawodd y tŷ yn Eardley Crescent y bore hwnnw. A chrwydro Llundain fuon nhw, yn ddau gariad ifanc, y naill wedi gwirioni ar y llall.

I fyny â nhw i entrychion Cadeirlan St Paul, a chael golygfa fendigedig o'r llawr uwchben y gromen.

'Edrych, Silyn!'

'Mae'n rhoi'r bendro i mi...'

'Ond mi weli bopeth! Roedd o'n werth yr holl ddringo.'

'Yn bendant – tyrd â chusan i mi...'

A daeth hynny yn arferiad. Am y cyntaf oedd hi i ben pob adeilad, a selio'r ymdrech gyda chusan.

Roedd pobman yn rhyfeddod. Oedd, roedd hi wedi bod yn ambell fan o'r blaen, meddyliodd Mary, ond roedd eu rhannu o'r newydd yng nghwmni Silyn yn brofiad cwbl wahanol. Roedd fel bachgen bach mewn byd o ryfeddodau yn dotio at bopeth, a'i frwdfrydedd yn heintus.

Wrth gerdded i lawr Fleet Street, cyfaddefodd Silyn y byddai wrth ei fodd gweithio yno.

'Taswn i ddim yn mynd yn weinidog, fan hyn fyddwn i – yn ei chanol hi. Mi fyddwn yn fy seithfed nef. Meddylia, cael fy nhalu am sgwennu...'

Doedd y fath le yn apelio dim at Mary.

'Sgwennu be fydde'r golygyddion am i ti ei sgwennu fyddet ti. Randros – cofia baich oedd Cylchgrawn y Coleg i ti!'

'Dwi'n meddwl y bydda hi dipyn mwy difyr sgwennu i bapur go iawn.'

'Dwi'n amau y bydden nhw'n rhy geidwadol i ti – ti a'th syniadau blaengar am sut i newid y byd.'

Arhosodd Silyn a throi at Mary. 'Ddeudais i wrthat ti 'mod i wedi ymuno â'r Fabian Society yn y Bala?'

Cododd Mary ei haeliau. 'Oes digon o aelodau yno i ffurfio cangen?'

'Oes, criw bach ydyn nhw, mwy o ryw gylch darllen ydan ni ar hyn o bryd.'

'Rydw innau yn aelod o gangen Fabians Aberystwyth... ond rydan ni ferched mewn lleiafrif.'

'Wel, doedd merched ddim yn cael mynd i'r coleg tan rhyw ddegawd yn ôl!'

'Dydi merched yn cael fawr o groeso mewn sawl cylch...'

Ailgychwynnodd y ddau gerdded.

'Benthyg rhai o'r llyfrau i mi.'

'Mary, druan! Wyddost ti beth garwn i ei wneud? Trefnu taith o'r coleg i fynd i gyfarfod Bernard Shaw! Mae ganddo dŷ yn y Bermo.'

Gwenodd Mary. Doedd dim pall ar awch Silyn i gyfarfod pobl enwog. Ac o nabod Silyn, byddai wedi llwyddo hefyd, roedd o mor frwd ynghylch popeth, ac roedd ganddo'r ddawn i ddenu pobl ato.

'Mae cymaint o bobl yn cyhuddo Sosialwyr o fod yn wrth-Gristnogol, ond mae 'na lyfr wedi ei gyhoeddi, *Sosialaeth a Dysgeidiaeth Crist* ac mae nifer o fyfyrwyr y coleg wedi cymryd diddordeb yn hwnnw...'

'A beth ydi barn Prifathro Coleg y Bala?'

'Gawn ni wybod yn ddigon buan!'

Roedd Silyn yn tynnu tua diwedd ei ymweliad â Llundain.

'Diolch i ti, Mary, am wyliau gwerth chweil. Rydw i wedi cael ymweld â'r rhan fwyaf o'r llefydd oedd ar fy rhestr...'

'Fydd Llundain yn dal yma i ti pan ddoi di ar ymweliad arall. Lle oedd y lle gorau gennyt?'

'Roedd cael mynd i'r Tŷ Cyffredin a chael William Jones, A.S. i'm tywys o gwmpas yn eitha agos at dop y rhestr.'

Rowliodd Mary ei llygaid. 'Diolch! Dyna un lle na fûm i yno efo ti – gan na chaniateir merched yno...'

Gwasgodd Silyn ei fraich am ei chanol. 'Mae bob man efo ti yn bleser pur, mi wyddost hynny.'

'Gofyn am y goreuon wnes i.'

Taflodd Silyn ei freichiau ar led. 'Sut ar y ddaear mae dewis? Ellen Terry fel Desdemona? Y Palas Grisial? Yr Oriel Genedlaethol? Pa un? Paned o de yn un o'r amryfal gaffis? Yr Amgueddfa Brydeinig? Gafael yn dy law, canfod llefydd newydd, mynd ar goll efo ti... paid â gofyn cwestiwn mor amhosibl i'w ateb. Dwi'n credu mai Llundain yw fy hoff le yn y byd!'

'Wel, yn sicr, dydw i ddim wedi cyfarfod neb sy'n gwybod am y lle cystal. Rhaid dy fod wedi darllen popeth sydd i'w ddarllen am y ddinas.'

'Nofelau sydd wedi dysgu mwy na dim i mi am Lundain. Mae o'n rhoi gwefr i mi mai ar y palmentydd hyn gerddodd

Dickens. Fan hyn mae o wedi lleoli cymaint o'i weithiau. Yma y'i ganed... fan hyn roedd Little Dorrit... ar hyd y strydoedd hyn y cerddai Oliver Twist, yma roedd Mr Micawber. Ac nid Dickens yn unig, ond Shakespeare, Dr Johnson... Enwa rywun – maen nhw i gyd wedi tramwyo'r llefydd hyn!'

Chwarddodd Mary. 'Welais i neb fel ti, Silyn, efo'r fath ddychymyg!' Trodd ato a'i gusanu'n sydyn. 'Mi fedri di droi stryd gyffredin yn Llundain yn rialtwch o ramant...'

'Ond dyna'r union bwynt, dydyn nhw ddim yn gyffredin! Mae'r cwbwl wedi digwydd yma... Wyddost ti be, gen i ffansi un o'r hetiau 'ma... mae pawb yn eu gwisgo.'

'Boaters maen nhw'n eu galw.' Gwelodd Mary siop ddillad ym mhen draw'r stryd a thywys ei chariad tuag ati. 'Mi ofynnwn yn fan hyn os oes ganddynt rai.'

Styfnigodd Silyn. 'Na wnawn ni wir, 'mond deud 'mod i yn eu lecio wnes i. Dydw i 'mo'r teip...'

Edrychodd Mary arno, 'Pwy deip? Ti'n ddyn ifanc golygus, ac mae gen ti gystal hawl â neb i wisgo un.'

'Ond dydyn nhw ddim wedi cyrraedd Bala, naddo? Mi fyddwn yn edrych yn rêl jero yn gwisgo un.'

'Falle byddi'n cychwyn ffasiwn yn y Coleg Diwinyddol. Ac os nad wyt ti am ei gwisgo yn y Bala, gwisga hi yma – i'm plesio i!'

Ac yn wir, daethant o'r siop efo het wellt ddel ar ben Silyn. 'Wyt ti'n fodlon rŵan, Mary?'

'Ydw. Nid pawb fedr ddweud eu bod wedi prynu het wrth y Strand. Dwi eisiau cerdded adre heibio Hyde Park... tyrd, gawn ni dram yno.'

'Fasa ddim yn rhatach inni gerdded?'

Arhosodd tram o'u blaenau, ac i fyny'r grisiau aeth Mary, a Silyn yn ei dilyn.

'Ar faterion Llundeinig, mae'n rhaid i ti wrando arna i, hogyn,' meddai Mary, a thalu i'r casglwr am y daith. 'Tydi'r pris ddim gymaint â hynny, ac os cerddwn ni i bob man rydan ni am ei weld, fydd gen i ddim coesau ar ôl...'

'Mae'n ddrwg gen i, Miss Parry. Hogyn o'r wlad ydw i, dach chi'n gweld...'

Chwarddodd y ddau.

Roedd teithio ar gerbyd felly yn wefr. Roedd sŵn carnau ceffylau yn llenwi'r awyr, a phobl fel morgrug yn ymwthio drwy ei gilydd. Gwaedd gwerthwyr y stryd, gwehyru, sŵn traed yn rhedeg, beiciau'n gwibio heibio. Y fath fwrlwm!

Yn Hyde Park roedd rhes o bobl yn areithio ond aeth Silyn a Mary heibio iddynt, gan oedi fan yma a fan draw i wrando eu pregeth.

'Feiddiwch chi freuddwydio?' gofynnodd yr areithiwr, 'feiddiwch chi godi eich golygon? Neu ydach chi wedi ildio eisoes i fyw bywyd cyffredin a derbyn mai fel hyn fydd pethau am byth...'

Safai Silyn fel delw yn gwrando ar yr areithiwr.

'Ai i hyn y rhoddwyd ni ar y ddaear? I dderbyn fod plant yn llwgu a gwragedd yn cael bedd cynnar am nad oes gofal iechyd iddynt? Oes raid i bob gŵr dynnu ei gap i'w well, neu ydyn ni'n fodlon breuddwydio am gymdeithas amgenach? Meiddiwn freuddwydio, frodyr a chwiorydd – am y byd newydd gafodd ei addo i chi a mi!'

Tynnodd Mary ar ei lawes. 'Wel, Silyn, rho bum mlynedd a falle mai ti fydd yn fan hyn yn traethu!'

Edrychodd Silyn dan ei het wellt ar Mary gan wenu.

'Be ydi'r wên yna?'

'Fy namcaniaeth i ydi mai Mary Parry fydd yna ar ben bocs, 'blaw nid Mary Parry fydd hi erbyn hynny, ond Mrs Mary Roberts!'

'Taw â'th lol,' meddai Mary, a gafael yn ei fraich wrth gerdded ymaith.

Pennod 10

Y Betws, 2 Prince's Road, Bangor, 1953

Cerddodd Mary i lawr y stryd gan deimlo'i cherddediad yn fwy simsan nag arfer. Twt lol, wnâi hyn 'mo'r tro o gwbl. Sylwodd ar y baneri coch glas a gwyn yn addurno'r stryd. Brensiach, roedd fel diwrnod Ffair Borth. Aeth drwy'r portsh ac yn syth drwy'r drws ffrynt.

'Helô Dafydd Thomas! Fi sydd 'ma!'

Yn y stydi, suddodd calon David Thomas. Roedd ar ganol trywydd reit gymhleth efo'r ymchwil ar ei achau, a'r peth olaf roedd o ei eisiau y funud honno oedd rhywun yn tarfu arno.

'Lle ydach chi?' meddai'r llais.

Am funud, cafodd David Thomas ysfa i beidio ateb. Beth ddigwyddai tase fo'n cuddio yn y stydi heb wneud un smic?

Agorwyd drws y stydi, a safai Mary yno yn edrych yn syn. 'Pam na fasach chi'n ateb?'

Syllodd David Thomas arni drwy ei sbectol gorn â'r ymyl aur. Petai o'n dderyn, tylluan fydda fo, meddyliodd Mary.

'Ro'n i 'mhell i ffwrdd yng nghanol rhywbeth cymhleth iawn.'

'Mae hi fel Ffair Borth tu allan, yn fflagiau i gyd – reit ar hyd y stryd.'

'Wel ydi, a theyrn newydd ar yr Orsedd. Ro'n i'n meddwl y byddech yn cofio...' meddai David Thomas yn wamal.

'Heddiw mae'r Coronation?'

'Fory. Be fedra i ei wneud i chi, Mrs Silyn?'

'Ydach chi'n brysur?'

Cwestiwn gwirion. Pryd nad oedd o'n brysur? Efo llond y bwrdd o lyfrau ar agor, a phapurau am a welech, roedd yr ateb i'r cwestiwn hwnnw braidd yn amlwg. Penderfynodd beidio ateb.

Roedd o'n brysur – drwy'r amser, meddyliodd Mary. Dyna pam roedd ganddi ofn gofyn iddo. Roedd hi wedi gofyn iddo o'r blaen, dair blynedd yn ôl a deud y gwir. Ond roedd o'n brysur bryd hynny hefyd. Trawodd ei llygad ar ffotograff ar y ddesg.

'Diar mi, be ydi hwn?'

Dyma ni rŵan, meddyliodd David Thomas. Dyna weddill y bore wedi mynd...

'Ysgol Haf gyntaf Bangor.'

'Pa flwyddyn?'

'1913. Wedi cael ysgrif efo fo i *Lleufer* ydw i.'

'Dydi Silyn a mi ddim ynddo... tybed lle roedden ni ym 1913?'

'Does wybod... roeddech chi ym mhob man, doeddech?' gwenodd David Thomas.

'Roedden ni'n symud i'r Barri y flwyddyn honno, ac yn gadael Tanygrisiau... drychwch, John Thomas, a Robert Richards... pwy ydi'r hogyn bach yma?'

'Brawd bach John Thomas. Reit, Mary, efo be ga' i helpu?'

Doedd Dafydd Thomas ddim yn yr hwyliau gorau, rhaid dweud. Felly bydda fo ambell waith. Gallai fod yn reit biwis. Beth oedd wedi digwydd i'r wraig oedd yn llnau Y Betws? Hi fyddai fel arfer yn rhoi trefn ar y lle. Yn amlwg, nid oedd neb wedi cyffwrdd yn y stafell hon ers misoedd. Falle'i fod wedi gwahardd y ddynes llnau o'r stafell, synnai hi damaid. Aeth at y ffenest... oedd, roedd gwe pry cop sobor yma...

'Fory ddywedsoch chi oedd y Coronation?'

'Ie.'

Beth oedd ar y ddynes? Pam na fydde hi'n deud yn blaen? Doedd hi ddim wedi galw i holi am y Frenhines newydd, roedd hynny'n sicr.

'Dydd Mawrth? Diwrnod rhyfedd i gael eich Coroni, 'te?'

Ochneidiodd Dafydd Thomas. 'Mrs Silyn, dwi'n gwybod nad oes gynnoch chi fymryn o ddiddordeb yn nhrefniadau coroni'r dywysoges. Pam na ddeudwch chi'n strêt beth sy'n bod?'

Roedd o'n gallu bod yn rêl athro weithiau. 'Wel, Dafydd Thomas, rydw i wedi gofyn o'r blaen...'

Doedd hyn ddim yn argoeli'n dda. Dyna'r drwg efo Mary Silyn, roedd ganddi gof rhy dda.

'A dwi 'di codi'r peth sawl gwaith, ond rydach chi'n brysur efo gwahanol bethau. Ddylwn i ofyn i rywun arall, ond fasan nhw ddim yn gwneud cystal joban ohoni...'

'Beth sydd gynnoch chi dan sylw?'

Dyna fo, boneddigrwydd Sir Drefaldwyn yn dod i'r wyneb. Er ei fod o'n teimlo fel ei thagu, mae'n siŵr.

Llyncodd ei phoer, a dweud, 'Cofiant Silyn.'

Ofer oedd dweud ei fod o'n cofio. Tase fo'n cofio, mi fyddai wedi troi ati.

'Mae'n ddrwg gen i, Mrs Silyn. Rydach chi wedi gofyn i mi o'r blaen.' Edrychodd arni, a mwya sydyn, fe'i gwelodd yn ei gwendid. Roedd hi'n prysur heneiddio, ac mae'n siŵr bod y mater hwn yn bwysicach na dim iddi.

'Mae hi'n anodd, tydi, Dafydd Thomas? Rydach chi a minnau efo cymaint o bethau i'w gwneud. 'Dan ni wrthi'n brysur yn dal i fyny efo popeth, ac mae'r blynyddoedd yn mynd... Mi fyddwn i'n troi ati fy hun, ond does gen i 'mo'ch dawn sgwennu chi.'

'Mae'n iawn, Mrs Silyn, mi wna i. Mi ro' i gychwyn arni, ac wedyn fydd o'n waith ar y gweill yn lle addewid gwag.'

'Mi wna i bopeth fedra i i'ch helpu chi. Mae ei bapurau i gyd yn y tŷ. A dwi'n cofio popeth, ac mi wna i nodiadau...'

Ond nid dyna'r pwynt, nage? meddyliodd David Thomas. Roedd sgwennu cofiant i Silyn yn golygu crwydro'n ôl, a pha mor felys bynnag oedd y dyddiau hynny, fedrai rhywun ddim fforddio'r amser. Roedd digonedd o waith i'w gyflawni yn y presennol. Duw a ŵyr, efo'r ddau ohonynt yn eu saithdegau, roedd amser yn fwy prin nag erioed. Ddyle hi o bawb sylweddoli hynny.

'Amser sy'n mynd rhagddo, 'te?' meddai hi mwya sydyn, fel petai'n darllen ei feddwl. 'Godais i'r syniad gyntaf pan sylweddolais fod ugain mlynedd wedi mynd ers marw Silyn, a dwi'n cofio meddwl bryd hynny ei fod o'n haeddu cofiant.'

'Siŵr iawn ei fod o. Fuo 'na neb oedd yn haeddu un fwy... dwi'n siŵr i mi ddechrau rhoi syniadau i lawr bryd hynny. Bydd yn rhaid i mi chwilio...'

Edrychodd y ddau ohonynt ar y ddesg, a methodd David Thomas ag atal ochenaid ddofn. Byddai tair blynedd wedi mynd ers 1950. I ble ar y ddaear yr aeth y blynyddoedd?

'A dydw i ddim eisiau iddo fynd ar draws gwaith *Lleufer*, wrth reswm. Silyn fyddai'r mwya beirniadol tase hynny'n digwydd.'

Roedd o'n dal mor fyw iddi... byddai ei enw yn codi yn y sgwrs yn gyson. Roedd y cariad fu rhwng y ddau yn un arbennig, yn gariad mor rhyfeddol â'r un fu rhyngddo fo a Bet...

'Dyna ni, 'ta. Mi adewa i chi rŵan... mi alwa i eto.'

''Thgwrs, diolch yn fawr... ac mae'n ddrwg gen i fod braidd yn ddrwg fy hwyl. Mi rof y bai ar y fflagiau 'ma...' meddai David Thomas wrth ei thywys at y drws. Gwenu wnaeth Mary.

Y diwrnod hwnnw, ddaru David Thomas ddim ailgydio yn ei waith. Cymerodd ddalen o bapur a dechrau nodi penawdau arno oedd yn rhannu oes Silyn yn weddol gyfartal. Ceisiodd feddwl ers pryd roedd o'n ei adnabod... roeddent yn gohebu â'i gilydd ym 1908 ac yn aelodau o'r Fabians. Wyth ar hugain oed fyddai o bryd hynny, a Silyn naw mlynedd yn hŷn, ac yn weinidog yn Nhanygrisiau... Estynnodd am ei lyfr *Y Werin a'i Theyrnas*, yr oedd Silyn wedi bod yn hael ei werthfawrogiad ohono. Edrychodd yng nghefn y gyfrol, a dyna lle roedd ei lythyr, sgwennwyd bron i hanner canrif ynghynt, yn ei lawysgrifen hardd.

Yr ydach yn feistr ar eich pwnc ac yn ei drin efo eglurder a deheurwydd mawr.
Cyflwynasoch hefyd orchest glodforus arall, sef dysgu Sosialaeth i siarad Cymraeg, a Chymraeg rhugl a choeth gyda hynny...

Roedd y geiriau wedi golygu cymaint iddo. Mor nodweddiadol o Silyn, yn awyddus i annog a helpu.

Synnodd ei bod yn ddechrau'r prynhawn ac aeth drwodd i'r gegin i weld oedd 'na damaid i'w fwyta. Byddai ceisio rhoi trefn ar fwyd yn fwy o gur pen na dim. Yn ffodus, roedd peth cawl ar ôl yn y sosban a chynhesodd hwnnw a mynd ag o'n ôl i'r stydi. Dyna sut roedd o wedi bwyta ei brydau erioed – wrth y bwrdd, a llyfr yn gwmni.

Gwyliodd y baneri yn cyhwfan yn y gwynt. Roeddent yn arwydd o gyfnod, o deyrnasiad newydd. Synnodd ei fod wedi byw am ugain mlynedd dan Victoria. Rhaid ei fod yn hen.

Beth oedd yr anniddigrwydd a deimlai? Pam roedd o mor gyndyn i droi ati? Nid mater syml o ormod o waith oedd o... hen lwybr peryglus oedd yr un i'r gorffennol, yn llawn tyfiant oedd yn eich baglu, a chorsydd oedd yn bygwth eich sugno. Roedd crwydro tiroedd yr oes a fu yn peri iddo sylweddoli pa mor hen oedd o, a pha mor felys oedd y cyfnod cynnar. Y fath obeithion! Y fath freuddwydion! Peth melys ryfeddol oedd y teimlad eich bod am newid y byd...

Dylifodd yr atgofion ohono'i hun yn sefyll ar stryd yn disgrifio daear newydd. Allan ar y ffyrdd y bydden nhw'n aml gan nad oedd arian i logi stafelloedd. A chael hwyl ar y pregethu, fel tasen nhw'n bregethwyr y Diwygiad, a thestun eu pregeth oedd newid calonnau pobl. Cofiai'r gwynt yn ei wallt, a'r cynnwrf o weld y dorf yn amlhau. A hyd yn oed os oedd ambell i wàg yn tarfu, gorau oll, achos roedd ateb parod yn denu ymateb, ac yn cadw'r drafodaeth i ffrwtian.

A doedd o ddim ar ei ben ei hun. Roedd Silyn yno, yn fflam o ysbrydoliaeth. Pan drefnai gyfarfod ym Mhenygroes neu Dalysarn, Silyn fyddai'n aml yn annerch. Yntau, David, yn fodlon cytuno i siarad yn Stiniog, a Silyn yn trefnu. A'r sgwennu wedyn, sgwennu milltiroedd, yn llythyrau i'r wasg, yn erthyglau a thaflenni, yn golofnau yn *Yr Herald* a'r *Dinesydd*, a Silyn yntau mor ddyfal ag erioed ac yn llunio'r pamffled cyntaf i'r ILP yn Gymraeg. Beth ddywedodd o yn ei lythyr unwaith? 'Ond i chwi a minnau wneud hynny yn ein hysgrifau, credaf y caiff yr enw hwn, Sosialaeth, le yn yr iaith Gymraeg...'

Silyn... Silyn annwyl...

Pennod 11

Gorsaf Trefriw, Llanrwst, 1900

Y munud y'i gwelodd, rhuthrodd ati a'i gwasgu'n dynn.

'Silyn! Dwi'n falch o dy weld!'

Cusanodd Silyn hi'n ysgafn. 'Mary...'

Teimlodd ei gwallt esmwyth yn cyffwrdd ei foch, ac anadlodd yn ddwfn. Roedd mor anodd bod ar wahân, a'r munud yr oedd yn ei breichiau, teimlai Silyn fod ei fyd yn gyflawn drachefn. Nid bod Aberystwyth mor bell â hynny, ond dim ond bob rhyw ddeufis, dri y caent gyfle i gwrdd. Y tro hwn, roedd ganddynt dridiau cyfan yng nghwmni ei gilydd yn Nhŷ Newydd, hen gartref nain a thaid Mary, lle roedd ei modryb yn byw.

'Fasa well i ni gychwyn 'ta?' meddai Mary, mor ymarferol ag erioed.

'Gad i mi gymryd dy fagiau.'

'Mae gen ti dy fagiau dy hun. Dydw i ddim wedi dod â chymaint â hynny o bethau, ac mae hwn yn fag y gallaf ei gario ar fy nghefn.' Trodd yn sydyn at ei chariad, 'Ydi'r gyfrol gen ti?'

'Ydi, ydi – doeddwn i ddim yn debyg o'i anghofio, nag oeddwn?'

'Tyrd 'laen 'ta – dangos hi!' Roedd llygaid Mary'n pefrio'n ddisgwylgar.

'Yn y man, pwyll pia hi...'

'Paid â bod yn hurt – dwi 'di bod yn cyfri'r dyddiau...'

Yr un Mary ag erioed. Mary fywiog, eofn, ddiamynedd, ymarferol.

'A minnau'n meddwl mai y bardd oedd yn mynd â'th fryd, nid ei farddoniaeth...' pryfociodd.

'Dangos hi!' Roedd Mary wedi gwylltio. 'Dy gyfrol gyntaf un – mae o'n achlysur!'

'Dydw i ddim am ei dangos yn nghanol stesion Trefriw, nac ydw? Fel ti'n dweud, mae o'n achlysur, ac mi gwnawn ni o yn achlysur...'

Roedd yr allt o Drefriw yn un serth ddychrynllyd, ac arhosodd y ddau ymhen dipyn i gael eu gwynt atynt. Oddi tanynt, roedd y coed yn cuddio'r rheilffordd a thai Trefriw islaw.

'Fydda i'n anghofio pa mor serth ydi gallt Trefriw,' meddai Mary. 'Ar ôl crwydro strydoedd Aberystwyth a Llundain, mae hon yn dipyn o sioc i'r system.'

'A sut mae'r cwrs dysgu?'

'Mae'r gwaith dipyn yn wahanol i fod yn fyfyriwr, ond mae gen i fy nghriw ffrindiau eleni eto, a rhai da ydyn nhw.'

Roedd Mary wedi cwblhau ei chwrs gradd yr haf hwnnw, ac wedi cychwyn cwrs dysgu.

'Wyt ti'n mynd i gael cyfle i actio y tymor hwn?'

Chwarddodd Mary, 'Mae hynny'n go annhebygol – dwi'n colli'r Gymdeithas Ddrama.'

'Oni bai eu bod yn gofyn i ti ddod 'nôl i berfformio: 'Mary Parry – back by popular demand!'

Chwarddodd Mary.

'Ro'n i'n mwynhau dy weld yn actio. "Made for the stage", fel maen nhw'n ei ddeud!'

Roedd Mary yn hoffi bod ar lwyfan, doedd dim dwywaith am hynny. Canu, chwarae'r delyn, areithio efo'r Gymdeithas Ddadlau, canu yn y côr... roedd Mary yn ei helfen efo bob un ohonynt.

'Mae actio athrawes yn ddigon o her i mi y dyddiau hyn. Dwi'm yn teimlo'n ddigon hen i sefyll o flaen dosbarth.'

'Leciwn i fod yn bry bach yn y potyn inc yn sbecian arnat! Pa fath o athrawes wyt ti?'

'Un glên iawn, chwarae teg i mi. Dim ond un neu ddau o'r plant sy'n codi 'ngwrychyn... ond mae sawl ffordd o gael Wil i'w wely.'

'Oes ganddyn nhw dy ofn di?'

'Dwi'n reit gadarn efo fy ffiniau.'

'Fel y gwn yn dda! Miss Parry, gaf i gusan?'

Trodd Mary i'w wynebu gan wenu. 'Pam, be wnest ti i haeddu un?' heriodd, gan gerdded o'i flaen yn bryfoclyd.

Cyflymodd Silyn ei gam a gafael am ei chanol. Ildiodd Mary i'w gyffyrddiad, gan dynnu ei het a gadael iddo ei chusanu. Cyffyrddodd gwefusau'r ddau yn drydanol, a syllodd Mary i lygaid ei chariad, oedd wedi gwirioni ei ben yn lân arni. Roedd digonedd o fechgyn yn y coleg wedi gwirioni arni, ond doedd 'run ohonynt yn dod yn agos at hwn. Hogiau oedden nhw mewn cymhariaeth. Roedd Silyn hefyd yn fardd...

Byseddodd Silyn ei choler. 'Dwi wrth fy modd efo dy wisg, a'r goler fach ddel 'ma,' meddai.

'Tyrd yn dy flaen, neu chyrhaeddwn ni byth 'mo Tŷ Newydd...'

Dal ati i gerdded wnaeth y pâr, a dail y coed yn amryliw o'u cwmpas.

'Dwi'n teimlo mai dringo elltydd ydw i ym mhob man,' meddai Silyn. 'Allt fel hon sydd adre ym Mrynllidiart, dringo allt wna i i'r coleg yn y Bala, allt oedd yna i ben Bangor Uchaf. Elltydd ydi 'mywyd i...'

'Rwyt ti wedi hen arfer felly. A'r fantais efo elltydd ydi bod golygfa wych o'r top.'

'I be ydw i eisiau golygfa well na hon?' atebodd Silyn gan droi i atal Mary rhag mynd yn ei blaen, a'i freichiau ar led.

Gwenodd Mary yn ddrygionus wrth gyflymu ei chamau a ryddhau ei hun o'i afael. Tro Silyn oedd hi wedyn i redeg ar ei hôl, ond roedd Mary yn rhy sydyn iddo. Ar ben yr allt, arhosodd amdano.

'Ydw i'n cael gwobr am gyrraedd y top?'

'Nag ydach chi wir, Mr Roberts! Rydan ni'n rhy agos i'r pentra rŵan...'

'Plis, Miss Parry?'

'Chithau'n fyfyriwr diwinyddol parchus, mi fydda fo'n ddigon amdanoch...'

Ond cofleidiodd y ddau, a mygwyd sylwadau Mary.

Fraich ym mraich y daethant at Dŷ Newydd, ac i Silyn roedd ymysg y teithiau mwyaf dymunol oedd yn bod. Hen, hen fwthyn oedd Tŷ Newydd, er gwaethaf ei enw, ac wrth gamu dros y trothwy a chael croeso gan Anti Lis, llanwodd ogla cartref ffroenau y ddau, a mawr oedd yr edrych ymlaen at y tridiau dilynol.

'Dowch at y bwrdd, mae te yn barod,' meddai Anti Lis. 'Dwi'n siŵr eich bod chi ar eich cythlwng... mae cerdded yr holl ffordd o Drefriw yn ddigon i godi archwaeth ar unrhyw un.'

'Diolch, Anti Lis. A diolch am ein croesawu yma.'

'Mae'n dda cael cwmni. Mi fedr y lle 'ma fod yn ddigon tawel w'chi, a dim ond y fi a'r gath yn gwmni i'n gilydd.'

Ar ôl te, roedd y ddau yn awyddus i fynd i lawr at Lyn Geirionnydd am dro gan ei bod hi'n noson hyfryd o Fedi. Roedd y llyn, ynghyd â Thŷ Newydd, yn annwyl iawn gan Mary, yn bennaf gan mai yno y daeth bob gwyliau haf – ac yn amlach na hynny yn blant – i gartref Taid a Nain. Iddi hi, Llanrhychwyn *oedd* Cymru, roedd fel gweld wyneb hen ffrind. Ond i Silyn, er pan welodd y llyn gyntaf, roedd yn un o'r mannau mwyaf cysegredig ar wyneb daear. Yn rhannol, am mai llyn Mary oedd o, ond roedd rhywbeth cwbl ledrithiol yn ei gylch. Arferai gyfrif Llyn Nantlle fel y llyn gorau ar wyneb daear, ond roedd Geirionnydd bellach yn rhagori arno. Roedd yn llecyn mor dawel, a'r graig yn codi tu cefn iddo, a'r cyfan yn cael ei adlewyrchu ar wyneb y dyfroedd.

Wrth iddynt ddynesu ato, rhoddodd Silyn ei freichiau am Mary.

'Aros. Gad inni ddal y foment hon...' cusanodd hi, 'am byth bythoedd.'

Roedd hi'n eiliad arbennig i Mary hithau. Roedd o'n gymaint o ramantydd, wyddai hi ddim beth i'w wneud efo fo. Rhyw hanner byw ar y ddaear yma a wnâi, gan fod talp ohono dragwyddol yn hedfan i rywle efo'i ddychymyg, ar drywydd rhyw gyffelybiaeth neu odl. Welodd hi neb – 'run creadur byw arall – yn byw mor llwyr i farddoniaeth. Roedd o'n fardd o'i gorun i'w sawdl. Doedd 'na fawr yn ymarferol yn ei gylch, ond roedd hi'n ei dderbyn fel ag yr oedd. Hi oedd yr un oedd yn cadw trefn. Ac eto... roedd ynddi hithau elfen gref o ffansi, a phan ddeuai'r foment, gallai gael ei chludo ymaith – efo Silyn – i fro breuddwydion.

Gafaelodd yn ei llaw, ac i lawr â nhw. Roedd ganddynt eu hoff le i eistedd, sef y garreg fawr lefn yn edrych i lawr ar y llyn.

'Mae'r llyn yn falch o'n gweld ni, dwi'n meddwl,' meddai Mary. 'Mae o'n edrych yn arbennig iawn ar ddiwedd dydd fel hyn.'

Tyrchodd Silyn ym mhoced ei siaced a thynnu'r gyfrol allan. Rhoddodd hi i Mary.

Syllodd Mary arni. Clawr syml oedd i'r llyfr bach, a dim ond un gair arno: 'Telynegion'. Ar yr wynebddalen, roedd 'Telynegion' wedi ei argraffu eto, mewn inc coch, a border cain o'i amgylch. 'Gan R. Silyn Roberts a W.J. Gruffydd. Bangor, Jarvis & Foster.'

'Mae o'n argraffiad cain iawn,' meddai Mary, yn byseddu'r papur trwchus. Darllenodd y cyflwyniad: 'I Awen y Cymry, O wir gariad calon ati, cyflwynir y telynegion hyn, Gan yr Awduron'. Biti. Teimlodd Mary fymryn o siom. Roedd wedi hanner gobeithio y byddai yn cyflwyno'r gyfrol iddi hi. Ond wrth reswm, petai wedi gwneud hynny, byddai cariad William John yn teimlo'n siomedig.

'Dwyt ti ddim wedi nodi pwy sydd wedi sgwennu p'run!' meddai Mary, wrth edrych drwy'r cynnwys.

'Ydi ots? Cywaith ydi o, er dwi'n credu y bydd y darllenwyr yn dod i ddeall yn go gyflym p'run ohonom sydd wedi sgwennu pa rai. Mae W.J. yn sgwennu ei rai o i gyd i Mem!'

'A tithau i Olwen...' meddai Mary gyda gwên. Roedd hon yn hen bregeth gan Mary, a Silyn yn ceisio egluro nad 'Meri' oedd yr enw gorau i farddoni efo fo. Ond fyddai Mary byth yn colli cyfle i dynnu sylw at hynny.

'Be wyt ti'n ei feddwl ohoni?' gofynnodd Silyn,

Gwenodd Mary. 'Maen nhw ar gael i'r byd a'r betws rŵan. Rhywbeth oedd yn arfer bod yn breifat iawn i ti... i ni. Siŵr bod hynny'n deimlad od.' Edrychai'r cerddi gymaint yn fwy swyddogol mewn print.

'Mae o. Ac eto, meddwl am y darllenydd unigol ydw i, yn darllen y cerddi ac yn teimlo ar yr un donfedd â ni. Yn hynny o beth, maen nhw'n dal i fod yn go breifat. Od, 'te?'

'Darllen un ohonynt, Silyn.'

'Dwi'n swil...'

Edrychodd Mary o'i chwmpas, 'Does gen ti ddim lot o gynulleidfa...'

'Darllen nhw i ti dy hun.'

'Silyn! Ddim yn aml dwi'n cael cyfrol o farddoniaeth, a'r bardd ei hun wrth law! Tyrd yn dy flaen – dwi'n hen gyfarwydd efo'r rhan fwyaf, mae'n siŵr...'

Rhoddodd y gyfrol fechan yn ôl i Silyn, a bodiodd yntau drwy'r tudalennau.

'Caeodd amrant gwridog rosyn
      Dan y nos gysgodion prudd,
Pan ddaeth gwawr agorodd wedyn
      Gyda deigryn ar ei rudd.'

Edrychodd ar Mary, roedd hi'n edrych tua'r llyn ac yn gwrando'n astud.

'Haul belydryn a ddisgynnodd
      I gusanu grudd y rhos,
Gwridodd yntau ac anghofiodd
      Ddu anobaith dagrau'r nos...

'Sbia, mae honna'n gorffen yn obeithiol!' meddai'n smala.

'Dyna pam mae hi'n gystal cerdd, Silyn.'

Estynnodd tuag ati a cheisio ei gwefusau.

'Diolch. Dydw i ddim wedi clywed honna o'r blaen...'

'Dyna fo, weli di, dwyt ti ddim wedi clywed *bob* un... Mae honna wedi cael ei derbyn i'r rhifyn nesaf o *Cymru*. Mi gaiff ei chyhoeddi mis nesaf.'

'Beth ydi ei henw hi?'

Cododd Silyn ei ben ac edrych arni. ' "Dagrau'r Nos".'

Edrychodd Mary ar yr wyneb ifanc, a'r gwallt cringoch. Ambell waith, roedd golwg ddiamddiffyn iawn arno, dro arall, roedd fel petai'n bod ers dechrau amser...

'Lle wyt ti'n cael y syniadau 'ma?'

Ysgydwodd ei ben a sefyll. 'Wn i ddim... maen nhw fel tasen nhw yna'n barod, dim ond i mi fod yn y *mood*... mae o fel taswn i'n eu cofnodi pan mae'r galon yn gallu eu clywed. Ydi hynny'n gwneud synnwyr?'

'Eneidiau dethol iawn sy'n clywed pethau felly,' meddai Mary. 'Dwi'n gallu synhwyro naws rhywle fel fan hyn, ond am ei roi mewn geiriau? Am wn i y byddai'n haws i mi gyfansoddi alaw...'

'Dyna ni 'ta, mi wnawn ni bartneriaeth ragorol!' meddai Silyn, yn ysgafnhau mwya sydyn. 'Fi'n canfod y geiriau, a thithau'n dal yr alaw... Sôn am alaw, mi fydd yn rhaid i mi gael dy help efo hon. Mae eisiau ei chanu...'

' "Ar Lannau Graean Glân" – wyt ti wedi cynnwys honna?' meddai Mary, a goleuodd ei wyneb.

'Do siŵr – ein cân arbennig ni...'

'Well i mi godi i'w chanu, 'ta...'

Doedd dim angen llyfr ar gyfer hon, ond roedd o'n brofiad newydd ei chanu gyda'r geiriau mewn print. A dyma'r ddau gariad yn ei chanu ar alaw 'The Bonnie Banks of Loch Lomond'. Petai rhywun wedi cerdded heibio, byddent wedi edrych arnynt mewn syndod, ond byddent yn siŵr o fwynhau'r perfformiad gan y ddau lais swynol.

'Hyd lwybrau'r awelon i gartref y grug
    Yn nwfn ddistawrwydd y mynydd,
Mi grwydraf mewn breuddwyd i'r amser dedwydd fu,
    Lle chwery glasliw don Llyn Geirionnydd.
Anesmwyth a niwlog gysgodion y gwyllnos
    Ordoant fy mynwes aflonydd:
Byth, byth ni ddaw'r oed im' gyfarfod â fy nhlws
    Ar lannau graean glân Llyn Geirionnydd.'

'Doedd hynna ddim yn ddrwg,' meddai Silyn, gan wenu'n swil, yn amlwg wedi ei blesio efo'r perfformiad.

'Dwi wrth fy *modd* efo hi, Silyn!' Gafaelodd Mary yn ei fraich ac ymestyn am gusan. Wedi ymddatod, gwasgodd Silyn hi i'w fynwes drachefn.

'Prioda fi, Mary, da ti.'

Ddywedodd Mary 'run gair.

'Mary...'

Roedden nhw wedi trafod hyn o'r blaen, ac roedd Mary wedi dweud ei barn yn bendant. Nes bod y gyfraith yn newid, ac yn caniatáu i ferched priod weithio, doedd ganddi ddim diddordeb mewn priodi. A chwarae teg i Silyn, tra oedd yn fyfyriwr doedd ganddo ddim gobaith o gynnal gwraig, felly doedd ganddo fawr i'w gynnig.

'Rydan ni'n dal yn ifanc. Wn i ddim pam wyt ti eisiau rhuthro pethau.'

'Ti, falle, Mary. Dwi'n tynnu at fy neg ar hugain.' Byddai Mary yn anghofio weithiau am y chwe mlynedd oedd rhyngddynt. 'Dydi'r gyfraith ddim yn mynd i newid, ac mi fydda i'n ceisio cael galwad i rywle flwyddyn nesaf, felly mae ein bywydau *yn* newid.'

Dechreuodd y ddau gerdded oddi wrth y llyn, ac roedd hi'n dechrau oeri.

'Ond mi wyddost na phrioda i neb arall, Silyn.'

'Dyna pam na wela i beth sy'n ein rhwystro rhag dyweddïo.'

'Mi gytunaf i rag-ddyweddïad, a dyna ni.'

'Be ydi ystyr hynny?'

''Mod i'n ystyried yn ddwys dy ddewis fel dyweddi.'

Ac ar yr allt o Lyn Geirionnydd, gyda atgof o ddeuawd swynol, bu raid i Silyn fodloni ar hynny.

'Gad inni fynd heibio'r eglwys, Silyn.'

Roedd Mary wedi bwriadu dangos yr eglwys iddo o'r blaen, ond roeddent wastad yn oedi'n rhy hir wrth y llyn. Hen, hen eglwys oedd un Llanrhychwyn, yn mynd yn ôl i oes Llywelyn.

'Mor hen â hynny?' meddai Silyn, gan synnu. Ac eto, pan

gerddod dan y bwa ac at y ddôr, doedd o'n synnu dim. Roedd naws arbennig iawn yn perthyn i'r lle.

'Tyrd i weld carreg fedd yn gyntaf,' meddai Mary, ac arweiniodd ef i gefn y fynwent. 'Darllen hon...'

Ni chaiff y pridd
A'r pryfaid tlawd
Ond malu'n cnawd i'w buro,
Nes dêl fy enaid
Llon rhyw ddydd
I'w wisgo o newydd eto.

'Dwi'n lecio honna,' meddai Silyn.

'Ro'n i'n meddwl y byddet ti, er ei bod yn gorffen yn obeithiol, a does dim marc cwestiwn mawr ar y diwedd!'

Roedd hi mor dywyll y tu mewn i'r eglwys, prin y gallent weld. Roedd y waliau wedi eu calchu, ac roedd canllaw pren o amgylch yr allor. Ar y pulpud, roedd y flwyddyn '1691' wedi ei gerfio, ond yr hyn a swynodd Silyn yn fwy na dim oedd y ffenestri lliw. Roedd o wedi gweld rhai mwy ysblennydd, ond nid mor hen â'r rhain. Roedd y lliwiau mor llachar, a'r ffurfiau mor syml.

'Tyrd i benlinio fan hyn,' meddai Silyn.

'Darpar weinidog Methodist yn offrymu gweddi mewn eglwys?' meddai Mary efo gwên.

'Tyrd ata i,' meddai'n ddwys.

Ac yno, wrth hen, hen allor, plygodd y ddau, a rhoddodd Silyn weddi dawel. Yna, cusanodd Mary.

'Diolch i ti, Mary – am bopeth.'

Wrth adael yr eglwys, dywedodd Silyn, 'Dwi'n credu y dof yn ôl yn aml i fan hyn. Mae'n lle arbennig iawn, ac mor bell oddi wrth bob man.'

'Roedd Llywelyn yn meddwl hynny hefyd, ond yn ôl y sôn roedd Siwan yn cwyno ei fod yn ormod o waith cerdded, felly cododd eglwys arall yn Nhrefriw.'

'Dwi'n meddwl 'mod i'n ochri efo Llywelyn ar y mater yna,' meddai Silyn.

'A finna hefyd,' cytunodd ei rag-ddyweddi.

Pennod 12

Bala, 1900

'Tydi hi'n bnawn bendigedig?' meddai Silyn ar dop yr allt. Edrychodd Wil arno'n ddigon eiddigeddus. Ew, roedd o wedi colli cwmni ei gyfaill ers iddynt adael coleg Bangor. A hwythau wedi rhannu llety cyhyd fel myfyrwyr, roeddent fel brodyr. Ond dyma gyfle, y pnawn hwn, i gael newyddion y naill a'r llall a phrofi pleser cyfeillgarwch. Roedd yr haul wedi dewis gwenu hefyd, ac roedd hwyliau da ar y ddau.

'Be ydi'r het wirion 'na sydd gen ti, Silyn?'

'Hon? Y steil ddiweddaraf yn Llundain, wyddost ti ddim?' Yna, edrychodd ar ei ffrind, 'Ydi hi'n wirion?'

'Wel mi fyddent yn chwerthin ar dy ben ym Mhenygroes, byddent? Meddwl dy fod yn rhan o'r cwmni drama, a'th fod yn gwisgo un o'r props!'

'Mary brynodd hi i mi llynedd, mewn siop reit grand.'

'Wel, os mai *Mary* a'i prynodd... bydd yn *rhaid* i ti ei gwisgo.'

Roeddent wedi dod i waelod Allt y Coleg. Roedd yn dda bod yng nghwmni Wil Pengroes unwaith eto. Fel 'Hogia Dyffryn Nantlle' roedd y stiwdants eraill yn cyfeirio atynt, ac ers iddynt adael y Coleg ar y Bryn roeddent yn colli cwmni'r naill a'r llall yn sobr, felly roedd cael ymweliad gan Wil yn y Bala yn achlysur i'w drysori.

'Mi awn ni tuag at Lyn Tegid,' meddai Silyn. 'Fanno ydi un o'm hoff lefydd. A falle cawn ni reid ar y llyn.'

'I'r dim... sut mae Mary'r dyddiau hyn?'

'Mae'r cwrs dysgu yn ddigon heriol, ond mae hi yn ei helfen. 'Blaw bod yr Allen 'na yn dal i'w phlagio.' Roedd llanc fu yn yr un flwyddyn â Mary wedi cael obsesiwn llwyr amdani, ac yn bygwth lladd ei hun os na châi fod yn gariad iddi.

81

'Dydi o ddim yn dal wrthi? Ro'n i'n meddwl dy fod am sgwennu ato.'

'Mi wnes i, ond chafodd hynny ddim iot o ddylanwad arno.'

'Ddeudais i be ddaeth i'm meddwl pan welais i o yn Aber – rhywun oedd yn gaeth mewn cell yn y Canol Oesoedd. Mae o'n hollol wallgof! O ddifrif rŵan...'

'Does affliw o ots gen i am Allen. Yr effaith gaiff o ar Mary sy'n fy mhoeni i. Ond mae hi'n rêl boi fel arall, yn mwynhau bywyd cymaint ag erioed fel 'mod i'n cael coblyn o job i'w pherswadio i 'mhriodi...'

Goleuodd wyneb Wil. 'Wyt ti wedi gofyn iddi o'r diwedd? Be ddeudodd hi? Lle oeddech chi?'

'Gan bwyll rŵan... Gawson ni rai dyddiau yn Llanrhychwyn. Mae ganddi fodryb yn byw yno – lle bendigedig. Mi ddangosais gopi o *Telynegion* iddi, a fuon ni'n canu ar lan y llyn...'

Rêl Silyn, meddyliodd ei ffrind. Roedd ei fywyd fel nofel ramantaidd. Pawb arall yn cael cariad o'r cylch roedden nhw'n byw ynddo, Silyn yn cael gafael ar ferch o Lundain oedd â bwthyn hyfryd yn Llanrhychwyn. Hogiau eraill yn rhigymu rhywfaint ac ennill mewn steddfodau capel, Silyn yn cyhoeddi llyfr o farddoniaeth ac ennill cadair y Coleg. Hogia cyffredin yn breuddwydio, Silyn yn byw y freuddwyd, fel fersiwn Gymreig o Byron.

'Wel, ddeudodd hi "Ia"?'

'Yn ei ffordd unigryw ei hun 'te? Mae hi eisiau dal ati i weithio a theithio, does ganddi ddim awydd setlo i lawr.'

'Pwy hogan fydde eisiau? Mae gan Mary steil... pwy hwyl sydd mewn bod yn Mrs Robaits, gwraig y gweinidog, mewn rhyw bentref yng nghefn gwlad?'

Roedd mwy o wir yn y geiriau nag a dybiai Wil.

'Ond fedra i ddim byw hebddi... mi wyddost 'mod i dros fy mhen a'm clustiau mewn cariad efo hi.'

'Rydan ni i gyd yn gwybod, Silyn bach,' meddai Wil, gan roi ei fraich yn chwareus am wddf Silyn. 'Chlywson ni ddim byd arall gen ti ar hyd ein dyddiau yn y Coleg. Mary hyn, Mary llall,

Cwîn Mary hyd yn oed. Fedrwn i ddim credu bod y fath ferch yn bod!'

Trodd Silyn ato. 'Ond pan wnest ti ei chyfarfod... wel, roedd hi'n dduwies mewn gwirionedd. Ddaru ni i gyd ddotio arni!' meddai, yn chwerthin, 'Ac mi ddotiodd hithau arnoch chithau.'

Sobrodd Wil, 'Gwrthod ddaru hi felly?'

'I bob pwrpas. Wel, mae hi wedi cytuno i fod yn rag-ddyweddi i mi, beth bynnag ydi ystyr hynny...'

'Mary yn unig ŵyr!' meddai Wil gan chwerthin.

Erbyn hyn, roeddent wedi cyrraedd glan y llyn, a buont yn gwylio'r tonnau ar ei wyneb, yn disgleirio yn yr haul.

'Dyma le braf. Fyddi di'n dod yma i farddoni weithia?'

'Dydw i ddim yma mor aml â hynny, rhwng cadw cyhoeddiad, mynd i Lundain, ymweld ag adre... a dwi'n trio gorffen yr ymchwil. Dwi'n anghofio weithiau mai yma yn y Coleg ydw i i gael BD!'

'A pryd fuest ti yn yr Hen Fro ddwytha?' Gan mai un o Benygroes oedd Wil, byddai o ac yntau yn hoffi cyfeirio at Ddyffryn Nantlle yn hiraethus.

'Ro'n i yno yr wythnos cyn y ddwytha – roedd Nel yn priodi.'

'Taw, mae hi wedi achub y blaen arnat!'

'Do, diwrnod i'w gofio, rhaid i mi ddeud. A phawb yn Nhanrallt allan i ddathlu efo nhw.'

'Ia, canlyn hogyn Gwelltyn oedd hi 'te?'

'Ia, Joseph. Hogyn iawn. Wel, mae o wedi bod werth ei bwysau mewn aur wedi i Nhad farw, yn gweithio cymaint ym Mrynllidiart ag mae o adre. I fanno awn nhw i fyw, ac mi fyddant yn gwmni i Mam.'

'Da iawn, achan. Wel, fiw i ti oedi llawer hwy felly os ydi Nel wedi cymryd llw...'

'A be amdanat ti? Ydi Winnie Stythe yn dal i ddenu?'

Gwenodd Wil. 'Rhywbeth ysgafn oedd hynny. Wn i ddim be oedd yn bod ar William John yn cymryd ato gymaint. Mae ganddo fo fwy nag un ferch mae o'n eu canlyn.'

'A faint sydd gen ti?'

'Gwen ydi'r ffefryn, ond dwi wedi bod am dro efo ambell un o gwmpas Bangor.'

'Tyrd â'r hanes i gyd i mi rŵan,' meddai Silyn, 'neu beth am ei ddweud mewn cwch ar y llyn?'

Yn ffodus, roedd dyn wrth y cwt yn llogi cychod, a chafodd Silyn a Wil gyfle i gymryd cwch rhwyfo am awr a chael digon o fodd i fyw.

'Faint o brofiad wyt ti wedi ei gael yn rhwyfo, Silyn?' gofynnodd Wil efo gwên.

'Ddysgi di ddim byd heb roi cynnig arni,' meddai Silyn yn smala. 'O leiaf mae gen i'r het!'

Ac eisteddodd Wil yn ôl a mwynhau ei hun.

'Mi ges i gyfle i rwyfo ar y Fenai llynedd,' meddai Silyn. 'Dyna pryd daeth William John a minnau'n ffrindiau. Cael gafael ar gwch pan oedd hi wedi tywyllu, ac ar y Fenai yr aethon ni, a dechrau adrodd cerddi i'r naill a'r llall. Dyna oedd dechrau *Telynegion*.'

Rhoddodd Wil ei law yn y dŵr a mwynhau'r teimlad. 'Wel, mae arna i ofn na ddaw unrhyw farddoniaeth fawr efo fi yn rhannu cwch efo ti... na'r un gyfrol chwaith.'

Yr un hen Wil, meddyliodd Silyn, dim owns o hyder ynddo.

'Ac yli lle mae William John rŵan – yn Rhydychen, yn gwneud enw iddo'i hun ac yn dod yn fardd o fri...' meddai Wil. 'Mi rown i'r byd 'tawn i wedi cael cynnig mynd i Rydychen.'

'Ond fydden ni'n dau ddim wedi dod yn ffrindiau wedyn, a meddwl cymaint o golled fyddai hynny!' Trawodd Silyn y rhwyf ar y llyn, nes bod dŵr yn tasgu dros ei gyfaill.

Digon gwir, meddyliodd Wil, roedd yn gwerthfawrogi Silyn fel ffrind yn fwy na dim.

'Diniwed iawn oedd ein hwyl ni, er mor gastiog oedden ni,' meddai Silyn, yn cofio'r diriedi.

'Wyddwn i ddim be i wneud ohonot pan welais i ti gyntaf, roeddet mor welw, a thenau,' meddai Wil. 'Ro'n i'n amau bryd hynny mai ar dop mynydd oeddet ti'n byw. Breuddwydiwr – dyna ddaeth i'm meddwl i. Rhyw amau nad oeddet ti ddim cweit o'r byd yma. ...' Sylwodd ar y cwch yn troi. 'Hei, gwylia – rwyt ti wedi mynd yn rhy agos at y lan, Silyn! Dydw i ddim eisiau suddo!'

Sylwodd y rhwyfwr dibrofiad ar ei gamgymeriad a throdd y cwch, a'i wyneb gwelw, tua'r gorwel gan adrodd yn hamddenol, 'Oh we're sunk enough here, God knows...'

Roedd Wil yn chwerthin. 'Ti'n cofio chdi'n gwisgo fyny fel dyn inswrans?'

'Naci – coler gron oedd gen i,' cywirodd Silyn ei ffrind. 'Gweld Idwal efo taflenni inswrans wnes i, a menthyg coler gron Beni Be-nai.'

'Ond i lle est ti wedyn – ddaru ti ddim mynd draw i Bala Bangor?'

'Mynd draw i weld dau o'r stiwdants diwinyddol ddaru mi, efo'r farf ddrewllyd 'na i guddio fy wyneb, a dechrau mwydro am inswrans. Mi ddaru nhw 'nghymryd i'n gwbl o ddifri, do? Dangos bod gen i ddawn actio...'

'Ddaru nhw ganfod iddynt gael eu twyllo, dybcd?'

'Wn i'm. Nes i rioed alw heibio wedyn i holi!' Edrychodd ar ei oriawr. 'Rydan ni i fod yn ôl wrth y cwt ers deng munud...'

'Tria dy orau rŵan i gyrraedd y pen arall, Silyn, neu mi fydd yn codi mwy arnon ni. Roedd y bocs gwisgoedd 'na yn un handi. Roedd gen ti ryw goban a thyrban, yn doedd? Beth oedd y bennill?'

Gallai Silyn ei hadrodd yn syth, ac ymunodd Wil;

'Roedd rhai yn colli dagrau, a'r lleill yn yfed bîr
Fe gofir am y diwrnod yng Ngwlad yr Aifft am hir...'

'Mae chwith am Fangor,' meddai Silyn yn hiraethus. 'Does 'na fawr o neb yn gwisgo fyny yn y Bala.'

'Dim ond chdi, 'te, a dy *boater* o Lundain...'

'Gad ti lonydd i'r *boater* yma. Tasen ni'n suddo, a dim ond yr het yn arnofio ar wyneb y dŵr, o leiaf bydden nhw'n gwybod pwy oedd wedi boddi!'

Wrth lwc, doedd dyn y cwt a'r cychod ddim yn rhy flin, a wnaeth o ddim codi mwy o dâl arnynt.

Cerddodd y ddau gyfaill i'r dref wedyn a chael paned a the bach mewn caffi. Doedd trên Wil ddim yn gadael tan dri o'r gloch.

'Ew, mae blas da ar y frechdan 'ma. Ro'n i wedi clemio!' meddai Wil. 'Dwi'n cofio pan o'n i ym Mharis, cael y cacennau mwyaf bendigedig, ond doeddan nhw ddim yn dy lenwi di o gwbl, ddim mwy nag oedd eu brechdanau nhw...'

'Bechod na fydden ni wedi cael amser efo'n gilydd ym Mharis.'

'Nes i drio 'ngorau,' taerodd Wil, 'a'r munud ro'n i'n ôl yn Llundain, roeddet ti'n croesi yno!'

'Roedd yn werth i ti neud y cwrs yna yn Llundain – fuo fo'n help i ti basio dy radd. Be nesa, Wil?'

'Dwi'n awyddus i wneud MA yn y Clasuron rŵan, neu Ffrangeg, wrth gwrs...'

'Ac esgus pellach i ddianc i Baris.'

'Sut mae dy MA di yn dod ymlaen?'

'Dydw i ddim yn rhoi digon o amser iddo – ond mae sôn y caf eglwys yn Llundain... Paid â sôn dim ar hyn o bryd.'

'Diddorol. Ew, tydan ni'n hogia lwcus – 'Hogia Dyffryn Nantlle'? Yn y chwarel fyddai'r ddau ohonon ni, 'blaw inni fod yn ddigon ffodus i gael addysg. Fydda 'nhad wedi bod wrth ei fodd yn cael cynnig. Doedd ganddo ddim tamaid o eisiau bod yn adeiladwr. Dydan ni ddim digon diolchgar, 'sti.'

'Mi ydw i,' meddai Silyn, gan godi i fynd i dalu'r bil, 'bob dydd o'r newydd. Mi fues i'n goblyn o ffodus i gael mynd i Ysgol Clynnog, heb sôn am yr ysgoloriaeth i Fangor. Be fasa wedi dod ohonof fel arall?'

'Mi gaet waith yn hel 'siwrans, debyg gen i – neu mi fyddet yn rhan o gwmni drama teithiol.'

Gwenodd Silyn. Oedd, roedd ei fywyd yn ddigon tebyg i ddrama deithiol ar rai adegau.

Cyd-gerddodd â'i gyfaill i'r orsaf, a dymuno'n dda iddo.

Roedd o'n colli cwmni Wil yn fwy nag a feddyliodd. Profiad braf oedd cael chwerthin.

Cwta fis wedi'r cyfarfyddiad yn y Bala, chwalodd bywyd Wil Roberts yn ufflon pan fu ei dad farw yn gwbl annisgwyl. Er ei fod yn fyfyriwr mor ddisglair, bu raid iddo anghofio'r MA mewn Clasuron a'r teithio i Baris. Doedd ganddo 'mo'r syniad lleiaf sut i redeg busnes ei dad, a bu raid dirwyn hwnnw i ben. Roedd angen iddo ddechrau ennill ei damaid, gan fod rhaid iddo gynnal ei fam weddw, a chafodd waith fel athro mewn ysgol yn Wrecsam. Dim yr un Wil Roberts fuo fo wedi hynny. Ond fo a neb arall ddewiswyd gan Silyn yn was priodas.

Pennod 13

Lyndhurst, North Road, Aberystwyth, 1901

'Mae gen ti olygfa braf o'r ffenest 'ma,' meddai Lizzie. Newydd gyrraedd oedd hi, ac wedi gosod ei phaciau ar y llawr.

'Dim cystal â'r un o Alexandra Hall, rhaid i ti gyfaddef,' meddai Mary.

'Falle ddim, ond toes dim rhaid i ti fod i mewn erbyn saith y nos yn fan hyn, dwi'n cymryd...'

Estynnodd Mary gadair i'w ffrind, a symud ei llyfrau oddi ar y lle tân. Roedd yn braf cael Lizzie i ddod i aros ati. Buont yn ffrindiau mynwesol tra oedd y ddwy yn y coleg efo'i gilydd, ond pan benderfynodd Mary ddilyn cwrs dysgu a dod yn ôl i Goleg Aberystwyth i ddarlithio, cafodd Lizzie swydd yn Amwythig.

'Sut ddaru ni oroesi tair blynedd dan y fath amodau, dywed?'

'Ew, dwi'n siŵr bod Miss Lavatt wedi cael hen ddigon arnom erbyn y diwedd. Ti'n cofio fel bydda hi? "Miss Parry, do I have to tell you once again?"!' Chwarddodd Lizzie yn harti.

'Cymryd y bai am dy bechodau di oeddwn i ran amlaf. Reit, af i lawr i wneud tebotiad i'r ddwy ohonom, ac mi gei di ddechrau tostio'r bara. Dwi wedi eu rhoi ar blât wrth y ffendar yn fanna, wel'di... fydda i ddim dau funud.'

'Mae hyn yn mynd â fi'n ôl, Mary...'

'Beth oeddem yn dy alw? Tywysoges y Tostio!' chwarddodd Mary wrth fynd i lawr y grisiau.

Wrth ddal y bara o flaen y tân, myfyriodd Lizzie ar eu dyddiau yn y Coleg. Bu'n sbort cael bod yn ffrind gorau i Mary. Oni châi ei hystyried fel 'Brenhines y Coleg'? Daeth i'r Coleg yn ferch hardd, hyderus, ac roedd y ffaith iddi gael ei magu yn Llundain yn ychwanegu at ei rhamant. O'r cychwyn cyntaf, taflodd ei hun i mewn i fywyd myfyriwr gyda sêl. Roedd hi'n arbennig o alluog, ond gallai wneud popeth arall hefyd. Roedd yn amlwg yn y Gymdeithas Ddadlau a gallai ddal ei thir yn erbyn unrhyw ddyn. Roedd yn chwarae'r delyn, yn actio, yn canu ac yn rhan o'r opera ac roedd ganddi gylch eang o ffrindiau. Ond nid oedd dim yn sych-dduwiol yn ei chylch. I'r gwrthwyneb – roedd y llygaid tanbaid, tywyll rheiny yn dangos annibyniaeth barn a mentergarwch. Lle bynnag y byddai Mary, roedd ganddi ddigon o ddilynwyr, a dim prinder o edmygwyr gwrywaidd...

'Lizzie! Be wyt ti'n ei wneud?' meddai Mary wrth ddod drwy'r drws efo hambwrdd. Roedd mwg yn dod o'r dafell, ac roedd hi wedi crasu gormod, doedd dim gwadu hynny.

'Ro'n i 'mhell i ffwrdd, Mary. Dyna'r gwir amdani. Sori. Lle mae'r menyn?' Taenodd y menyn ar y tost a pharatoi un arall. 'Mi gymeraf i hwn, ac mi wna i un arall i ti...'

'Cymer di 'rofol,' meddai Mary gan gymryd y fforch oddi arni. 'Mi ofalaf i am hwn a gei di weini'r baned. Rhaid nad wyt ti wedi cael ymarfer ers gadael Col.'

Plygodd Lizzie a chodi llyfr oedd wrth y ffender. 'Aylwin' oedd yr enw ar y meingefn.

'Hwn ti'n ei ddarllen ar hyn o bryd? Sut un ydi o?'

'Arbennig o dda. Cael ei fenthyg gan Silyn wnes i. Hwn mae pawb yn ei ddarllen ar hyn o bryd.'

'Beth yw'r stori?'

'Hanes rhamantus hogan sy'n ffrind i sipsi, Sinfi Lovell. Edrych ar dudalen chwech...'

Trodd Lizzie i'r ddalen honno a dechrau darllen yn uchel,

'Bore o'r cwmwl aur,
    Eryri oedd dy gaer,
Brenin o wyllt a gwar
    Gwawr ysbrydau.

Pwy ydi'r awdur? Theodore Watts-Dunton... sut bod 'na Gymraeg ynddo?'

'Nofel wedi ei lleoli yng Nghymru ydi hi, yn Eryri. Mae hi'n dipyn o stori,' eglurodd Mary.

'Hm, gobeithio ei fod yn well storïwr nag ydi o o fardd,' meddai Lizzie, gan roi'r llyfr i gadw. Cododd i dollti'r te ac edrychodd ar ei ffrind. 'A sut mae 'rhen Silyn y dyddiau hyn?'

Trodd Mary y dafell i grasu'r ochr arall. 'Wn i ddim.'

Estynnodd Lizzie y gwpan a'r soser iddi. 'Be wyt ti'n feddwl?'

'Dydw i ddim wedi siarad efo fo na sgwennu ers wythnosau. Ddeudais i wrthat yn fy llythyr.'

'Do, ond doedd o ddim yn gwneud synnwyr. Deud yn iawn, Mary. Dwi eisiau deall.' Setlodd i lawr yn y gadair efo'i phaned.

Ochneidiodd Mary. 'Does dim i ddeall. Dwi jest wedi torri cysylltiad efo fo.'

'Mae hyn yn hurt bost. Mae "Silyn a Mary" fel "halen a phupur". Randros, rydach yn canlyn ers pum mlynedd.'

'Chwech – falle mai dyna ran o'r rheswm.'

Cododd aeliau Lizzie. 'Be – syrffed?'

Edrychodd Mary o'i chwmpas, gan gael trafferth i fynegi ei theimladau, oedd yn beth dieithr iddi. 'Nage, prin y gallai Silyn syrffedu unrhyw un...'

'Dyna oedd yn mynd drwy fy meddwl...'

Edrychodd Mary i fyw llygaid ei ffrind, gan godi ei 'sgwyddau. 'Wn i ddim beth ydi o.'

'Sut mae *o* yn ymateb, 'ta?'

Bu Mary yn dawel am rai munudau. 'Fedr o ddim deall, wrth gwrs. Mae o wedi sgwennu llythyrau meithion, ond yna, mae wedi cadw'n dawel yn ddiweddar. Mae o eisiau 'ngweld i, i drafod y peth.'

'Siŵr iawn, mae'r creadur yn torri ei galon, debyg.'

'Tydw i'n gwybod hynny, ac mae 'nghalon innau'n gwaedu drosto.'

Roedd rhwystredigaeth Lizzie yn amlwg. 'Ond ti ydi'r unig

un fedr ei helpu! 'Mond chdi mae o ei heisiau...'

Rhoddodd Mary ei phen yn ei dwylo, 'Tydw i'n gwybod?' ochneidiodd.

'Oes a wnelo hyn unrhyw beth â'r busnes Allen 'na?' gofynnodd Lizzie'n betrusgar.

'Na, dydi o ddim yn rhan o'r peth o gwbl.'

'Wyt ti'n cael llonydd ganddo fo bellach?'

'Ers dipyn rŵan. Dwi'n meddwl bod ganddo fwy o obsesiwn efo Silyn na fi erbyn hyn. Mater od iawn oedd hynny.'

'Wel os nad ydi o'n Allen... be sydd?'

'Dwi 'mond eisiau llonydd am dipyn...'

'O, Mary, oes rhywbeth fedra i ei wneud?'

'Mae dy gael di yma yn rhodd ynddo'i hun. Mae'n gymaint o ryddhad gallu siarad am y peth.' Cododd ei phen i edrych ar ei ffrind. 'Ydw i'n berson dychrynllyd, ti'n meddwl?'

'Nag wyt, Mary. Dyna un peth fedra i ei ddweud a'm llaw ar fy nghalon.'

Wyddai Lizzie ddim beth i'w ddweud. Mary oedd ei ffrind gorau, ac roedd wedi dod i nabod Silyn drwyddi, ac yn hoff iawn ohono. Os oedd un bartneriaeth gadarn fel y graig, cariad y ddau yma ydoedd.

'Pryd wnes ti ddechrau cael amheuon?'

'Nid amheuon ydyn nhw. Dydi 'nghariad i at Silyn ddim wedi newid...' Ochneidiodd eto. 'Yn Nghapel Lewisham ro'n i – lle mae o'n weinidog rŵan.'

Nodiodd Lizzie. Roedd yn eironig fod Silyn wedi mynd yn weinidog i Gapel Cymraeg yn Llundain tra oedd Mary yn Aberystwyth. Yn union fel petaent wedi eu tynghedu i fod ar wahân.

'Ro'n i wedi edrych ymlaen i'w glywed yn pregethu... ond wedyn, wrth edrych arno yn y pulpud, ro'n i fel taswn i'n ei weld drwy lygaid gwahanol. Roedd y dyn yma dwi wedi ei garu, y Silyn tawel, swil sy'n ymddiried cymaint ynof fi, roedd o wedi troi yn ffigwr cyhoeddus... a rhyw bobl eraill oedd ei gynulleidfa...'

'Ond rwyt ti wedi ei weld o'n annerch o'r blaen, ac yn pregethu...'

'Do, ond nid yn ei gapel ei hun.' Gwasgodd Mary ei dwylo. 'Mae o mor anodd i'w gyfleu. Roedd o'n union fel mai nhw oedd pia fo... mae o'n uchel ei barch yno, maen nhw wedi dotio eu bod wedi cael gŵr ifanc yn weinidog arnynt, ac mae o wedi gwneud camau breision yn barod...'

'Doeddet ti rioed yn genfigennus ohonynt?'

'Nag oeddwn. Jest nad oedd rhywbeth yn iawn...'

'Fuon nhw'n oeraidd wedyn efo ti?'

'Na, i'r gwrthwyneb, roedd pawb eisiau dod ataf i ddeud gair wrthyf.' Oedodd. 'Roedd o fel 'tawn i'n cael cip i'r dyfodol. A daeth rhyw chwys oer drosof: "Hwn ydi 'nyfodol i", meddyliais. Mae'r Silyn chwareus, myfyrgar, ro'n i'n ei nabod wedi troi yn oedolyn. Ac os ydw i am fod efo fo, mae'n rhaid i mi dderbyn yr holl gyfundrefn yma, a 'tasen ni'n priodi mi fyddwn i'n wraig gweinidog, a fasa rhaid i mi chwarae rôl nad ydw i rioed wedi ei dewis.' Edrychodd drwy'r ffenest. 'Dewis Silyn ydi bod yn weinidog. Mae gen i 'mywyd fy hun.'

Chwaraeai Lizzie efo'i breichled. Roedd yn rhaid iddi droedio'n ofalus.

'Felly 'tase fo mewn swydd arall, llai cyhoeddus, byddai pethau'n haws...'

'Dyna'r peth, wn i ddim.'

Edrychodd Lizzie ar y marwor yn y tân, ac estyn am briciau i geisio ei annog i fywiogi. Roedd Mary yn ei byd bach ei hun.

'Sut bynnag dwi'n edrych arni, dwi'n teimlo 'mod i'n cerdded i mewn i drap...'

'Tydi Silyn ddim yn meddwl hynny,' meddai Lizzie.

'Mae o'n cael y ddeubeth, tydi? Mae o'n cael ei swydd ac mae'n cael byw efo gwraig o'i ddewis. Falle taswn i'n ddyn, y byddwn innau'n barod i briodi...'

Mwya sydyn, roedd Lizzie'n falch iawn nad oedd ganddi gariad. 'Yr anghyfartaledd sy'n dy boeni? Ond Mary, dydi Silyn ddim yn ddyn felly... mi fydda fo'n rhoi pob ystyriaeth i ti. Ers pan dwi'n ei nabod, "cadw Mary'n hapus" fu echel ei fywyd!'

Gwenodd Mary a chwarae efo'i gwallt. 'Dwi'n gwybod... 'mabi gwyn i...'

'Ti'n swnio fel un o ddilynwyr Mrs Pankhurst... ond fedra i ddim anghytuno efo ti. Taset ti'n cael rhwydd hynt, be fyddet ti yn ei wneud efo dy fywyd?'

Taniodd llygaid Mary, 'Wyt ti eisiau gwybod?'

'Dyna pam dwi'n gofyn i ti, yr hen het! Ac o'r diwedd dwi wedi cael gwên ar yr wyneb diflas 'na.'

Safodd Mary â'i chefn at y tân. 'Teithio – dyna fyddwn i'n ei wneud...' A dechreuodd siglo ei chluniau ac adrodd,

'Give to me the life I love,
Let the lave go by me,
Give the jolly heaven above
And the byway nigh me.'

Dyna oedd yn bod ar yr hogan. Doedd ryfedd ei bod fel aderyn mewn cawell! Cododd Lizzie, gafael yn nwylo Mary a chyd-ddawnsio gyda hi o amgylch y stafell,

'Wealth I ask not, hope nor love,
Nor a friend to know me;
All I ask, the heaven above
And the road below me.'

Ar ddiwedd y gerdd, stopiodd y ddwy ac edrych ar ei gilydd.

'Pryd ddaru ni hynna ddwytha?' gofynnodd Lizzie, a thynnu gwallt Mary o'i llygaid. Roedd wyneb ei ffrind fel haul yn disgleirio, ac roedd y ddwy wedi colli eu gwynt.

'Ddylen ni ddawnsio mwy, 'sti, Mary.'

'A chanu!'

Aeth Mary at ei desg a dod â bocs o lythyrau o ddrôr. Roedd tua hanner cant o amlenni wedi eu gwasgu iddo, yn hynod drefnus.

'Mary, nid llythyrau Silyn ydi'r rhain...' gofynnodd Lizzie wrth fynd yn ôl i'w chadair.

'Ia.'

'I gyd?'

'Bob un, a'r cyfan yn eu trefn...'

Agorodd Lizzie ei llygaid yn fawr. Daeth Mary i eistedd ar y llawr wrth ei thraed a chododd Lizzie o'i chadair er mwyn eistedd wrth ei hymyl.

'Mae o'n un da am sgwennu, rhaid i mi ddeud hynna.'

'Dwi'n gwybod, mi fûm yn gohebu efo fo fy hun. Ti'n cofio fi'n gorfod sgwennu ato yn dy le unwaith? Roeddet ti wedi pwdu efo fo 'radeg honno...'

'Am be, dywed?'

'Dwi'n meddwl ei fod o wedi sgwennu yn Saesneg atat, ac mi est ar streic!'

Gwenodd Mary wrth gofio. 'Mae o'n un digri.. mae o'n un o'r hogiau digrifa dwi'n eu nabod. Wn i ddim be ro'n i wedi ei sgwennu ato, ond ro'n i wedi mwydro rhywbeth 'mod i'n mynd i elopio...'

'Mentrus...'

'Ond heb sôn amdano fo yn benodol...' Roedd yn chwilota drwy'r llythyrau. 'A, dyma fo.' Tynnodd y llythyr o'r amlen, a darllen dyfyniad ohono. ' "Bu agos i mi gael ffit wrth ddarllen dy fwriad gwyllt i elopio"...' Gwenodd Mary, 'Gwranda ar hwn... "ond cofia di",' cododd ei bys gan ddynwared rhywun yn rhoi gwers bwysig, ' "mae eisiau dau i elopio, ac os bydd yn hard-up iawn arnat, mi wyddost lle i gael partner ddaw i saethu teigrod efo ti a lladd nadroedd os bydd eisiau. Rydw i'n lecio yr idea o elopio yma'n fawr iawn...".'

Wrth glywed Mary yn chwerthin dechreuodd Lizzie chwerthin hefyd, ac ymhen dim, roedd y ddwy yn eu dyblau. Cododd Mary ac eistedd ar ei phengliniau.

'A wyddost ti beth, Lizzie, faswn i wrth fy modd yn gwneud hynny. Tase telegram yn cyrraedd y tŷ yma heno gan Silyn yn deud, "Tyrd efo mi i Affrica, cwrdd â fi yn Euston am 9 y nos", byddwn yn pacio fy mag yn syth!'

Randros, roedd yr hogan o ddifri, meddyliodd Lizzie. 'Fasa well i mi ddeud wrtho fo mai dyna'r ffordd i dy ennill yn ôl?'

'Mi awn i, cyn wired â banc – dyna fyddai wrth fy modd. Mi fyddwn yn mynd efo fo i ben draw'r byd. Byddem yn cael anturiaethau fil... dyna'r Silyn go iawn, mae o angen cynnwrf a chwmni pobl a gweld y byd.'

'Falle mai dyna ddylech chi wneud.'

Suddodd corff Mary, 'Ond does gan yr un ohonon ni bres. Mi fydde'n rhaid inni weithio dramor i ennill ein tamaid...'

'Rydan ni wedi gadael i'r tân farw, Mary...'

'Dim ots, mae'n amser gwely p'run bynnag.'

'Paid â swnio mor ddigalon, da ti. Falle gwnaiff petha newid.'

Ysgydwodd Mary ei phen. 'Wnawn nhw ddim. Wedi tyfu'n hen yn rhy sydyn ydan ni – neu fo, p'run bynnag. Y Parch Silyn Roberts, BA, BD ydi o bellach, gweinidog Capel Lewisham, MC. Ac i fanno yr ydw i inna yn mynd ar fy mhen oni bai 'mod i'n gwneud rhywbeth yn sydyn...'

Druan o Mary.

Aeth y ddwy i'r gwely, ond ni fu pall ar eu sgwrsio. Roedd y sgyrsiau gorau rhwng ffrindiau wastad yn digwydd yn ystod oriau mân y bore.

Pennod 14

Curodd David Thomas ar ddrws rhif 22, a'r pecyn yn ei gôl yn ofalus. Daeth Mary Silyn i'r drws a rhoi gwên fawr pan welodd pwy oedd yno. Dilynodd David Thomas hi i'r gegin.

'Tydi'n ddiwrnod bendigedig? Dowch drwodd. Wedi bod yn rhoi bwyd i'r adar ydw i. Ddyliwn i roi'r gorau iddi rŵan, mae'n siŵr, a hithau'n wanwyn, ond dwi wrth fy modd yn eu gwylio drwy'r ffenest...'

Doedd David Thomas ddim eisiau mwydro am adar. 'Mrs Silyn, mae o wedi cyrraedd...'

Trodd Mary ato. Roedd y dyn yn dal yn ei gôt ac yn sefyll yn stond wrth ddrws y gegin. Beth oedd yn bod arno?

'Beth sydd wedi cyrraedd?'

'Wel, y cylchgrawn. Roeddwn i'n methu disgwyl, ac mi es ar y bws i G'narfon i gael rhai copïau gan Gwenlyn Evans. Dydw i ddim wedi agor y pecyn eto... wnes i feddwl y carech chi ei weld yr un pryd.'

Roedd o wedi mynd yn swil i gyd.

'Y cylchgrawn? Wel, gadewch inni ei weld o. Dyma ni gynhyrfus!'

Anghofiodd Mary am degell a phaned, a gwyliodd David Thomas yn rhoi'r pecyn ar y bwrdd, ei fysedd main yn agor y llinyn yn ofalus. Gwyddai faint o waith roedd hyn wedi ei olygu iddo, a'r consyrn roedd o wedi ei ddangos yn casglu'r deunydd a'i deipio a'i gywiro.

Pecyn bychan ydoedd efo deg copi. Gafaelodd yn y cyntaf. 'Dyma chi, Mrs Silyn – y copi cyntaf o *Lleufer*.'

Edrychodd Mary ar y rhifyn du a gwyn, maint A5, a'r print mân. O'r diwedd, roedd yn ffaith.

'Dwi'n falch mai dyna oedd yr enw ddewison ni yn y diwedd, er cystal enw oedd *Gwerin*.'

Nodiodd David Thomas. 'Dwi wedi rhoi'r dyfyniad gan Eifion Wyn ar yr ail dudalen, edrychwch: "Lleufer haul fel llif o ros". Ro'n i awydd rhoi pytiau fel hyn yma ac acw – mae o'n ei wneud yn fwy difyr, tydi? A doedd ei ffitio i 45 dalen ddim yn hawdd, efo'r dogni papur 'ma... drychwch, dwi wedi rhoi'r cynnwys ar y clawr – roedd hynny'n arbed un ddalen!'

Edrychodd Mary ar y dyn – roedd yn ei hatgoffa o fachgen bach wedi cael tegan newydd. Darllenodd y cynnwys. '*Pa Beth i'w Ddarllen ar Hanes Cymru* – mae hwnna'n swnio'n ddifyr.'

'Jarman sgwennodd hwnna. Mae'r cyfarchion wedi cymryd pedair tudalen, a dwi wedi gorfod dal rhai adolygiadau yn ôl oherwydd diffyg lle.'

'Mae o'n rhagorol. '*Lleufer*... "i wasanaethu Cymdeithas Addysg y Gweithwyr yng Nghymru". Mae o'n ffaith. Mae hon yn freuddwyd sydd wedi ei gwireddu.'

Roedd gwên lydan ar wyneb David Thomas. Edrychodd Mary i fyw ei lygaid.

'Wyddoch chi be dwi wedi bod yn ei feddwl? Mi fydd pobl yn edrych yn ôl ar y cyfnod yma, ac yn rhyfeddu ein bod wedi gallu dal ati fel mudiad drwy gyfnod y Rhyfel, dach chi ddim yn meddwl?'

'Dydi hi ddim wedi bod yn hawdd, rhaid cyfaddef...'

'Ond mae bob dim wedi bod yn ein herbyn, tydi? Ein dynion ifanc yn cael eu cymryd ymaith i'r Fyddin, y *rations*, y *blackout*.. y pryder a'r gofid, y diffyg petrol... Ac i feddwl ein bod wedi gallu dal i gynnal dosbarthiadau mewn cymaint o lefydd. Weithiau, mi fydda i fy hun yn rhyfeddu.'

'Fasan ni ddim wedi gallu ei wneud o heb eich bod chi'n trefnu.'

'Lol botas. Faswn i ddim yn gallu trefnu 'blaw bod pobl fel chi yn fodlon bod yn diwtoriaid. Ond falle mai'r hyn gaiff ei gynnig yn y dosbarthiadau sydd wedi cynnal sawl un, dydach chi ddim yn meddwl? Maen nhw'n dal i allu dod ynghyd, dal i allu darllen a thrafod – mae yna nerth i'w gael o hynny, toes? Mae'n cynnal ysbryd pobl.'

Nodiodd David Thomas. Ofer oedd ceisio torri ar draws.

'A rŵan, dyma gynhyrchu hwn,' meddai, gan afael yn *Lleufer*. 'Er gwaetha'r prinder papur a'r gofynion mawr ar bawb, rydan ni wedi gallu ei gyhoeddi.' Edrychodd Mary yn fwy craff ar y clawr. 'Pam ddaru chi roi hwn yna?'

Dychrynodd David Thomas – doedd hi erioed wedi gweld camgymeriad? Roedd o wedi bod trwyddo efo crib mân, filoedd o weithiau.

'Beth?'

' "Atodiad i'r *Highway*" – nid atodiad mohono. Cylchgrawn y Saeson ydi hwnna. Mae hwn yn gylchgrawn annibynnol. Mae eisiau cael gwared o hynna.'

'Iawn, gofia i erbyn y tro nesa.' Rêl Mrs Silyn, meddyliodd.

'Wyddech chi mai syniad Caradog Jones oedd hwn gyntaf?' Edrychodd David Thomas arni yn llawn diddordeb. 'Tewch â sôn. Ac eto, dydi o ddim yn fy synnu. Lle clywosoch chi hynny?'

'Williams Parry ddywedodd wrtha i – roedd ganddo ddosbarth yn Mynytho, toedd? A wyddai Caradog Jones ddim pam roedd o'n cael yr *Highway*. Doedd o ddim yn berthnasol i Ben Llŷn o gwbl, a'r hyn oedd ei angen oedd cylchgrawn Cymraeg.'

'Chwarae teg iddo. Mi fu raid iddo fo aros yn ddigon hir amdano.'

'Mi fydd yn falch iawn o gael copi,' meddai Mary. 'Ga' i wneud rhyw damaid sydyn i'r ddau ohonom? Mi ddaru chi godi'n gynnar os buoch yn G'narfon ac yn ôl. Chawsoch chi ddim paned yno, debyg?'

Y peth olaf ar feddwl David Thomas ar ddiwrnod mor bwysig oedd paned.

'Roedd yn rhaid i mi frysio'n ôl i ddal y bws ddau. Ges i gip o bell ar Llew Owain, ond ddaru mi ddim stopio i siarad.'

'Wnes innau ddim trafferthu efo cinio heddiw. Mi af drwodd i neud brechdan.'

Tra oedd hi yn y gegin, bodiodd David Thomas drwy'r cylchgrawn. Roedd ofn yn ei galon y byddai'n canfod camgymeriad neu gamargraffu. Roedd wrth ei fodd efo sylwadau Dr Albert Mansbridge, sylfaenydd y WEA, Cymdeithas Addysg y Gweithwyr, ym Mhrydain, ar y dudalen gyntaf, yn dyfynnu o araith wnaeth ym 1926;

Gwybodaeth ydyw'r olew y mae'n rhaid i'r ysbryd ei losgi fel y caffo dyn ei fynegi ei hun yn llawn, gorff a meddwl. Goleuni ydyw arwyddlun goruchaf ei fywyd, a'i ddiben eithaf. Boed i fflam Cymru ddyrchafu yn dragywydd, gan wasgaru ei lleufer dros yr holl genhedloedd.

Da iawn, meddyliodd, da iawn, wrth i Mrs Silyn ddod drwodd efo'r brechdanau.

'Dynes wirion ydw i yn bwydo adar, ac yn esgeuluso bwydo fy hun... dewch at y bwrdd.'

Mwya sydyn, roedd David Thomas yn teimlo'n llwglyd.

'Faint mae o'n ei gostio?'

'Chwe cheiniog; saith geiniog drwy'r post.'

'Bydd rhaid inni wneud yn siŵr bod digon yn mynd i bob cangen.' Rhoddodd Mary un plât i'w chyfaill. 'Mi fûm yn darllen y Papur Gwyn ar Addysg ddoe. Bydd raid inni bwyso ar y Llywodraeth i gael trefniadau ar wahân i Gymru, a thrin Cymru fel uned. Dwi'n credu y dylai pob cangen o'r WEA neilltuo un noson o leiaf i drafod y mesur.'

'Cytuno.'

'Sut mae Arial?'

'Mae o'n mwynhau bywyd Coleg, ond mae'n gweithio'n galed.'

'Oes ganddo gariad eto?'

'Dydw i ddim yn holi.'

'Os na holwch, chewch chi ddim gwybod. Dyna f'egwyddor i. Gymrwch chi frechdan arall? Na wnewch? Mae'r rhyfel 'ma'n dal i ddrysu trefniadau. Mae G.G. Evans wedi deud y byddai'n fodlon bod yn diwtor, ond mae o yn y Dwyrain Canol ar hyn o bryd, felly fasa trefnu lifft o fanno iddo fo yn ormod o sialens i mi hyd yn oed!'

Gwenodd David Thomas – roedd system Mrs Silyn o drefnu lifftiau i ddarlithwyr yn ffenomen ynddi ei hun.

'Fel hyn y bydd petha am 'leni, mi greda i, a does wybod am ba hyd eto. Dwi wedi cynnwys y paragraff gennych chi ar dudalen 30, efo un D.T. Guy, Rhanbarth y De, dan y pennawd, 'At y Canghennau'.

Cymerodd Mary olwg frysiog arno.

'Credwn ni fod yn rhaid i Addysg Pobl Mewn Oed mewn gwlad werinol roddi'r hawl i aelodau'r dosbarthiadau ddewis eu cyrsiau eu hunain, a dylai'r gred hon ein symbylu i fwy o ymdrech.'

'Da iawn,' meddai hi, a rhoddodd y Golygydd ochenaid o ryddhad. 'Ac rydach wedi ei italeiddio...'

'Chi oedd wedi ei roi mewn llythrennau breision ac wedi ei danlinellu...'

'Fel'na yn union ro'n i eisiau. Mae rhai yn araf iawn yn cael y neges.'

'Neu ddim yn dewis deall.'

Roedd hon yn hen bregeth ganddi. Roedd David Thomas yn dal i syllu ar y copi newydd o *Lleufer*, yn methu credu, bron, ei fod yn gylchgrawn go iawn yn ei ddwylo yn hytrach na haniaeth yn ei ben.

'Ydan ni'n barod? Dyna ydi'r cwestiwn rydw i wedi bod yn ei holi,' meddai Mary. 'Pan ddaw terfyn ar y Rhyfel a'r holl bobl 'ma'n dychwelyd adre, fydd y WEA yn barod ar eu cyfer? Mi fydd y dynion yn barod ar gyfer bywyd newydd wedi bod yn rhyfela, mi fyddan nhw'n awchu am addysg, ac mi fydd ganddyn nhw syniad go bendant o sut gymdeithas fyddan nhw eisiau ei gweld...'

Roedd David Thomas wedi dechrau meddwl am beth fyddai

ar glawr yr ail rifyn. Cododd Mary o'r bwrdd, a dechrau stwna ymysg y papurau yn y ddresel.

'Mi ges i ddyfyniad addas iawn... os fedra i daro fy llaw arno... gan R.H. Tawney mae o. Rhoswch chi – dyma fo. Dwi'n mynd i gynnwys hwn yn y Riport. Dyma sut bydd o'n gorffen – ydach chi'n gwrando? "To convert a class-ridden educational system, under-staffed, under housed and perpetually suffering from financial anaemia, into something more worthy of a self respecting democracy, looking at education, not primarily as an avenue of personal advancement but as the indispensable foundation of a juster society".'

Doedd o ddim yn digwydd yn aml, ond bob tro y clywai Mrs Silyn yn siarad yr iaith fain, roedd David Thomas yn synnu cystal Saesneg oedd ganddi; swniai fel person cwbl wahanol. Yna, byddai'n cofio mai yn Llundain y cafodd ei haddysg.

'Mae o'n ddyfyniad da, 'tydi? Ac yn crisialu'r cwbl.'

Pennod 15

Y Llyfrgell Genedlaethol, Llundain, 1901

Roedd fel mynd i deml: dyna sut y teimlai Silyn bob tro y câi fynediad i'r Ystafell Ddarllen. Roedd o'n lle y gallai ymlacio yn llwyr ynddo. Câi anghofio problemau'r eglwys a mânddadleuon blaenoriaid, ac ymroi yn gyfan gwbl i 'stydio. Ar ôl gosod ei archeb am y llyfrau, eisteddodd yn ei sedd, gan sylwi fod Dr Jacob Richter yno o'i flaen – gan eu bod yn rhannu desg roedd wedi dod i nabod y tramorwr pryd tywyll. Doedd o ddim yn rhugl ei Saesneg, ond roedd yn ddyn difyr ac yn Sosialydd i'r carn. Roedd rhyw dân ynddo, a sgwennai yn frysiog fel petai ei fywyd yn dibynnu arno. Ymhen dipyn, daeth un o swyddogion y llyfrgell â'i lyfrau i Silyn.

Am yr awr nesaf, ymgollodd yn y Chwedlau Arthuraidd, a dianc i fyd cwbl wahanol. Cadw'n brysur oedd yr unig beth y gallai ei wneud gan fod Mary yn gwrthod cysylltu ag o. Roedd fel petai wedi diflannu o'r bydysawd. Bu'r mater yn ei gadw ar ddi-hun yn y nos am dipyn, nes i Wil ddweud wrtho am adael i bethau fod am gyfnod. Fel 'Yr Enigma' y byddai'n cyfeirio at Mary. Doedd hi ddim am gysylltu am dipyn, felly parchu hynny oedd yr unig beth i'w wneud. Yn ôl Wil, fe ddeuai at ei choed. Ond roedd yr haul wedi mynd o fywyd Silyn. Trodd at ei lyfrau.

'You are far away today,' meddai Dr Richter. Gwenodd Silyn a cheisio canolbwyntio ar ei destun. Ond a bod yn deg, roedd Silyn wedi dal Jacob Richter ar fwy nag un achlysur yn edrych i nunlle a'i feddwl filltiroedd i ffwrdd. Dechreuodd Silyn ganolbwyntio ar y ddalen o'i flaen.

Roedd yn ôl ym myd dychymyg fel y byddai yn blentyn, yng nghanol marchogion y Ford Gron ac yn dilyn Arthur. Beth ydoedd am y chwedlau hyn a'i swynai gymaint, tybed? Y rhamant, mwy na thebyg – roedd cymaint o arwriaeth yn perthyn i'r cyfan. Pan oedd yn blentyn roedd wedi dychmygu ei hun yn un o farchogion Arthur, a bu arno awydd ers tro sgwennu cerdd faith yn seiliedig ar y chwedlau – a rŵan, dyma'i gyfle. Roedd rhestr testunau Eisteddfod Bangor newydd ei chyhoeddi, a thestun y Bryddest oedd 'Trystan ac Esyllt'. Roedd ei hen athro, Lewis Jones, wedi sgwennu ato i ddweud mai fo ddewisodd y testun a'i fod yn gobeithio y byddai ei ddisgybl yn rhoi cynnig arni. Ers hynny, troi o gwmpas y pwnc fu Silyn. Roedd testun a dyddiad pendant i anelu ato o gymorth mawr, ond amser oedd y peth roedd o ei angen fwyaf – amser a thawelwch. Roedd o wedi cael y syniad am y Marchog Clwyfedig, ac wedi cychwyn y bryddest efo'r ddelwedd honno:

Ar orsedd wen cadernid yr Eryri
Eistedda teyrn y gaeaf didosturi,
Ei anadl oer yn deifio bywyd anian...

Yn y bôn, disgrifiad o Frynllidiart ydoedd yng nghanol oerni'r gaeaf. Wrth adrodd y llinellau iddo'i hun am y canfed tro, sylweddolodd mai ei dad a ddeuai i'w gof. Roedd yn brigo i'r wyneb ym mhopeth a sgrifennai. Beth arall oedd 'y ddaear drodd yn fedd i'w phlant'? Ac onid meddwl am ei fam yr oedd pan sgwennodd, 'Ac ysbryd gweddw'r haf yn torri'i galon / Mewn galar dwys ar ôl ei holl anwylion'? Ai delweddau trist a ddeuai iddo bellach wrth feddwl am Frynllidiart? Pam na allai feddwl am ei nai bach newydd-anedig, Mathonwy? Roedd bywyd hwnnw i gyd o'i flaen. Tybed pryd y'i gwelai nesaf?

Ebychodd Dr Richter yn sydyn, a chododd Silyn ei ben. Ysgydwodd y dyn ei ben a dweud yn ei Saesneg chwithig, tawel, 'I do-not belie-ve it!'

Holodd Silyn beth oedd yn bod. Roedd wyneb y doctor wedi goleuo drwyddo ac edrychodd ar Silyn fel un mewn llesmair.

'Karl Marx has been reading this book!' meddai, yn llawn diléit.

Gwenodd Silyn. 'That's good,' atebodd.

'Are you busy with your King Arthur?'

'Still at it. Karl Marx has *not* been reading *this* book!' meddai, a gwenodd Dr Richter â'i lygaid yn dawnsio. Roedd Silyn wedi cael sawl sgwrs ag o, yn egluro am Gymru a chefndir ei ymchwil, ond ychydig iawn roedd o wedi'i ddysgu am y doctor. Doedd dim pall arno yn trafod syniadau a gwleidyddiaeth, ond wyddai Silyn ddim am ei amgylchiadau personol, heblaw bod ganddo wraig, a'i fod yn ŵr prysur iawn.

Dim ond dwy awr oedd ganddo cyn i'w sesiwn ddod i ben. Fe garai fynd i gyfarfod y Fabian Society y noson honno, ond roedd yn rhaid i'r Cyfarfod Swyddogion gael blaenoriaeth. Tybed fyddai modd iddo gael diwedd cyfarfod y Fabians? Sut y cafodd ei ddisgrifio gan Hudson? Fel 'rhyw dderyn diarth o Weinidog Methodist yng nghanol senedd gyfan o frain Ffabiaidd' – oedd yn ddigon gwir, debyg.

Ond roedd yn graddol ddod yn fwy o ddyn Llundain, ac yn llai o dderyn dieithr. Oni bai am yr helynt efo Mary, roedd wrth ei fodd efo bywyd yn y Brifddinas. Roedd yr eglwys yn Lewisham yn dod yn ei blaen yn reit dda. Cyn bo hir byddai'n dod i ben y gwaith efo'r MA, ac roedd eisoes wedi dechrau cael gwahoddiadau i ddarlithio ar ei bwnc. Byddai ganddo fwy o amser wedyn i fynd i glywed darlithoedd Sidney Webb yn y London School of Economics. Mynychai gyfarfodydd Cymru Fydd, âi i weld dramâu, roedd hyd yn oed wedi bod yn gweld Cymru yn chwarae pêl-droed. Na, roedd o'n benderfynol o beidio dilyn bywyd traddodiadol gweinidog Methodist. Gwrthodai wisgo coler gron oni bai am yr adegau pan fo rhaid. Roedd bywyd yn rhy fyr, ac ni fyddai yn Llundain am byth. Yr hyn oedd wedi plesio fwyaf oedd cael gwireddu peth ar ei freuddwyd i fod yn newyddiadurwr. Derbyniodd y *Daily News* ei gais i sgwennu adolygiadau o ddramâu i'r papur, ac roedd hyd yn oed wedi prynu *dress suit* ar gyfer y theatr. Beth yn y byd fyddai Wil yn ei ddweud petai'n ei weld?

Llwyddodd i ymgolli yn ei waith am dipyn, ac yna roedd yn

amser iddo ymadael. Roedd ganddo bregeth i'w sgwennu, ac roedd o ar lwgu. Aeth yn ôl i'w lety. Methodd atal ei hun rhag edrych yn syth ar y bwrdd wrth y drws, a theimlodd frath y gofid dyddiol. Un diwrnod arall yn mynd heibio, a dim llythyr gan Mary eto fyth.

Pennod 16

22 Ffordd y Coleg, Bangor, 1965

Edrychodd Mary ar y bocsys. Fyddai hi byth yn dod i ben. Hyd yma, roedd wedi bod yn mynd yn go drefnus drwyddynt, ond roedd wedi cael digon erbyn hyn. Fyddai hi byth yn cwblhau'r dasg. A beth bynnag, roedd wedi cael digon. Bywyd diflas iawn oedd bod yn hen weddw ar ei phen ei hun mewn tŷ mawr, yn mynd drwy ddeunydd ei gŵr oedd wedi marw ers dros ddeng mlynedd ar hugain. Roedd sylweddoli cymaint o amser oedd wedi mynd ers iddi afael yn llaw Silyn ac edrych i'w lygaid yn ddychryn iddi. Tri degawd... roedd wedi byw yn rhy hir. Ddaru hi erioed ddychmygu y byddai yn weddw cyhyd.

Ddaru hi ddim meddwl y byddai henaint mor affwysol o ddiflas chwaith... Nid yn aml y byddai gan Mary gymaint o bechod drosti ei hun, ond roedd ganddi heddiw. Doedd dim byd yn iawn. Gwyddai mai darllen y gerdd barodd hynny. Dyna'r effaith a gâi arni bob tro y darllenai hi.

> F'anwylyd, 'rwy'n dy weld yng nghysgod prudd
> Yr ywen leda'i brigau tros fy medd;
> A gwelaf bang dy alar ar dy rudd,
> A hiraeth calon drom yn llwydo'th wedd;
>
> A chlywaf ocheneidiau'th ofid trwch, –
> Y gofid frithodd fuchedd mwyth dy wallt;
> A gwyliaf di yn plygu uwch fy llwch
> I wlitho'r glaswellt gyda'th ddagrau hallt.
>
> Hiraethu 'rwyt am ran o'm gwely oer,
> Pan lithri ataf yn unigrwydd nos,
> Heb neb yn gweled ond y wyryf loer, –
> Y lloer a wyliai'n caru gynt, fy nhlos.

A minnau'th gariad, ysbryd rhydd wyf fi,
    Ac nid y bedd yw'm cartref, Olwen wâr;
Diflannai cur dy fron pe gwyddet ti
    Agosed atat ydyw'r neb a'th gâr.

Daeth y dagrau, fel bob tro. Pam roedd hi'n mynnu ei darllen? Am fod llais Silyn yn gryfach yn hon na'r un arall. Roedd o'n sibrwd hiraeth dyfnaf ei galon wrthi, yn mynegi ei unigrwydd, ac roedd ei phryder amdano'n gorlifo.

Roedd yn gas ganddi'r gerdd pan glywodd hi gyntaf, a rhoddodd ei dedfryd arni yn go blaen. Pam fyddai unrhyw un yn sgwennu y fath gerdd? Sut roedd o'n meddwl y byddai hi'n ymateb iddi? Dadl Silyn oedd nad oedd gan y gerdd unrhyw beth i'w wneud â hi. Ei sgwennu yn fuan wedi cyfnod y Bala wnaeth o. Roedd wedi sylwi ar wraig go ifanc yn cerdded tuag at fynwent Llanycil yn ddyddiol. Fo ddychmygodd mai mynd at fedd ei chariad yr oedd, a sgwennodd y gerdd o safbwynt y cariad. Dyna fu.

Ond ers iddi ei golli, tyfu yn ei harwyddocâd wnaeth y gerdd, ac argyhoeddwyd Mary fod Silyn wedi cael golwg ar y dyfodol pan fyddai angau wedi eu gwahanu. Os nad oedd a wnelo'r gerdd ddim byd â hi, pam dewis Olwen yn enw ar y ferch? Hi oedd pob Olwen arall... Roedd o'n llithro ati yn unigrwydd nos yn aml, ond ar ffurf ysbryd. Roedd o hyd yn oed wedi rhoi 'Cerdd yr Ysbryd' yn deitl arni. Teimlai mor ddiymgeledd.

Mwya sydyn, teimlodd dyndra yn ei mynwes. Go daria, roeddent yn digwydd yn amlach. Ni allai eu hanwybyddu bellach. Yn y diwedd, bu raid iddi gyfaddef wrth Rhiannon, a'r tro hwn doedd dim dadlau. Byddai'n rhaid chwilio am gartref henoed o ddifri, ac roedd Rhiannon yn gwneud ymholiadau. Dyna'r hunllef y bu'n ei ofni cyhyd...

Falle y dylai roi gorau i'r dasg am heddiw, yn lle mynnu dal ati. Ond dyna wnaeth hi yr wythnos dwytha, a doedd hi ddim yn teimlo'n dda yr wythnos cynt. A hyd nes y byddai yn troi ati, yn y stafell fyddai'r bocsys, a doedd hynny ddim yn iawn. Roedd un o blant ei ffrindiau wedi galw yr wythnos o'r blaen ac wedi gofyn beth oedd yr holl focsys.

'Bocsys Silyn – dwi'n mynd drwyddyn nhw, yn araf bach...'

'I be?'

'Cyn eu rhoi i archifdy.'

'Dyna holl bwynt archifdy,' atebodd y ferch. 'Mae 'na bobl yno sy'n cael eu talu i roi trefn ar hen bapurau.'

'Ond fyddan nhw ddim yn gwybod beth fyddan nhw, na fyddant? Dwi'n gwybod be ydi cyd-destun pob llythyr a cherdd, dwi'n nabod y lluniau: pwy sydd ynddynt, beth ydi'r achlysur... pob toriad papur newydd... Fasa gan ryw gyw archifydd ddim clem amdanynt – heb sôn bod yna lot o 'nialwch mae eisiau cael gwared ohono...'

'Felly chi sy'n eu harchifo, mewn gwirionedd... fasach chi'n lecio i mi eich helpu?'

Faint oedd oed yr hogan, oedd hi'n ugain?

'Bobl bach, na – mae'n iawn, diolch. Rhyw joban y mae'n rhaid i rywun ei gwneud ar ei ben ei hun ydyw... dim ond ei bod yn anodd dal ati, weithiau.'

Weithiau, câi Mary bleser o wneud y gwaith. Roedd o'n peri iddi deimlo'n agos at Silyn. Yn yr holl bapurau hyn doedd o ddim wedi marw, nid ysbryd mohono. Câi gerdded rhyw lwybr cefn i fyd lledrithiol lle roedd Silyn yn dal yn fyw, a phobl yn sgwennu ato ac yn trafod ei syniadau. Doedd y Silyn marw erioed wedi gwneud synnwyr iddi beth bynnag. Roedd yn well ganddi feddwl amdano wedi mynd ar daith hir – fel tase fo'n dal yn Rwsia, ac erioed wedi dal y llong yn ôl. Am faint o flynyddoedd y bu'n meddwl felly? Roedd y syniad bod gweddillion ei gorff mewn bedd yng Nglanadda yn hurt bost. Tan iddi ddarllen 'Cerdd yr Ysbryd' a deall bod y gerdd wedi dod yn wir.

Teimlodd y gwayw eto. Falle mai wedi bod yn ei chwman yn rhy hir oedd hi. Falle mai angen bwyd oedd hi.

Cododd Mary a mynd drwodd i'r gegin i baratoi tamaid.

Estynnodd y dorth, torri dwy dafell ohoni, ac estyn am ddarn o gaws. Wrth daenu menyn ar y bara, meddyliodd am Dafydd Thomas yn nhŷ ei ferch yn Burry Port. Roedd hi wedi dweud wrtho ei fod yn lwcus yn cael mynd yno dros fisoedd y gaeaf, ond ym Mangor roedd o eisiau bod. Roedd yn gas ganddo gael ei wahanu oddi wrth ei lyfrgell. Ond o leiaf câi arbed paratoi bwyd. 'Angel o'r nef' fyddai Dafydd Thomas yn galw'r ddynes ddôi heibio i wneud prydau iddo fo ym Mangor. Muriel Parry Dros Ffordd fyddai'n paratoi cinio dyddiol Mary. Fyddai dim galw am wasanaeth Muriel ar ôl iddi fynd i Gartref. Ar ôl sleisio'r caws a thorri'r frechdan aeth â hi, a phaned, at y bwrdd. Meddyliodd am ei phlant ei hun – y tri ohonynt yn byw yn Lloegr, ac wedi priodi Saeson. Beth oedd yn bod arnynt? Pam na allent fod wedi setlo yng Nghymru, a magu eu plant yn Gymraeg? Doedd o'n gwneud dim synnwyr fod pob un o'i hwyrion a'i hwyresau yn ddi-Gymraeg. Roedd perthnasau David Thomas yn Gymry, a'i fab, o leiaf, yn byw yn Sir Gaernarfon. Ond at ei ferch yn y de, yn Llanelli, yr âi dros y gaeaf.

Cyn bwyta, aeth i nôl y Radio Times iddi gael gweld pa raglenni y câi wrando arnynt y diwrnod canlynol, a safodd yn sydyn i edrych ar y delyn. Trodd y stôl fechan, a chyffwrdd y tannau. Ofer oedd ceisio canu'r delyn bellach – roedd ei bysedd yn llawn crudcymalau – ond roedd hi'n gysur weithiau i smalio. Tynnodd yn un tant a theimlo'r cryndod, a gwenu. Rhodd Silyn iddi oedd y delyn, wedi iddynt setlo yn Nhanygrisiau. Er ei bod yn gallu canu'r offeryn, ni fu Mary erioed yn berchen ar delyn. Dyma Silyn yn penderfynu prynu un iddi, a chafodd afael ar delyn Gwyneth Vaughan, o bawb. Cofiodd y wefr pan gyrhaeddodd y delyn ei chartref, a'r boddhad a gâi o'i chanu. Roedd o'n ateb rhyw awydd dwfn ynddi, a châi Silyn ddiléit o gyd-ganu. Alawon gwerin oedd hi'n eu canu amlaf, gan mai dyna oedd ei chariad cyntaf – hi a Silyn. Meddyliai am Glynn a Meilir yn mynd i gysgu yn sŵn eu canu. Chawson nhw ddim hanner digon o amser i ganu, mae'n wir. Roedd gormod o waith i'w wneud. Ond roedd dod at ei gilydd ar ôl noson brysur o waith yn ffordd hyfryd o ymlacio. Roedd Silyn wrth ei fodd yn canu.

Pwy oedd o... Lansbury? Nage... Keir Hardie. Mi ffolodd yn llwyr ar sain y delyn. A mynnodd ei bod yn canu 'Ar Hyd y Nos' – ei hoff alaw. Mi ddaru o gyd-ganu efo nhw hefyd, ac roedd o'n gwybod y geiriau Cymraeg. Gallai ddwyn ei wyneb i gof yn awr, yr hen ŵr gwallt gwyn, a'r farf drwchus a'r tei *scotch plaid*, a'i lygaid ynghau yn canu'n dawel. Ac wrth gyrraedd y diwedd, mi fyddai'n dyblu'r gân drosodd a throsodd. Yn y diwedd, daeth Glynn i lawr, wedi cael ei ddeffro gan y canu. Oni bai am hynny, falle y byddent wedi dal ati i ganu tan y bore.

Cododd a mynd yn ôl i'r gegin. Wrth edrych ar ei bwyd, dyfalodd pwy gâi'r delyn ar ei hôl. Doedd yr un o'i phlant hi wedi dangos iot o ddiddordeb. Ond dylai rhywun ofalu amdani. Tybed a fyddai Ffion, merch David Thomas, â diddordeb? Y tro nesaf y galwai heibio, byddai'n gofyn iddi. Meddyliodd am y delweddau trist o bobl Capel Celyn yn cael gwared ar eu dodrefn. Roedd wedi tosturio cymaint wrthynt, a bellach, dyma hi yn gwneud yr un fath. Roedd yn cael gwared o bethau o'i bywyd oedd wedi bod yno erioed.

Brathiad yn unig a gymerodd o'r frechdan. Doedd dim awydd bwyd arni. Gwyddai beth oedd yn bod: roedd o'n rhyw hen ofn oedd yn cnoi ei stumog. Y dyfalu pwy gâi ei phethau oedd wedi ei gychwyn. Y gwybod ym mêr ei hesgyrn mai i Gartref y byddai'n rhaid iddi fynd, doed a ddelo. Rhyw rag-baratoi ar gyfer y dydd hwnnw oedd yr holl waith clirio a rhoi trefn ar bapurau.

Wrth basio'r seidbord, trodd i edrych ar y goron. I ble câi hon fynd? Fydden nhw ddim yn gadael iddi fynd â hon i Gartref. Telyn a choron – byddai'r Cartref yn chwerthin ar ei phen. Onid yn y Nefoedd roedd hi angen pethau felly? Byseddodd y goron ac ail-fyw y dydd hwnnw ym Medi 1902, pan eisteddai Silyn a hithau yn y Pafiliwn yn gwrando ar feirniadaeth Elfed. Gwasgai Silyn ei llaw, gan mor nerfus ydoedd, ac yna clywodd y frawddeg, 'Mae'r tri ohonom wedi dod i gytundeb, ac mae Coron Eisteddfod Bangor 1902 yn mynd i Gwydion ab Dôn...'

Y peth nesaf a glywodd oedd bonllef o gymeradwyaeth o'i chwmpas, a hithau'n ymuno yn y dathlu. Seiniodd y cyrn, safodd Silyn ar ei draed, a chafodd ei hebrwng i'r llwyfan. Daliodd ei gwynt wrth iddo gerdded at y llwyfan a chael ei goroni. Ni wyddai beth âi drwy feddwl ei chariad wrth glywed rhan o'i gerdd yn cael ei hadrodd o'r llwyfan.

'...Ei thresi duon guddiai wyneb Trystan
Fel amdo'r oesol nos ar fynwes anian;
A'r marwol wlith ar bedair gwefus oer
Mor dlws â blodau'r bedd dan gusan bell y lloer.'

Roedd yn farddoniaeth newydd yn wir, ac nid oedd neb wedi clywed ei debyg. I feddwl mai honno oedd y flwyddyn pan enillodd Gwynn y gadair; roedd hi'n fuddugoliaeth ddwbl i'r beirdd ifanc.

O fewn tri mis i ennill y goron, roedd mam Silyn wedi marw. Dyna ffodus ei bod wedi cael byw i gael clywed am goron Trystan ac Esyllt. Ni fyddai byth yn anghofio'r llythyr a ysgrifennodd Silyn noson ei marwolaeth. Aeth i chwilota amdano. Fe'i canfu a'i ddarllen drachefn, er y gwyddai'r cynnwys ar ei chof.

Brynllidiart, Dec 15 1902. Nos Sul

Annwyl Mary,

Mae grym y storm yn y rhan hon o'r wlad heddiw, fel na feiddiwn fynd allan o'r tŷ i bostio llythyr. Nis gallaf ddweud mor werthfawr yn fy ngolwg oedd dy lythyrau y naill ddiwrnod ar ôl y llall trwy oriau meithion poenus diddiwedd cyn marw fy mam. Dwi llawer dedwyddach rŵan. Y mae hi yn llawer gwell ei lle, allan o'i phoen a'i loesion i gyd. 'Nis tery na haul y dydd, na'r lleuad y nos.' Edrycha ei hwyneb teneu cul gwyn yn dawel dangnefeddus yn ei harch heddiw. Rhua'r ystorm oddi allan; chwibana'r corwynt; cura'r glaw ar y gors a bryn a rhutra duw'r dymestl tros y wlad a'i grochlef yn llenwi'r awyr. Byrlyma'r rhaeadraeon chwyddedig i lawr ochrau creigiog danneddog y mynyddoedd a theyrnasa aruthredd arddunol y gaeaf sy'n y tir. Ond nis deffry holl gythrwfl Natur mo'i chwsg hi. Rhyw ernes o'r distawrwydd mawr sy'n ein haros oll.

Dywed Henley,

> 'The ways of death are silent serene
> And all the words of death are deep and clear.'

Nid ydynt yn darlunio ffyrdd brenin y dychryniadau o gwbl. Daw er hynny y teimlad a gynhwysant i galon dyn wrth edrych ar wedd y marw.

Heno, y mae fy chwaer a'i gŵr a Mathonwy wedi mynd i gysgu ac yr wyf finnau fy hunan i lawr wrth y tân. Yn yr ystafell nesaf, lle y gorweddai yn yr haf, gorwedda llwch fy mam yn ei harch, a'r awr yw 12.30. Aeth yr ystorm heibio i raddau yn awr, ac nid oes ond distawrwydd tros y wlad a chri ambell i chwa grwydrol yn ei dorri ar brydiau. Rhyw ernes o'r distawrwydd mawr sy'n ein haros oll.

Bob tro y byddai'n darllen y llythyr, rhyfeddai at ei gynnwys, a'r modd y deuai â'r noson ddychrynllyd honno a'r atgof yn ôl. Honno oedd y brofedigaeth olaf ym Mrynllidiart. Mudo wnaeth Mathonwy a Nel oddi yno, nid marw. Meddyliodd am yr hers yn dod i fyny'r mynydd i gyrchu'r corff, a'r angladd ym mynwent Macpelah, Penygroes. Erbyn hyn, roedd Nel hithau wedi ei chladdu yn yr un bedd â'i rhieni, a geiriau Mathonwy ar y garreg.

Pennod 17

Y Betws, 2 Prince's Road, Bangor, 1954

Dda nad oedd o'n rhannu'r tŷ efo neb arall, meddyliodd David Thomas. Roedd o'n ddyn oedd yn caru trefn, ond roedd ei stafell ffrynt y diwrnod hwnnw yn edrych fel petai'r Blitz wedi bod. Lle bynnag yr edrychai, ar y bwrdd, ar y llawr, ar y gadair esmwyth, ar y silffoedd, roedd gorchudd o bapurau. A Mrs Silyn oedd ar fai. Roedd Arial ac Eryl wedi cynnig ail-wneud y tŷ i gyd, peintio a chlirio a dod â'i stydi i'r llawr gwaelod i wneud pethau'n haws. Ond nes iddo orffen y cofiant, doedd o ddim am i neb darfu ar Y Betws.

Wrth gytuno i ymgymryd â hanes bywyd Silyn, ddaru o ddim dychmygu y byddai cymaint o ddeunydd i fynd drwyddo. Wedi'r cyfan, dim ond naw mlynedd yn hŷn nag o oedd Silyn, felly roedd y cefndir ar flaenau ei fysedd. Roedd yn gyfarwydd â'i farddoniaeth a'i wleidyddiaeth, roedd o wedi cyd-gerdded yr un llwybr ag o sawl gwaith. Mater o roi'r cyfnodau yn eu trefn ydoedd i raddau helaeth, neu dyna a feddyliodd tan i Mrs Silyn ddechrau cyrraedd efo'r bocsys. Fe'u derbyniodd yn ddigon llawen ar y cychwyn, gorau po fwyaf o ddeunydd a gâi ymchwiliwr. Ond wedi i stafell Arial gael ei llenwi, roedd y mater yn dechrau troi yn broblem. Faint o focsys allai gwraig oedd bron yn bedwar ugain eu cario? A fesul dipyn roedden nhw'n dod.

'Dafydd Thomas, hwn ydi bocs yr erthyglau – dwi wedi eu dyddio i gyd.'

'Diolch yn fawr, Mrs Silyn.'

'Dafydd Thomas, dwi wedi dod ar draws y rhain. Meddwl y bydden nhw o help efo'r Llyfr...'

'Beth ydyn nhw?'

'Maen nhw'n mynd yn ôl i ddechrau'r ganrif – hanes ei

gyfnod yn eglwys Lewisham, cyn inni briodi... fydde fo o help i chi gael golwg arnynt?'

'Diolch yn fawr, Mrs Silyn.'

A dyna fyddai'r patrwm, yn wythnosol. Roedd fel cath yn dychwelyd at ddrws y tŷ efo gwahanol drysor, ac eisiau ei rannu. Ond bellach, roedd y sefyllfa'n wirion. Petai'n sgwennu cofiant fel un Lloyd George, ddeuai o ddim i ben yn mynd drwy'r holl ddeunydd. Dim mwy, byddai'n deud wrthi yn blaen.

'Dafydd Thomas, mae hwn yn focs digon difyr,' meddai, ar ôl curo ar y drws un pnawn. 'Mi wyddwn ei fod o'n rhywle gen i. Faswn i byth yn eu taflu.'

'Wyddoch chi beth, dwi'n meddwl bod gen i fwy na digon bellach i droi ati i sgwennu. Fydd raid i mi stopio darllen rywbryd, a chychwyn ar y bennod gyntaf.'

Edrychodd i fyny'n syn arno, 'Ond bydd rhaid i chi gael y rhain...'

'Beth ydyn nhw, Mrs Silyn?'

'Llythyrau Silyn pan aeth i Merica ym 1903...'

Ni wyddai David Thomas beth i'w ddweud.

'Aeth o i ffwrdd am dri mis: taith bregethu i Utica, credwch neu beidio.'

Amneidiodd David Thomas ei ddealltwriaeth. 'Doedden ni ddim wedi cwrdd ym 1903...' eglurodd.

'Fyddech chi ddim yn gwybod felly,' meddai Mary. 'Wel, deufis oedd y daith i fod, ond fanteisiodd o ar y cyfle a mynd reit i ben draw Merica. Mae hi'n daith anhygoel. Mi sgwennodd ata i ddwywaith yr wythnos.'

Roedd hi'n dal i afael yn y bocs.

'Leciwn i ddim eu darllen nhw os ydyn nhw'n llythyrau *personol*...'

Lledodd gwên ar draws ei hwyneb pryderus. ''Randros, raid i chi ddim poeni am betha felly. Be oedd o'n ei wneud oedd sgwennu'r hanes fel 'tae o'n ddyddiadur, felly mae o'n gofnod reit fanwl. Dwi'n meddwl iddo fwynhau eu sgwennu. Bu ond y dim iddo dderbyn galwad yno, wyddoch chi.'

'Lwc iddo beidio.'

'Ia, debyg,' meddai, gan edrych i'r pellter. 'Mi fyddai bywyd wedi bod yn dra gwahanol...'

Syllodd ar y bocs, ac wedi munud o ddistawrwydd, ildiodd David Thomas.

'Diolch yn fawr i chi, mi gymeraf ofal mawr ohonynt.' Cymerodd y bocs o'i dwylo.

'Dwi wedi eu darllen filgwaith, gallwch fentro, bron nad ydw i'n gallu eu hadrodd ar fy nghof. Mae fel rhyw *adventure novel*, wyddoch chi. Mae'n bywiogi ambell ddiwrnod pan fo'r ysbryd yn isel. Da bo chi rŵan.' Ac ymaith â hi.

Dim ond rhyw awgrym cynnil felly fyddai hi'n ei roi i gydnabod ei bod hithau hefyd yn gwybod beth oedd unigrwydd a bod hiraeth yn brathu.

Rhyw hanner cant o eitemau oedd yn y bocs, yn gymysgedd o lythyrau'r ddau. Roedd y stampiau wedi eu torri oddi ar yr amlenni, yn rhodd i ryw gasglwr brwd. Ac fel y nododd Mary Silyn, yr oedd hi'n daith a hanner. Gosododd David Thomas y llythyrau ar y bwrdd yn nhrefn amser. Oherwydd ei ddawn sgrifennu, hawdd oedd ymgolli yn llythyrau Silyn. Teimlech fel eich bod ar y dec gydag o.

Nid oes neb ar y llong yn gwybod pwy ydwyf, ond casglant oddi wrth rywbeth a ddywedais mai journalist wyf, ac wrth gwrs, ni waeth gennyf iddynt feddwl ...

Rêl Silyn, eisiau dod i nabod pobl eraill dragwyddol. Ddim eisiau 'chwarae'r gweinidog' o gwbl, ond am droi ymysg pobl a chael ei drin yn gyfartal ganddynt heb ddim o'r parchusrwydd. Dyna pam na fyddai byth yn gwisgo'i goler gron, debyg.

Yn y flwyddyn honno – 1903 – y caniatawyd i longau taith ddod am y tro cyntaf i fyny afon St Lawrence i gyrraedd Canada. Dechreuodd David Thomas deipio'r cynnwys.

Buom yn rhedeg heddiw ar hyd glannau'r St Lawrence, ac y mae'n brydferth ofnadwy. Bythynnod gwynion y pysgotwr, a'r 'hunters', yn britho'r lan, a choedwigoedd mawrion y tu ôl iddynt. Hefyd gwelais ddau forfil yn ymyl ochr y llong heddiw, ac yr oedd un yn greadur mawr ofnadwy...

Dyna oedd arddull ei lythyrau drwyddynt. Diléit bachgennaidd mewn gweld golygfeydd newydd, cyfarfod pobl o bob cefndir, a hwythau yn eu tro yn troi yn gyfeillion. Y rhyfeddod oedd ei fod wedi cyfarfod cynifer o Gymry. Lle bynnag yr âi byddai'n dod ar draws Cymry: pregethwr o Bwllheli un tro, dro arall blaenor o Gerrigydrudion. Ac roedden nhw i gyd yn cymryd at Silyn.

Roedd cael y stori o ochr Mary Silyn yn ddifyr hefyd – faint fyddai ei hoed hi ar y pryd? Fawr mwy na phump ar hugain oed, yn cael ei gadael ar ei phen ei hun ar y cei yn Lerpwl. A gwir ddywedodd Mrs Silyn y gallasai eu bywydau fod yn dra gwahanol. Yn fuan iawn, mae'r praidd yn Utica yn crefu ar Silyn i ddod yn weinidog arnynt. Dyna yw swm a sylwedd llawer o'r llythyrau, Silyn yn ymserchu mwy a mwy yn America, ac yn amlwg yn cael ei ddenu i'r fan... beth oedd barn Mary ar y mater?

Yn athrawes ar ei blwyddyn brawf yn rhai o ysgolion Llundain, mae Mary yn sgwennu o'i lojings digysur yn Compton Road yn pendroni ar yr un cwestiwn. Mae hi am i Silyn fod yn hapus yn Utica, er cymaint yw hiraeth y naill am y llall. Ond derbyn galwad? Mae hynny yn un cam ymhellach. Tydi hi ddim eisiau ei rwystro mewn unrhyw fodd, ond... ond... Fase'n well peidio ymrwymo am y tro? Fyddai hi ddim yn well dod adref gyntaf cyn gwneud penderfyniad? Cynyddu mae'r pwysau ar Silyn, ac mae cymaint o ffactorau o blaid ymfudo yno... mae'r tâl yn well, mae caredigrwydd y bobl yn 'rough and ready' ac mae'n gymdeithas fwy democrataidd. Mae'n wlad hardd, a byddai ei statws yn uwch wrth fod yn weinidog yn Utica. Byddai yn gwbl ddedwydd petai Mary yno efo fo, a'i mam, a Wil Roberts, W. J. Gruffydd a T. Gwynn Jones. Efo cwmni y rhain, ni fyddai'n hiraethu am Gymru o gwbl. Nid hiraeth am Gymru sydd ganddo, ond hiraeth am ei phobl. Mae David Thomas yn stopio teipio, ac yn cael ei ddal yn llif y stori.

Mae Mary a Silyn yn trafod y llyfrau y maent yn eu darllen ac yn trafod cerddi, yn enwedig y rhai mae Silyn wedi eu cyfansoddi. Hoffa David Thomas dôn y llythyrau, mae'r ddau mor gyfforddus yng nghwmni'i gilydd, ac ar yr un donfedd. Maent wedi nabod y naill a'r llall ers tua wyth mlynedd bellach. Mae Mary yn famol a wastad yn dweud wrtho am ofalu am ei iechyd, a pheidio dal annwyd neu or-wneud pethau. Hi ydi'r un ymarferol, a fo ydi'r un emosiynol. Weithiau, doent ar draws y naill a'r llall mewn breuddwydion. Maent mor agored efo'i gilydd.

Ar ôl ymestyn ei daith er mwyn cael mis arall o deithio, mae Silyn yn ceryddu ei hun am beri i'r gwahanu fod yn hwy. Mae hithau'n amlwg eisiau iddo ddychwelyd, ond am iddo fanteisio ar y cyfle. Mae hi fel petai wedi dod i arfer efo'i chariad absennol. Os caiff gyfle i fynd adre drwy China, dylai wneud hynny. Yn ôl Mary syniad gwych i arbed Silyn rhag cael annwyd: pam na wnaiff o saethu arth neu flaidd a gwneud y croen yn leinin i'w gôt i'w gadw'n gynnes? Fel saethwr o fri, un o'r pethau roedd Silyn yn eu hoffi yn America oedd y rhyddid (a'r amser) i hela. Un diwrnod, mae ef a chyfaill yn mynd i weld llyn, ac maent yn cynnau tân ac yn eistedd o'i flaen 'fel mae'r Red Indians yn ei wneud'.

Mae Mary yn siarsio'i chariad i beidio â gadael i arian na thlysni gwlad ddylanwadu arno wrth iddo ddewis lle i weithio ynddo. Yn ei dro, mae Silyn yn dotio i'r entrychion at fynyddoedd y Rockies neu anialwch Dinas y Llyn Halen. Yn sydyn, mae gan David Thomas bechod dros y ddau. Dau gariad ifanc sydd yma, eisiau bod efo'i gilydd, ond ar wahân. Eisiau antur fawr, ond eisiau profi hynny fel cwpwl. Gwyddant mai setlo i lawr a bwrw gwreiddiau ydi'r ateb call, ond ydi hi'n rhy gynnar i wneud hynny, a fedran nhw gytuno ar le?

Yna, trawodd llygaid David Thomas ar baragraff yn trafod mosgitos. O ystyried yr hyn ddigwyddodd i Silyn yn ddiweddarach, roedd ystyr llawer dyfnach i sylwadau smala ei gyfaill.

> Un peth sydd yn rhwystro i ddyn fod yn hollol ddedwydd – hynny ydyw mosquitos.
> Melltith fflamllyd a'u goddiweddodd, bob coblyn ohonynt.
> Medd y diafliaid bach ryw satanic humour – y mae fy llaw chwith a'm troed dde i wedi clwyfo yn arw nes bod yn annaturiol y golwg arnynt...

Pam gwnaeth Silyn y daith, dyfalodd David Thomas, oni bai fod y rhamantydd ynddo yn mynnu ei fod yn manteisio ar bob cyfle i weld rhyfeddodau a chael anturiaethau ar blât? Yn wir, mae'n cydnabod hynny mewn un llythyr...

> Mae'r hen ysbryd aflonydd a chrwydrol wedi dod 'with a vengenance' yn awr ond fe'i lladdaf am byth y tro hwn – trwy ei ddreifio i farwolaeth.

... ond ni ddigwyddodd hynny, wrth gwrs. Tra oedd yn y Weinidogaeth yn Llundain, croesodd ddwywaith i'r Cyfandir, a llai na chwe mis wedi dod adref o America, roedd wedi dianc i Iwerddon efo Wil...

Pan ddaeth ei gyfnod pregethu i ben, i ffwrdd ag o i'r gorllewin fel cowboi, i Chicago a Denver, Salt Lake City, San Francisco a Los Angeles, cyn dod adre drwy Washington lle cafodd chwarter awr efo neb llai na Roosevelt. Pwy arall? Ysgydwodd David Thomas ei ben a gwenu. Doedd neb tebyg i Silyn am ganfod ffordd i ysgwyd llaw neu ymgomio efo pwysigion. Cafodd dwymyn yn Ninas y Llyn Halen – ffliw, neu deiffoid – a diau bod hynny wedi dweud ar ei iechyd.

Ochr yn ochr â hyn, mae straeon mwy cartrefol Mary tra

oedd yn gwneud ymarfer dysgu – y straen ar ei mam yn cadw gwesty, hanes ambell noson yn y capel neu ddigwyddiadau'r gymuned Gymraeg yn Llundain. Caiff hanes o Ddyffryn Nantlle hefyd: mae ei hen athro yn y chwarel, Robert Williams, Caer Engan, yn clafychu, a dydi ei fab, Robert Einion druan, ddim wedi pasio'n dda yn arholiadau'r ysgol. Weithiau mae hi'n ddrwg ei hwyl, fel yr adeg y cychwynnodd allan un noson i weld Almaenes, y rhwystredigaeth o golli trên, o aros am fws o flaen tafarn, y glaw yn dod i lawr, a'r bws yn ei phasio, a'r stryd yn rhy wlyb iddi redeg ar ei ôl; y siom o fethu gweld ei chyfeilles, a'r modd y mae'n dychwelyd i'w stafell wag, oer, ac yn teimlo biti drosti ei hun. Mae darllen llythyrau Silyn yn rhoi awydd ynddi hi i deithio'r byd, ac mae Silyn yn edrych ymlaen at y dydd lle cânt groesi'r Iwerydd efo'i gilydd. Mewn un llythyr, mae'n agor ei galon iddi:

Bydd gorffwys yn dy freichiau yn nefoedd ar y ddaear. Wn i ddim beth wnaf o hapusrwydd pan wêl Rhagluniaeth yn dda i agor y ffordd i ni gael priodi a byw efo'n gilydd bob dydd o'n hoes. O Mary bach, fe fyddaf yn teimlo weithiau fod y fath beth yn ormod o ddaioni i'w ddisgwyl, bydd rhyw ias o fraw yn dod wrth feddwl y gallai beidio. Ond mae'r Duw mawr yn dda, ac O, na chawn i beth bynnag fwy lawer o allu i fod yn amyneddgar. Ond wir, yr wyf wedi aros tipyn am amgylchiadau priodol yn barod...

Cododd David Thomas ei ben a sylweddoli lle roedd o. Sylwodd ar ei ddwylo hen yn dal y ddalen. Ni fu raid iddo ef ei hun aros fawr cyn priodi. Blwyddyn wedi cwrdd â Bet am y tro cyntaf, roeddent yn sefyll o flaen yr allor, ac yntau yn tynnu at ei ddeugain. Bechod na fyddai wedi cyfarfod Bet pan oedd yn ddeunaw. Ond fyddai o byth wedi dod ar ei thraws a hithau yng nghyffiniau Wrecsam. Onid oedd rhyw eironi rhyfedd yn y ffaith mai tra oedd yn wrthwynebydd cydwybodol y daeth i gysylltiad â hi? Oni bai am y Rhyfel

Mawr, fyddai o byth wedi cyfarfod Bet... Darllenodd frawddeg ola'r llythyr yn ei law.

Goodbye Mary bach a chusanau serch fy nghalon ar dy wefusau annwyl,

Byth dy gariad, Silyn

Doedd ryfedd fod Mary wedi darllen ac ailddarllen y llythyrau hyn droeon. Onid oedd yn dod â holl serch ei dyweddi yn ôl iddi?

Pennod 18

22, Ffordd y Coleg, 1960

Tybiodd Mary ei bod wedi gorffen un bocs, ac roedd ar fin cael hoe pan sylwodd ar lyfr bach petryal reit ar ei waelod. Estynnodd ato a chanfod clawr caled a llawysgrifen ar y papur melyn, 'Denmarc 1904'. O'r diwedd, roedd hi wedi ei ganfod! Lledodd gwên lydan dros ei hwyneb. Nid oedd wedi dod ar draws hwn ers blynyddoedd, ac roedd ei ganfod megis dod ar draws hen ffrind.

Roedd hwn yn golygu cymaint iddi. Aeth ag o at y ffenestr i gael gwell golau, ac eisteddodd i lawr i fwynhau gwledd. Dim ond bodio drwy'i ddalennau oedd eisiau, a deuai arogl a blas a holl hwyl yr ysgolion haf yn ôl iddi. Toedd eu gwisgoedd yn edrych mor hen ffasiwn yn awr? Y gwisgoedd Edwardaidd gwyn, llaes, a'r hetiau sydd mor ddieithr bellach. Roedd gwisgoedd gwragedd Denmarc hyd yn oed yn fwy hynafol. Mae'r wên ar wynebau annwyl hen gyfeillion wedi eu cadw am byth. Mor hardd oedd yr adeiladau, mor foethus oedd y cyfan! Gwirionodd yn llwyr, a bu i Ddenmarc hawlio lle pwysig iawn yn ei bywyd wedi'r ymweliad cyntaf hwnnw yn gynnar ar droad y ganrif.

David Thomas oedd wedi procio'r hen atgofion. Roedd Mary wedi rhoi cymaint o ddeunydd iddo – y cyfan oedd ganddi – ond roedd o'n dal i ddod draw yn gyson i holi am y manylion lleiaf. Y bore hwnnw, holi lle buont ar eu mis mêl wnaeth o, a chododd ei aeliau pan atebodd Mary 'Denmarc'.

'Dyna sut y daeth Silyn i gysylltiad â Dr Rönning, y prifathro, gyntaf?'

'Bobl bach, naci – fy ffrind i oedd Dr Rönning.'

Edrychodd David Thomas yn syn. Toedd y dyn yn araf yn deall weithiau, ystyriodd Mary.

'Y chi? Sut felly?'

'Ro'n i wedi ei gyfarfod y flwyddyn cynt, yn Tarm.'

Byseddodd David Thomas drwy ei nodiadau, a golwg ddryslyd arno.

'1905 ydi'r flwyddyn sydd gen i yn fy nodiadau fel dyddiad yr ymweliad cyntaf.'

'Wel, mae'ch nodiadau chi'n anghywir, Dafydd Thomas,' meddai Mary'n bendant.

'Sut ddaru chi ddod i gysylltiad efo criw Denmarc?'

'Cael fy newis wnes i gan yr LSB, y London School Board, i fynd i Ysgol Haf yn Jutland. Ro'n i wedi gorffen fy ymarfer dysgu.'

Roedd David Thomas yn sgwennu nodiadau'n brysur. Roedd o wedi hen feistroli egwyddorion llaw fer.

'Ac efo pwy aethoch chi?'

'Ar fy mhen fy hun ro'n i.'

Cododd David ei ben, 'Fel merch, ym 1904?'

Weithiau, gallai David Thomas fod yn hynod hen ffasiwn.

'Ia, ac mi ffeindiais fy ffordd i Esbjerg, credwch neu beidio.'

'Ond doeddech chi ddim yn briod...'

'Dim ond teithio ar drên i Ddenmarc ro'n i. Doeddwn i ddim yn gwneud peth ofnadwy o fentrus...'

'Roeddech chi'n gwneud peth digon anghyffredin yn y cyfnod hwnnw, rhaid i chi gyfaddef.'

Roedd o'n brofiad cynhyrfus, ni allai Mary wadu hynny. Cofiai fel petai'n ddoe y cynnwrf oedd ynddi wrth fynd ar y trên, a Silyn yn sefyll ar y platfform yn ffarwelio â hi.

'Cusan?' mentrodd.

'Silyn – rydan ni yng ngŵydd pawb!'

'Pwy ti'n ei nabod yn Harwich felly?' holodd, a diredi yn ei lygaid.

'Wyt ti'n cofio blwyddyn yn ôl, Silyn? Fi yn ffarwelio â ti yn Lerpwl cyn i ti 'ngadael i am dri mis? 'Mond am wythnos dwi'n mynd...'

'Parting is such sweet sorrow...'

'That I shall say good night till it be morrow,' gorffennodd

Mary'r cwpled, 'blaw 'mond am noson roedd Romeo a Juliet yn gwahanu.'

'Mi fydda i mor unig.'

'Paid â rwdlan, Silyn, rydan ni wedi bod fisoedd heb weld ein gilydd...'

'Mae'n mynd yn anos gwahanu bob tro.'

Canodd chwiban y swyddog, a chychwynnodd y trên. Rhoddodd Silyn ei fraich dros ei lygaid yn ddramatig, gan gymryd arno ei fod yn beichio crio. Gwenodd Mary.

'Sweet sorrow'... hawdd ydi ffarwelio os ydach chi'n sicr o weld eich gilydd eto.

Yn Esbjerg, daeth Alma i'w chyfarfod oddi ar y trên a theithio efo hi yr holl ffordd i Tarm. Dyna'r tro cyntaf iddi ei chyfarfod, a daethant yn gyfeillion mynwesol. Y munud y cyrhaeddodd Tarm, roedd yn hoffi'r lle – y tai amryliw, a'r tir gwastad oedd mor wahanol i Gymru. Ond roedd popeth arall mor debyg: y boblogaeth, hanes y wlad a sut y bu dan orthrwm, balchder cenedlaethol, croeso brwd a brawdoliaeth agos. Y diwrnod canlynol y bu ei chyfarfyddiad cyntaf efo Dr Rönning, cyfeillgarwch a barodd am oes. Eisteddodd y ddau yn ei barlwr cyfforddus, ac adroddodd hanes rhyfeddol y mudiad cydweithredol yn Nenmarc. Ganddo fo y clywodd am weledigaeth anhygoel yr Esgob Grundtvig, a'r modd yr ysbrydolodd yr Ysgolion Gwerin.

Pan ddaeth adref i Gymru, ni chlywodd Silyn am ddim arall bob tro y byddent yn cwrdd. Roedd yn *rhaid* iddo ddod i Ddenmarc.

'Felly'n union ro'n i'n teimlo yn Utica,' meddai Silyn. 'Doedd y profiad ddim yn gyflawn heb gael ei rannu efo ti...'

Edrychodd Mary arno'n ddifrifol. 'Mae byd o wahaniaeth rhwng dal llong i Merica a chroesi'r dŵr i Ddenmarc...'

Mewn caffi yn Llundain oedden nhw – Arnolds, fe'i cofiai yn iawn – pan estynnodd ei law ar draws y bwrdd a gafael yn ei llaw hi.

'Mary – pryd ddeudaist ti dy fod wedi cael gwadd yno y flwyddyn nesa?'

'I'r Ysgol Haf – yr union 'run adeg ag eleni... ddechrau Gorffennaf.'

'Beth tasen ni...' meddai Silyn, gan roi winc, 'yn mynd yno ar ein mis mêl?'

'Ond...'

Nid yn aml yr oedd Mary'n gegrwth. Roedd o wedi ei dal yn ei rwyd – wedi'r holl flynyddoedd! Wrth gwrs y byddent yn ŵr a gwraig ryw ddydd, roedd yn rhaid i'r diwrnod hwnnw ddod, ond... roedd cymaint i'w wneud tra oedd hi'n rhydd.

'Rwyt ti'n chwech ar hugain, dwi'n hen ŵr yn tynnu at fy nghant, mi gaf alwad yn fuan ac mi fydd 'na dŷ yn mynd efo'r job. Plis...' Gwnaeth lygaid llo arni.

Cofiai Mary edrych ar y lliain bwrdd, y ddau blât arno, y ddwy gwpan a'r tebot. Pethau bydol fyddai'n dod yn symbolau o fywyd domestig, y llwybr roedd hi'n ei waredu.

''Dw inna ddim eisiau priodi, Mary,' mynnodd, a bu raid iddo wenu gan ei fod yn gelwydd mor amlwg. 'Jest meddwl y byddai'n gyfle o'n i. Ti'n sôn am Ddenmarc, finna eisiau gweld y lle... mi fyddai'n braf cael mis yno, a chrwydro fel roedden ni eisiau.'

'Mis?' Gloywodd llygaid Mary.

'Wel, mae'r Ysgol Haf yn para pythefnos, tydi? A chymaint dwi'n dy lecio, dwi'm eisiau treulio fy mis mêl yn gwrando arnat ti'n darlithio! Meddwl y basen ni'n cael teithio 'mlaen oeddwn i..'

'I le?'

'Wn i ddim... Sweden?'

'Ac mi fyddet yn cymryd mis llawn o'r gwaith?'

'Baswn. Cha' i ddim esgus gwell, na chaf? Ac unwaith mewn oes mae rhywun yn priodi! Wel, unwaith dwi'n bwriadu gwneud!'

A dyna sut ddaru nhw ddyweddïo a mynd i Ddenmarc ar ôl y briodas. Roedd o'n fis mêl cofiadwy, a dotiodd Silyn at y wlad a daeth yntau'n ffrind i Dr Rönning. Roedden nhw'n ysbrydoli ei gilydd – Rönning yn ysgrifennu'n rheolaidd ati, i'w symbylu ymlaen, hithau'n cael ei hysbrydoli ac yn sgwennu'n ôl ato efo'i syniadau hithau ac yn sôn am Gymru. O hynny ymlaen, câi ei gwahodd bob dwy flynedd i Ddenmarc, ac edrychai ymlaen at fynd. Roedd gwneud y fordaith gyfarwydd honno i Esbjerg fel croesi'r môr i Ynys Afallon. Ddyle hi ddim delfrydu, ond roedd y Daniaid wedi ei deall hi. Roedden nhw'n rheoli eu hunain ac roedd cymaint o fudd i'w gael o hynny. Roedd cyfoeth y wlad yn cael ei greu ar gyfer ei thrigolion, ac roeddent yn llawer hapusach o ganlyniad. Roedden nhw'n barod i drio syniadau newydd – mentro – ac roedd cefn gwlad yr un mor bwysig â'r trefi. Doedd ansawdd eu tir ddim cystal â Chymru, eto roeddent yn cynnal eu hunain. Yn y llaethdai cydweithredol roeddent yn creu menyn a chaws i ateb anghenion y wlad, ac roedd pawb yn gweld bod pwrpas i hynny – roeddent yn gweithio gyda'i gilydd tuag at yr un nod.

Ond yr hyn roedd hi fwyaf cenfigennus ohono oedd eu cyfundrefn addysg. Sail y colegau gwerin oedd chwedlau a hanesion Denmarc, ac roedd hyn yn magu balchder cenedlaethol ynddynt, 'ysgol am oes' ydoedd. Holl ddiben yr addysg oedd deffro ymwybyddiaeth genedlaethol. Roedd gwaith corfforol ac addysgol yn mynd law yn llaw, ac roedd sail ysbrydol ddofn i'r cyfan. Breuddwyd Mary oedd cael rhyw rwydwaith cyffelyb yng Nghymru. Oedolion fyddai'n mynychu'r ysgolion gwerin. Lluchiwyd y syniad o addysg er mwyn gyrfa drwy'r ffenest, doedd dim arholiadau a phrofion na gwthio ystadegau i bennau pobl. 'Bywyd' oedd yr unig bwnc ar y cwricwlwm. Deuent ynghyd i ysgolion haf, i 'ysgolion wyth niwrnod'; deuent i ganu, trafod, dawnsio, gweithio, a mynd oddi yno yn amgenach dinasyddion.

Trwy ei hoes, bu Mary'n gweithio dros y weledigaeth hon. Yn ei dro, daeth Dr Rönning i Gymru, daeth i aros dros Steddfod y Barri, roedd o gystal â thaid i Rhiannon. Y tro nesaf y galwodd David Thomas, roedd Y Llyfr yn ei aros.

'Roedd gennych rywbeth i'w ddangos i mi, Mrs Silyn,' meddai un prynhawn.

'Hwn,' meddai, '*Byd y Blodau* – ydach chi'n ei gofio?'

Cymerodd David Thomas y gyfrol yn ei ddwylo a bodio drwyddi gan edmygu'r lluniau hynod gain o'r blodau, a'r rheiny mewn lliw.

'Roedd hwn yn arloesol yn ei ddydd,' meddai. Cofiai Bet yn dotio at y gyfrol ac yn dweud ei bod yr union beth y byddai hi wedi ei werthfawrogi pan oedd hi'n brifathrawes.

'O'r holl bethau dwi wedi eu gwneud, bron na ddywedwn i 'mod i'n falchach o'r gyfrol yma na'r un,' meddai Mary.

'Roedd hi'n dipyn o dasg. Yn Nenmarc y gwelsoch chi'r llyfr, ia?'

'Mewn ysgol yn Odense. A dwi'n cofio dotio ato, a meddwl, onid peth gwych fyddai cael y gyfrol hon i blant Cymru?'

'Ac aethoch ati wedyn i droi hynny yn ffaith...'

'Heb wybod faint o strach fyddai hynny! Mi ges i'r Athro Lloyd Williams i sgwennu'r testun Cymraeg, a chael yr hawlfraint gan y Daniaid i ddefnyddio'r lluniau, ac mi fu Tom Jones yn help garw...'

'A T. Gwynn Jones os cofiaf.'

'Do. Ond yr helynt mwyaf oedd dosbarthu'r llyfr! Ro'n i am iddo gyrraedd pob ysgol yng Nghymru. Taswn i wcdi cymryd ceffyl a chert a gwneud y gwaith fy hun, byddai wedi bod yn haws.' Gwenodd.

'Mi fyddech wedi gwneud hynny hefyd, yn hytrach na rhoi'r ffidil yn y to. Welais i rioed neb sy'n meddu'r fath ddycnwch.'

Ar ôl i David Thomas fynd, edrychodd Mary ar y lluniau gydag edmygedd. Daeth â'r stafell honno yn Odense yn ôl iddi, a'r cynnwrf o allu trosi cyfrol o'r fath i blant Cymru.

Bu'r cyfan yn antur a hanner, fel y bu pob ysbrydoliaeth o Ddenmarc. Wedi cau'r llenni y noson honno, estynnodd am ei chopi o *Cerddi'r Gaeaf* ac ailddarllen y gerdd 'Miss Jane a Froken Iohanne'. Byddai Williams Parry wedi hoffi Denmarc.

Ac yno yn bugeilio'u gwedd
Yn llonydd llwyr yr hwyr a'i hedd
Mae un a gâr eu cwmni gwiw,
Eu sawr a'u swyn, eu llun a'i lliw...

Cofiodd fel y byddai'r bardd wrth ei fodd yn clywed hanesion
Denmarc ganddi, a sut roedd wedi methu'n llwyr â'i berswadio
i fentro yno. Ofn bod yn sâl oedd ganddo, ond byddai hi'n
dioddef y 'sâl môr' bob tro, er mwyn cael cyrraedd y pen y daith.
Cofiodd am Miss Forchammer a Miss Wintler, ei ffrindiau
annwyl...

Wrth fynd i gysgu'r noson honno, nid mewn tŷ llethol o
dawel ym Mangor Uchaf oedd Mary. Roedd hi'n crwydro'r
twyni tywod ar Ynys Fanø, a'r gwynt yn ei gwallt, a'r machlud
rhyfeddol yn lliwio'r awyr. Roedd hi a Silyn wedi crwydro
strydoedd cerrig-mân Sønderho yn ystod y dydd gan edmygu'r
tai to gwellt a'r gerddi tlws, ac wedi cusanu wrth y felin wynt.
Roedd Silyn wedi ymlacio'n llwyr ac uwchben ei ddigon. Anaml
y câi ei weld felly, yn rhydd o'i gyfrifoldebau, a gyda digon o
hamdden i ymlacio. Wrth i'r haul ddiflannu dros erchwyn y byd,
trodd ati a chribo'i fysedd drwy ei gwallt, fel yr oedd mor hoff
o wneud.

'Diolch Mary,' meddai, 'am ddiwrnod perffaith.'

'Tak,' atebodd, a'i gofleidio.

Pennod 19

Afallon, Tanygrisiau, Haf 1905

Edrychodd Mary drwy'r ffenest ar yr olygfa o'i blaen. Yn yr ardd, roedd Gwelltyn yn plannu coed yn ddyfal. Hwn fyddai ei chartref newydd, a 'daeth i ben deithio byd'. Dadbaciodd y bowlen ffrwythau arian a'i gosod wrth y ffenestr i'r haul ddal y sglein oedd arni, a darllenodd y geiriau: 'Cyflwynedig i'r Parch a Mrs R. Silyn Roberts, MA gan Eglwys Bethel MC Tanygrisiau, ar achlysur eu priodas, Mehefin 28, 1905.'

Dyna oedd ei henw newydd, Mrs R. Silyn Roberts, MA. Roedd hi'n BA ond roedd hwnnw wedi mynd i ebargofiant. Mrs Roberts, gwraig y gweinidog, Mrs Mary Roberts, saith ar hugain oed, Mrs Roberts, Tanygrisiau. Enw rhyfedd oedd Tanygrisiau. Adre yn Llundain, lle i gadw nialwch oedd y Twll Dan Grisiau...

Doedd hi ddim yn teimlo fel Mrs Silyn Roberts o gwbl. Yn iau, roedd hi wedi meddwl y byddai rhywun yn heneiddio wrth fynd yn hŷn, ond yr un person oedd hi o hyd – yr un hen Mary. Mary oedd yn llawn bywyd, eisiau profi, eisiau mynd, eisiau darllen, dysgu, canfod popeth. Doedd y cywreinrwydd hwnnw ddim wedi pylu – roedd yn llosgi'n eirias ynddi hi a Silyn. A nawr, dyma hi wedi cymryd gambl mwyaf ei bywyd... ac wedi priodi.

Byseddodd y fodrwy aur, oedd yn dal i deimlo'n rhyfedd ar ei bys hi, o bawb. Roedd dydd eu priodas yn ddiwrnod i'w gofio. Roeddent wedi cadw'r cyfan yn dawel, a dim ond llond dwrn oedd wedi dod i Gapel Hammersmith. Ond rywfodd, yn ystod yr wythnos olaf, roedd y si wedi mynd o gwmpas aelodau'r capel fel tân gwyllt, ac roedd pawb eisiau bod yn rhan o ddathliad merch Robert Parry... Ond ei diwrnod hi a Silyn ydoedd, a chafodd wisgo ffrog blaen wen a chario tusw o rug, er bod ei mam wedi gobeithio y byddai'n dewis rhywbeth efo mwy o sioe.

Wil Roberts Penygroes oedd y gwas priodas, y creadur annwyl. Gwasanaeth byr, ac i ffwrdd â nhw am Ddenmarc.

Drwy'r ffenest, roedd golygfa ryfeddol o Danygrisiau a'r mynyddoedd. Dotiai Mary at y clogwyni garw, oedd yn ddigon tebyg i dirwedd Llanrhychwyn. Ar ddydd o haf, doedd dim i'w gymharu â hi. Ond yng nghefn ei meddwl roedd y llythyr enbyd o ddigalon a anfonodd Silyn iddi fis Ebrill. Roedd o wedi symud i'r ardal dri mis ynghynt, ac wedi dioddef hiraeth dychrynllyd yn yr wythnosau cyntaf. Mynnai ei fod wedi gwneud camgymeriad mwyaf ei fywyd, a bod Blaenau yn hunllef. Doedd o'n nabod neb, roedd pobman mewn niwl llwyd, budr, doedd ganddo 'mo'i lyfrau efo fo, ac roedd yn dioddef o annwyd. Hiraethai am Lundain, gan boeni na fyddai hi byth yn setlo yn y fath le. Pam oedd yn rhaid iddo fod mor ddramatig efo popeth? Pethau rhyfedd oedd dynion. Doedd o ddim wedi trio gwneud y lle yn gartrefol. Dyna un peth a nodweddai ei gŵr (mor od oedd defnyddio'r term hwnnw!) – roedd tuedd ynddo i blymio i Gors y Felan weithiau, ac roedd angen ymdrech arwrol i'w lusgo allan ohoni.

Trodd at y bocs o ornaments, a dechrau eu gosod ar y silff ben tân. Nawr bod y lle wedi ei sgwrio'n lân o'r top i'r gwaelod, roedd modd ei droi yn gartref. Roedd hi wedi hen arfer efo'r *spring-clean* yn Gorffwysfa yn Llundain, ond roedd mwy o bleser mewn paratoi ei chartref ei hun.

Y peth cyntaf ddaeth o'r papur newydd oedd y model bach o'r forforwyn o Copenhagen. Câi honno fynd ar ganol y lle tân i'w hatgoffa o'u mis mêl. Y peth nesaf a ddadbaciodd oedd yr angel o Los Angeles. A dweud y gwir, anrhegion gan Silyn oedd llawer o'r creiriau, o sawl cornel o'r byd. Cofiodd y pennill a gyfansoddodd i'r Tawelfor,

Rwy'n llesg ac unig a phell o'm bro,
    Ar draeth anghysbell fy ngwallgof hynt;
Ond egyr anian drysorau'r co, –
Melysfwyn brofiadau'r dyddiau gynt.

'Gwallgof hynt' – roedd hwnna'n ddisgrifiad go gywir o daith Merica. Gosododd y cyfan yn rhes, y jwg fechan o Baris, cloch o Belgium, pedol bren o Iwerddon...

Tarfodd Silyn ar ei meddyliau wrth ddod â bocs mawr i mewn.

'Dyma hi! Ro'n i'n dyfalu lle roeddet ti'n cuddio. Be wyt ti'n ei wneud, chwarae tŷ bach?' Daeth ati a'i chofleidio.

'Dy *souvenirs* di sy'n llenwi'r silff ben tân, bydd rhaid i ti stopio eu casglu.'

'Fydd dim angen bellach, na fydd?'

Edrychodd Mary arno. 'Pam? Dwyt ti ddim yn debyg o roi'r gorau i deithio?'

'Nac ydw... ond fyddwn ni'n teithio efo'n gilydd o hyn allan, felly fydd dim rhaid i mi brynu pethau tlws i'm cariad... sori, gwraig!'

Chwarddodd Mary. 'Tithau'n ei weld o'n od? Finna hefyd...' meddai, gan ryddhau ei hun o'i goflaid. 'Rwyt ti wedi gweld bod Gwelltyn wrthi fel lladd nadroedd?'

Aethant at y ffenest a gweld tair coeden wedi eu gosod yn y pridd.

'Chwarae teg iddo,' meddai Silyn. 'Roedd o eisiau gwneud. Gweld y tŷ yn foel oedd o, a meddwl y byddai coed yn ei gysgodi.'

'Dydw i ddim eisiau colli'r olygfa chwaith...'

'Dwi wedi meddwl am enw i'r tŷ, Mary. Be wyt ti'n ei feddwl o "Afallon"?'

Gwenodd Mary. 'Beth arall, 'te? Mi *fyddet* ti'n dewis hwnnw.'

'Pob calon yn hon yn heiny a llon...'

a chydadroddodd Mary efo fo, 'Ynys Afallon ei hun sy' felly...'

Gafaelodd Silyn yn ei llaw, a dawnsio efo hi rownd y stafell.

'Byw yno byth mae pob hen obeithion,
Yno mae cynnydd uchel amcanion;
Ni ddaw fyth, i ddeifio hon, golli ffydd,
Na thro cywilydd, na thorri calon.'

Roedd Mary wrth ei bodd yn gwrando arno'n adrodd hon. Roedd o wedi dysgu awdl T. Gwynn ar ei gof, gan gymaint roedd o wedi gwirioni arni.

Gwasgodd ei wefusau yn ei gwallt. 'A'r hyn sy'n ei wneud yn Afallon ydi dy fod di wedi dewis rhannu'r lle 'ma efo mi... diolch Mary.' Cusanodd hi'n frwd. Gafaelodd yn ei llaw, a'i thywys o un stafell i'r llall.

'Silyn...'

'Tyrd... mi rodiwn ni drwy ein hafallon...'

'Na wnawn ni ddim, mi agorwn ni'r bocs yma, ac mi ddaliwn ati efo'r dadbacio! Edrych ar Gwelltyn yn torri'i gefn allan yn fanna, a ninnau'n dawnsio rownd fan hyn..'

Ond doedd hi ddim yn gallu cuddio ei hawydd i chwerthin. Doedd yr hogyn ddim yn gall.

Edrychodd Silyn yn ddiniwed arni.

'Ond Mrs Roberts bach, sut gallwn ni ddadbacio os na wyddwn lle mae'r pethau i fod? Mae raid inni benderfynu gyntaf pa stafell ydi p'run!' Cofleidiodd y ddau eto.

Wrth fynd i fyny'r grisiau, meddai Mary, 'Ddaru ti ddim mymryn o ymdrech i droi hwn yn gartref tra oeddet ti yma dy hun, naddo?'

'Ges i ddesg a chadair, ac *easy chair – spring-edge, hair stuffed*. Ro'n i'n trio...'

'Nag oeddet, wir. Wnes ti 'mond byw yma'n drist fel meudwy. Be oedd yn bod?'

Eisteddodd Silyn ar y grisiau a difrifoli. 'Ro'n i mewn lle tywyll ddychrynllyd, Mary.'

Eisteddodd Mary wrth ei ochr, a mwytho ei dalcen.

'Gest ti bowt go ddrwg, dwi'n casglu. Ddeudaist ti mewn llythyr ei fod yn *grand mistake...*'

'Hiraeth am Lundain oedd gen i, creda neu beidio. Colli'r 'dyrfa' – fedri di deall? Mi fyddwn yn cerdded am hydoedd yn Llundain, a gwneud dim mwy na syllu ar wynebau pobl a dyfalu eu straeon..' Mwythodd Silyn ei fysedd, gan dynnu ar ei atgofion. 'Byddai nosweithiau cyfan yn mynd, a wnawn i ddim byd ond cerdded. Wyddost ti fod un o ferched y stryd wedi dod ataf un tro? Mae gen i gywilydd...' Plygodd ei ben.

'Cywilydd o beth, Silyn?' gofynnodd Mary'n ochelgar.

'Ddeudais i wrthi ei bod hi'n mynd i Uffern, a wyddost ti beth oedd ei hateb? "I am there already" medda hi. Fedra i 'mo'i anghofio. Roedd rhywbeth yn ei hwyneb, fel 'tae hi eisiau fy melltithio, a dyma hi'n edrych i fyw fy llygaid, a deud wrtha i, "I hope you will sink to the lowest depths of Hell for reminding a poor English girl of her misery".' Rhoddodd Silyn ei law dros ei wyneb ac ochneidio. 'Roedd hi'n iau na ti, Mary.'

'Paid arteithio dy hun, Silyn.'

'Ond nid dyna oedd yr unig dro... Un adeg mi ddaeth rhyw *toff* yn ei ddillad crand ataf a gofyn i mi am help i danio'i sigarét, ac ogla diod ar ei wynt – ac mi ddeudais wrtho ei fod yntau ar ei ffordd i Uffern.'

'A be oedd ymateb hwnnw?'

'Doedd 'na ddim rhithyn o edifeirwch ynddo fo. Ddeudodd o, "You're going to Heaven, I don't want to go there, there's no wine or women there!" ac mi chwarddodd.'

'Pam ti'n hiraethu am y math yna o bobl?'

Cododd Silyn ei 'sgwyddau. 'Pobl ydi pobl, 'te? Ro'n i'n cael sgyrsiau difyr efo ambell un. Dwi'n cofio cael sgwrs efo plismon wrth yr Embankment...'

'Wnes ti ddim deud wrtho fynta ei fod yn mynd i Uffern?'

'Trafod y mater oedden ni, ac roedd o'n greadur reit athronyddol. Ddeudodd o fod Nefoedd ac Uffern yn perthyn i faes theori – "theory and speculation" oedd ei eiriau. Doedd o ddim yn poeni ei hun efo'r fath faterion. "I don't trouble about things I'm never certain about, speculation is not evidence".'

Dychmygodd Mary yr olygfa: Silyn yn crwydro strydoedd Llundain yn oriau mân y bore.

'Dwi'm yn meddwl y cei di lawer o sgyrsiau efo puteiniaid a phlismyn ganol nos yn Nhanygrisiau rywsut... ond fydd pobl fan hyn ddim *llai* diddorol...'

Cododd Silyn a rhoi ei law i helpu Mary hithau i godi.

'Ti'n llygad dy le, Mary. Wastad y llais call sy'n dod â mi'n ôl at fy nghoed.'

'Sôn am goed, mae'n well inni weld sut mae hi ar Gwelltyn.'

Tua diwedd y dydd roedden nhw wedi llwyr ymlâdd, a doedd hi ddim wedi bod yn dawel yno. Sawl gwaith, roedd rhywun wedi curo ar y drws.

'Helô – chi ydi Mrs Roberts?'

'Ia, sut ydach chi?'

'Dda gen i'ch cyfarfod, Mrs Roberts. Dwi eisoes wedi croesawu eich gŵr. Edith Williams Fron Heulog ydw i – un o aelodau Bethel, gwraig Edward. Wedi dod â thorth frith i chi, gan ddymuno'r gorau i chi. Rydan ni wrth ein bodd eich bod wedi dod i Danygrisiau.'

'Diolch i chi am fod mor feddylgar.'

Rhoddodd Mary hi ar fwrdd y gegin efo'r bum torth frith arall oedd yno. Gwenodd Silyn a Gwelltyn.

'Fasa ddim yn well inni fwyta rhywfaint o'r rhain i swper?' gofynnodd Silyn, 'mae hi am fod yn job mynd drwyddyn nhw fel arall. Cymerwch un i fynd adre, Gwelltyn, a chymerwch un i Frynllidiart...'

'Diolch yn fawr i chi, mi fydda i'n ffond iawn o dorth frith. Rydw i am ei throi hi rŵan...'

'Ewch chi ddim adre heb swper, siŵr,' mynnodd Mary. 'Dwi wedi gwneud tatws llefrith, ac maen nhw bron yn barod. 'Mond arwydd bach o pa mor ddiolchgar ydan ni.'

'Diolch... ac mi ddo' i'n ôl ymhen sbel, a phlannu dipyn o betha yn yr ardd. Chei di ddim amser i betha felly, debyg, Silyn, a thithau'n weinidog prysur.'

'Dydw i erioed wedi cael gardd o'r blaen, felly dwi'n edrych ymlaen at gael gwneud dipyn o arddio. A dewch â Mathonwy efo chi, rhag ofn ei fod yn colli nabod arnom.'

'Bechod bod Tanygrisiau mor bell o Danrallt, 'te?'

'Mae o dipyn nes na Llundain!' atebodd Mary wrth ddod â'r bwyd at y bwrdd.

Ar ôl ffarwelio â Gwelltyn, safodd y ddau wrth y giât a gwasgodd Silyn law Mary.

'Dwi'n dal i fethu credu...'

Trodd hithau ac edrych arno. 'Nad ydym yn gorfod gwahanu ar ddiwedd dydd...'

Cofleidiodd hi a'i chusanu'n awchus.

'Ddim yn fan hyn, Silyn! 'Randros, rydan ni reit o flaen y tŷ!'

'Dwi'n colli arna i'n hun, Mary... edrych, fan hyn gaiff yr enw fynd. Afallon. A dyma hi, fy Ngwenhwyfar...' Gafaelodd yn ei llaw a'i hebrwng at y drws, ac i fyny'r grisiau.

Yn ddiweddarach yr un noson, gorweddai Silyn ar y gwely, a'i wyneb yn y gobennydd. Mwythai Mary ei gefn gwyn gan ryfeddu at harddwch ei gorff. Cusanodd ei war yn ysgafn.

'Diolch, Mary...'

'Mae dy asgwrn yn gam yn fan hyn, yli...'

'Damwain ges i yn y chwarel.'

Cusanodd Mary ef ar ei ysgwydd. 'Mae'r chwarel wedi anharddu dy gorff perffaith di...'

Trodd Silyn ar ei gefn a wynebu ei wraig. 'Ddim yn hollol... fy mai i oedd o. Chwarae oedden ni yn hogia ac mi ddringodd Huw i ben wagan ac mi drodd – a fi oedd ddigon anffodus i fod oddi tani... roedd o'n goblyn o anaf.'

Gwasgodd Mary ei hun i'w gôl. 'Gest ti blentyndod llawer mwy anturus na f'un i...'

'Rŵan mae'n dyddiau anturus ni'n cychwyn, Mary,' meddai, ac fe'i cusanodd yn dyner.

Pennod 20

Ffordd y Coleg, Tachwedd 1944

Ffigwr cyfarwydd i drigolion Ffordd y Coleg oedd Mary Silyn yn cerdded i lawr y stryd. Roedd hi'n dal yn wraig smart er ei bod yn nesu at ei deg a thrigain, ac yn cerdded yn bwrpasol. Dim ond weithiau y caech gyfarchiad; weithiau byddai yn ei byd ei hun, a'r meddwl siarp hwnnw'n myfyrio am y peth hwn neu'r peth arall.

'Car,' meddai Mary wrthi'i hun, 'dyna fyddai'n hynod handi. Biti na ddaru mi rioed ddysgu sut i yrru un. Ond a hithau'n gyfnod rhyfel... a phetrol mor brin...'

Curodd ar ddrws Y Betws a chamu i mewn. 'Helô! Oes 'na bobl?'

Safodd yn stond wrth y drws wrth weld David Thomas yn eistedd yn y gadair, yn dal ei ddwylo. Doedd hi rioed wedi ei weld yn segur o'r blaen, ac roedd cymaint o dristwch ar ei wyneb.

'Dowch i mewn, Mrs Silyn.'

'Be sy'n bod? Rydach chi fel 'taech chi wedi gweld trychiolaeth...'

'Arial sydd wedi ei alw i'r Fyddin.'

'Arial? Ond fedr hynny ddim bod, mae o ar ganol ei gwrs Coleg... mae hynny'n ddigon o reswm.'

Ochneidiodd David Thomas ac ysgwyd ei ben. 'Nid mewn gwirionedd. Os ydi rhywun o fewn chwe mis i wneud ei arholiadau gradd, mi gaiff ei esgusodi. Yn anffodus, roedd gan Arial chwe mis a thri diwrnod tan ei arholiadau, felly doedden nhw ddim yn fodlon ei ryddhau...'

Roedd yn anodd credu'r ffaith heb sôn am ei derbyn. Fyddai 'na ddim llawer o bethau yn llorio Dafydd Thomas, ond roedd hyn wedi ei lorio'n llwyr. Wedi'r cyfan, dim ond Arial oedd ganddo. Roedd Ffion, ei ferch, wedi priodi ac yn byw ym Mhorthmadog, ond roedd Arial yn dal adre.

'Ellith o ddim apelio?'

'Dyna ddaru o – a dyna'r ateb a gafodd.'

'Bechod na fydde Silyn yn fyw.'

Roedd hi'n dweud hynny bob dydd o'i bywyd, ond roedd o'n wir, ac roedd yn wir yn yr achos hwn. Roedd Silyn yn nabod pobl yn y llefydd iawn, a byddai wedi mynd at wraidd y broblem – unrhyw beth er mwyn mab David Thomas.

'Doedd o ddim am fod yn wrthwynebydd cydwybodol fel chi?'

Ysgydwodd David Thomas ei ben. 'Dim ond unwaith y gofynnais hynny iddo fo, ond ei ateb o oedd bod hwn yn rhyfel gwahanol.' Cododd ei ben ac edrych ar Mary. 'Mae o mor ifanc... dydi o ddim yn bedair ar bymtheg tan mis nesa...'

'Sut ei fod o'n ddigon hen i wneud ei arholiadau gradd, 'ta?'

'Y Rhyfel felltith 'ma eto... blwyddyn gafodd o yn y chweched dosbarth. Daeth gorchymyn i ddweud fod yn rhaid i bawb aned ym 1924 ac a oedd yn bwriadu mynd i'r Coleg ddechrau ar eu cyrsiau'n syth. Felly bu'n rhaid iddo fynd.'

'Dwi'n dal i feddwl amdano fel hogyn.'

Nodio ei ben wnaeth David Thomas. 'Hogyn ydi o... Wyddoch chi beth ddeudais i pan ddechreuodd y rhyfel? 'Diolch byth dy fod yn rhy ifanc i 'muno.'

'I lle mae o wedi mynd?'

'I'r Alban – i Fort George. Meddyliwch, i gael ei droi yn soldiwr. Fy hogyn i...'

Anaml iawn yr oedd Mary wedi ei weld mor ddigalon â hyn. Ni wyddai beth i'w wneud.

Mwya sydyn, roedd Dafydd Thomas yn edrych yn hen a blinedig. Roedd amgylchiadau Glynn, ei mab hi, yn gwbl wahanol. Roedd o bron yn ddeugain ac wrth ei fodd yn yr Awyrlu. Roedd o eisiau bod yn yr RAF. Plentyn oedd Arial yn dal i fod. 'Mabi gwyn i.

'Os caf ei gyfeiriad o, mi sgwenna i bwt ato. Mi gaiff o lythyrau, m'wn?'

'Mae'n ddrwg gen i, Mrs Silyn, dydw i ddim wedi gofyn sut ydach chi. Dach chi wedi fy nal yn ddwfn yn nglyn cysgod angau... Dyma fo: Arial Myfyr Thomas, H.M. Forces, Fort George, Inverness, Scotland.'

Sgwennodd Mary y cyfeiriad yn ei sgrifen daclus. 'Arial Myfyr – mae o'n enw tlws.'

'Mae o'n eironig, Mrs Silyn, mi ddeuda i hynny. Yn y stafell yma yr oeddwn i, ddydd ei eni, ac mi ddaeth llinell o'r *Llyfr Coch*, gan Einion Offeiriad, i'm meddwl: "Arial milwr, eiriau myfyr", a daeth yr enw Arial Myfyr i mi. A rŵan, mae o'n Arial y milwr...'

Ni wyddai Mary sut i'w gysuro. 'A dydi Inverness 'mo'r lle cynhesaf 'radeg yma o'r flwyddyn.' Y munud y dywedodd hi'r frawddeg, roedd hi'n difaru.

'Rydw i wedi bod yn darllen am Fort George. Mae o'n ymyl Culloden meddan nhw...'

'Ydi? A be ydi arwyddocad fanno?'

'Brwydr Culloden ym 1745. Yno bu brwydr rhwng Bonnie Prince Charlie a'r Jacobites a Dug Cumberland, neu'r Butcher of Cumberland fel y daeth i gael ei nabod. Lladdwyd dwy fil o'r Jacobites... roedd hi'n gyflafan. A be sydd yna bellach, ddwy ganrif yn ddiweddarach? Gwersyll i hyfforddi bechgyn ifanc sut i ladd...' Doedd David Thomas yn amlwg ddim mewn hwyliau i sgwrsio. 'Mae'n ddrwg gen i, Mrs Silyn. Chithau efo dau fab yn y rhengoedd ers y cychwyn.'

Edrychodd Mary ar ei sgidiau. 'Maen nhw dipyn hŷn nag Arial, chwarae teg. Hedfan ydi eu pethau nhw... maen nhw eisiau bod yn rhan o'r drin. Dydi o ddim 'run fath,' meddai, gan geisio swnio'n ddiffuant.

'Dydi pryder mam ddim mymryn llai. Mae'n fendith nad ydi Bet yn gwybod am Arial... ond mi fûm yn ddifeddwl, mae'n ddrwg gen i,' meddai.

'Mae'n naturiol i chi boeni am Arial a fynta mor ifanc...'

'Wnes i rioed ddychmygu y byddai'n plant ni yn gorfod wynebu rhyfel arall. Roedden ni mor bendant ar ddiwedd y

Rhyfel Mawr na fyddai rhyfel byd arall. 'Randros, fûm i'n ddigon hy' i sgwennu llyfr ar gydweithio rhwng cenhedloedd...'

'Y *Ddinasyddiaeth Fawr*... llyfr pwysig,' cytunodd Mary.

'Ond nid i'w gyhoeddi ym 1939...'

'Roedd mwy o'i angen nag erioed. Rydan ni'n gallu bod mor ddall fel cenhedloedd. Roedden ni wedi datblygu systemau i wneud trafod yn haws, a theithio – teleffon, radio, rheilffyrdd, llongau, awyrennau – popeth i ddod â chenhedloedd at ei gilydd, ac wedyn dyma weld y cyfan yn cael ei falu yn racs.'

'A does wybod pa effaith gaiff y colledion enfawr hyn ar bobl ifanc...'

'Mi effeithiodd y Rhyfel Mawr ar Silyn, does dim dwywaith am hynny,' meddai Mary, 'a chafodd ei lorio'n llwyr gan farwolaeth Hedd Wyn.'

'Fedra i gredu.'

Edrychai Mary yn bell i ffwrdd. 'Bron na ddeudech chi ei fod o wedi mynd ar ei feddwl o. Allai o ddim gwneud digon rywsut... casglu ei gerddi ar gyfer eu cyhoeddi... roedd o'n Ysgrifennydd y Pwyllgor Coffa. Ei syniad o oedd cael cerflun ohono yn Nhrawsfynydd – un da ydi o hefyd. Dwi'n cofio ei weld am y tro cyntaf, ac mi gafodd yr effaith ryfeddaf arna i. Roedd o mor drawiadol. A dyma fi'n meddwl, fedra i ddim meddwl am well ffordd i gofio aberth yr hogiau ifanc. Bydd pwy bynnag welith hwn yn gwneud popeth fedran nhw i atal rhyfel arall...'

Sylweddolodd Mary ei bod yn siarad gormod. Doedd David Thomas yn deud dim. Roedd o yn ei fyd ei hun. Ymbalfalodd yn ei phoced am y papur, a daeth ei chyfaill yn ymwybodol ohoni unwaith eto.

'Mae'n ddrwg gen i, oeddech chi ei eisiau rhywbeth arall?'

Daliodd Mary y ddalen a'i rhoi iddo. 'Falle y carech chi gynnwys hon yn y rhifyn nesaf o *Lleufer*... soned gan Silyn ydi hi. Mae hi'n un dda iawn. 'Y Wŷs' ydi'r teitl roddodd arni. Dydw i ddim yn credu iddi gael ei chyhoeddi o'r blaen – ei chanfod ymysg ei bapurau wnes i, yn ei lawysgrifen o. Roedd dyddiad arni, rhoswch... ia, dyma fo. Gorffennaf 2ofed, 1915.'

Dechreuodd David Thomas ei darllen.

'Y goedwig gynt fu'n gwahodd Dafydd fwyn
  A'i Forfudd wresog i rodfeydd y dail,
  I ganu a chusanu bob yn ail...'

'Mae hi'n un dda, tydi?' meddai Mary.

Amneidiodd David Thomas i gytuno. 'Mae hi'n arbennig iawn – fel popeth sgwennodd o.'

'Ro'n i'n meddwl y byddech yn ei gwerthfawrogi. Mi fasa Silyn wrth ei fodd ei fod o'n gallu cyfrannu at *Lleufer*. Dwi'n edrych ymlaen yn ofnadwy at weld y rhifyn nesaf... Reit, mae well i mi ei throi hi. Da bo chi.'

'A chithau... ac mae'n ddrwg gen i fod mewn hwyliau mor wael.'

'Raid i chi ddim o gwbl.'

Wrth gerdded adref, sylweddolodd Mary ei bod wedi rhoi ei hunig gopi o'r soned i'w chyfaill. Ond doedd dim ots, roedd y geiriau wedi eu serio ar ei chof.

Gad inni brofi gwleddoedd hud, fy merch,
  Cyn dyfod hirnos ddu'r gwahanu maith.
Mae serch yn addaw inni arlwy'r sêr
O loyw win a phasgedigion pêr.

Roedd hi'n berffaith, ac eto mor drist. Er iddo ei sgwennu bymtheng mlynedd cyn ei farw, roedd o fel pe gwyddai beth oedd o'i flaen. 'Hirnos ddu'r gwahanu maith...' dyna yn union oedd o.

Bechod ei bod yn rhy hwyr i gynnwys y soned yn y rhifyn cyntaf. Fe ddylai fod wedi ei rhoi iddo'n gynt. A David Thomas druan, roedd hi'n sobr arno. Roedd o ar ei ben ei hun yn llwyr rŵan. Peth creulon oedd rhyfel, yn rhwygo teuluoedd yn y fath fodd. Ac roedd y creadur wedi cael hen ddigon o ofid yn ei fywyd. Heb fod yn hir iawn wedi iddi golli Silyn, bu raid i Bet adael Y Betws. Roedd mewn ysbyty meddwl ers blynyddoedd, ers pan oedd Arial tua wyth oed. Un dda oedd Bet, ffrind da. Ar y dechrau roedd gobaith y byddai'n dychwelyd, ond yn raddol daeth David Thomas i dderbyn nad oedd gwellhad. Ac ym marn Mary, roedd croes ei chymydog yn un drymach na'i heiddo hi. O leiaf roedd Silyn wedi marw. Ni fyddai'n gallu goddef mynd i'w weld bob mis mewn ysbyty fel y gwnâi David Thomas, a'i chymar ddim yn ei nabod o gwbl. Oedd, roedd bywyd yn gallu bod yn erchyll o drist weithiau.

Pennod 21

Tanygrisiau, 1906

'Rhyw fymryn i'r chwith, hogiau,' galwodd Ifan Cae Du.

Gwyliodd Silyn y dynion yn gosod y garreg ar y gornel, ac yna aeth i helpu'r gweddill i lenwi'r ferfa. Roedd y lle yn dod yn ei flaen. Fedrai o ddim peidio meddwl mai profiad digon tebyg gafodd ei dad wrth wylio Capel Tanrallt yn cael ei godi chwarter canrif ynghynt.

'Mae'n siapio, Mr Roberts...'

'Ydi, Cledwyn. Taset ti wedi deud wrtha i ddeufis yn ôl y bydde'r wal gyntaf wedi ei gosod, fyddwn i ddim wedi dy gredu.'

'Mae'r cynnydd rydan ni wedi'i wneud yn ddyledus i'ch ymroddiad chi.' Pwysodd Cledwyn ar ei raw. 'A'r ffordd dwi'n edrych arni, Mr Roberts, ydi ein bod i gyd am gael budd o'r gwaith, 'te? Pawb yn dod at ei gilydd i wireddu pennod newydd ym mywyd yr hen gapel 'ma.'

'Digon gwir, ac os gall y Rhyddfrydwyr drechu'r Toris mewn etholiad fel ddigwyddodd 'leni, gall unrhyw beth ddigwydd – cofiwch, 'dan ni'n credu mewn gwyrthiau!' meddai Silyn efo gwên.

Dechreuodd Silyn gerdded i fyny'r allt tuag at Afallon. Bendith arnyn nhw, chaech chi ddim criw gwell na hogia Tanygrisiau. Teimlai'n obeithiol – roeddent wedi setlo yn Afallon, roedd o'n byrlymu â syniadau ac roedd bywyd yn llawn i'r ymylon. Trefnodd wyliau yn Llundain efo cyfaill, cafodd ei ddewis yn feirniad yng nghystadleuaeth y Goron yn y Genedlaethol y flwyddyn honno, ac yr oedd bron â gorffen ei nofel. Wrth nesáu at Afallon, clywodd sŵn y babi'n crio – byddai'n rhaid dod yn gyfarwydd â hwnnw.

'Toes 'na ddim setlo ar hwn,' meddai Mary wrth iddo gyrraedd y gegin. Roedd golwg flinedig arni, a chusanodd Silyn ei thalcen.

'Be sy'n bod arnat ti, Glynn bach, dwyt ti ddim yn hapus?'

Sgrechiodd y babi.

'Ti wedi ei ddychryn rŵan!'

Edrychodd Silyn ar ei wraig yn siglo'r bychan yn ôl a mlaen – roedd yn beth mor ddieithr gweld Mary efo babi yn ei chôl.

'Pam ti'n edrych arna i fel'na?'

'Dal i fethu credu'r ffaith mai ein babi ni ydi o...' meddai Silyn, yn ceisio gafael yn ei law.

'Gobeithio nad ydan ni wedi creu swnyn, 'te?' meddai Mary yn bryderus.

'Ddysgith o'n ddigon buan. Dy fai di oedd rhoi enw milwr arno...'

'Enw *tywysog* oedd yr ysbrydoliaeth. Ac os mai hanner enw Glyndŵr a gafodd, hanner ei sŵn ddylai o ei wneud...' Eisteddodd Mary yn y gadair, a bwydo'r bychan.

'Dyna fo – dyna oedd yn bod ar yr hogyn,' meddai Silyn, 'eisiau bwyd oedd o.'

Fflachiodd Mary olwg beryglus ar ei gŵr. 'Silyn, os ydw i wedi dysgu rhywbeth, dwi wedi dysgu nad llwglyd ydi hwn. Barus ydi o. Byddai wrth fy mron drwy'r amser, tase fo'n cael.'

'Mi fyddwn innau hefyd. Mae o'r lle mwya bendigedig i fod! Gwybod beth sy'n dda iddo fo mae o.' Gwenodd. 'Reit, oes rhywbeth i'w fwyta yma?'

'Mae Gwennie wedi cadw platiad i ti. Ro'n i wedi dweud y byddet yn hwyr.'

Gwennie Fron Heulog oedd y forwyn a ddeuai i helpu yn nhŷ'r gweinidog, ond byddai'n mynd adre gyda'r nos. Merch i Edward ac Edith oedd hi, a ddaeth yn gyfeillion yn fuan ar ôl iddynt gyrraedd y pentref, ac roedd Edward yn flaenor yn Bethel.

'Bydd yn rhaid i ti wneud dy baned dy hun. Fedra i ddim symud cam o'r fan hyn. Ac mae darn o gacen i ti wedyn yn y pantri...'

Estynnodd Silyn y bwyd a'i osod ar y bwrdd, a throi at y stôf. 'Ga' i wneud paned i tithau, *Madame*? Mae golwg flinedig arnat.'

'Colli 'nghwsg ydw i, 'te – wnes i rioed feddwl bod magu babi yn waith mor flinedig. Ac efo pen fel meipen, alla i ddim troi ati i wneud unrhyw waith.'

Gwyliodd Mary ei gŵr yn paratoi ei fwyd, ac ysgydwodd ei phen wrth ei weld mor ddi-siâp. Roedd fel petai ganddo ddwy law chwith.

'Does dim disgwyl i rywun efo babi chydig fisoedd oed wneud fawr ond magu. Oes rhywbeth sydd angen sylw brys?' holodd Silyn.

Twtian wnaeth Mary, 'Sylw brys, wir – beth am y gwaith o drefnu'r dosbarthiadau ysgol Sul? Leciwn i awr neu ddwy i orffen y llythyr i Dr Rönning, mae gen i waith darllen – edrych ar y mynydd 'ma sy'n tyfu: Factory Act Report... Deddf y Tlodion, heb eu cyffwrdd. A tydw i ddim wedi edrych ar y gosodiad cerdd dant...'

Edrychodd Silyn ar y babi, a'i gyfarch. 'Glynn bach, wyt ti'n sylweddoli bod dy fodolaeth yn rhwystro camau breision yn ffordd Sosialaeth?'

Doedd gan Mary ddim amynedd efo'i gellwair. Daeth Silyn â'i baned at y bwrdd.

'Rwyt ti yn cofio 'mod i allan heno?' Gwgodd Mary arno. 'Cyfarfod Blaenoriaid – ddaru nhw ei symud o nos Lun am na allwn ei wneud y noson honno...'

'Chei dithau ddim cyfle i orffwys heno felly chwaith. Sâl eto fyddi di, gei di weld,' meddai Mary'n bryderus. 'Cofia be ddigwyddodd i Gwynn, da ti.'

Roedd T. Gwynn Jones wedi mynd mor wael nes i'w gyfeillion godi arian iddo allu teithio i'r Aifft i gael adferiad iechyd. Hawdd oedd deall consyrn Mary. Edrychodd y ddau ar ei gilydd.

'Ti'n iawn, Mary.'

'Ac mae golwg arnat ti yn y dillad gwaith 'na – fedri di ddim wynebu blaenoriaid Bethel fel'na. Gwna'n siŵr dy fod yn cael noson gynnar...'

'Amhosib. Gen i erthygl i'w hysgrifennu i'r *Glorian* ar ôl dod adre.'

Wyddai Mary ddim beth i'w ddweud. 'Oedd rhaid mynd i helpu efo'r Festri pnawn 'ma – mewn difri?'

'Tyrd 'laen, Mary, fedrwn i ddim peidio â helpu'r hogiau. Nid 'mod i'r creadur cryfaf dan haul, ond mater o barch ydi dangos diddordeb yn y gwaith, a nhwythau'n gwneud y cyfan yn wirfoddol.'

'Digon gwir.'

'Ac mae'r gwaith yn dod yn ei flaen yn wych.'

'Mi dria i gael cyfle i fynd i lawr i weld fory. Mi fedrwn roi Glynn yn y goits...'

Roedd syniad Silyn a Mary o godi Festri newydd i gapel Bethel wedi bod yn un beiddgar a dweud y lleiaf, ac roedd mwy nag un wedi codi'u haeliau wrth glywed am y cynllun. A dweud y gwir, doedd pobl Tanygrisiau a Blaenau Ffestiniog ddim wedi gwneud fawr ond codi eu haeliau ers i'r gweinidog newydd a'i wraig gyrraedd yr ardal. Roedd popeth a wnaent yn wahanol i ffordd pawb arall ac roeddent yn destun trafod di-ben-draw. Cytunai'r rhan fwyaf o'r wyth cant o aelodau fod y festri fach dan ben draw'r galeri yn Bethel yn rhy fach, ond wnaethon nhw ddim dychmygu y byddai cynlluniau'r gweinidog newydd mor fentrus. Wrth i seiliau'r adeilad newydd gael eu gosod, roedd llawer yn methu credu eu llygaid. Roedd gweld y gweinidog – o bawb – mewn dillad gweithiwr yn baeddu ei ddwylo i helpu'r chwarelwyr i symud cerrig yn ddychryn. Diraddio ei swydd oedd hyn yng ngolwg rhai, ond roedd eraill yn falch ei fod yn ddyn modern.

Y ffaith amdani oedd bod tir creigiog ddychrynllyd tu ôl i'r capel, a bod pawb wedi tybio y byddai'n amhosib gwneud dim byd ag o. Ond fel cyn-chwarelwr, gwyddai Silyn fod modd trin y graig, dim ond i hynny gael ei wneud yn ofalus. Taniwyd y creigiau i lefelu'r tir, a phenodwyd Ifan Cae Du yn stiward ar y gwaith. Roedd Ifan yn chwarelwr ifanc medrus, deallus ac uchel ei barch, efo teulu bach, ond roedd o'n dioddef o'r dicáu. Roedd cael bod yn rhan o'r gwaith wedi codi ei ysbryd yn rhyfeddol.

Tra bu'n bwyta, bu Silyn yn astudio cynlluniau'r Festri a'r Ysgoldy ar y bwrdd o'i flaen.

'Mae Glynn yn cysgu bellach...' sibrydodd Mary.

'Rho fo i lawr yn y crud 'ta, a thyrd i weld y rhain...'

Roedd yn amlwg fod Aneurin, y pensaer, wedi gwneud gwaith da. Bellach, roedd modd gweld lle byddai popeth yn ffitio.

'Rydan ni'n cael y ddwy ystafell ddosbarth yn unol â'n dymuniad. Ro'n i wedi ofni mai un fyddai 'na,' meddai Mary.

'Wel, un fydd hi, ond ein bod am gael partisiwn rhyngddynt... yna bydd y gegin yn fan hyn, a'r gweddill yn neuadd.'

Cododd Mary, gan sefyll tu ôl i'w gŵr a'i gofleidio.

'O, Silyn... mae o mor gynhyrfus, tydi?'

'Fedren ni byth ei fforddio 'blaw bod y dynion yn gwneud y gwaith o'u gwirfodd, ond mi fydd yn adnodd mor ddefnyddiol. Unwaith y bydd y lle ar ei draed, mi allwn ddechrau trefnu pethau.'

'Dwi am inni gael llyfrgell dda yn un o'r ystafelloedd.'

'Mae hwnna'n syniad penigamp. Mi ddylen ni wneud apêl yn awr i bobl gyfrannu llyfrau.'

'Edrych ar yr amser, Silyn... mae'n hen bryd i ti fynd.'

Cododd Silyn a mynd ati i hel ei bethau a newid ei ddillad. Cusanodd Mary yn ysgafn, ac i ffwrdd ag o.

Aeth Mary yn syth i nôl papur er mwyn sgwennu at ei thad i holi a oedd ganddo lyfrau, ac i wneud cais ymysg aelodau capel Hammersmith i weld a oedd ganddynt hwythau lyfrau y gallent eu hepgor. Pan ddaeth Silyn yn ôl o'i bwyllgor roedd pentwr o lestri yn llenwi'r sinc, ond yr oedd pum amlen yn barod i'w postio, a llawysgrifen gain gyfarwydd Mary ar bob un.

Yn oriau mân y bore, deffrodd Silyn i weld nad oedd Mary wrth ei ymyl. Cododd ac ymlwybro i'r stafell wely arall, lle gwelodd Mary yn bwydo'r babi.

'Be wyt ti'n da ar dy draed, Silyn? Dos yn ôl i'r gwely, da ti.'

'Dwi wedi deffro rŵan. Mi stedda i yma i gadw cwmni i ti. Bwydo mae o eto, ia?'

'Mae'n well ei fod o fel hyn na'i fod yn gwrthod maeth. Mi fyddwn yn llawer mwy pryderus wedyn. Maen nhw i fod i fwydo bob rhyw deirawr yn yr oed yma.'

'Be tase fo'n tyfu'n anferth, a jest cau stopio tyfu, nes ei fod o yn fwy na ti a mi...'

'Silyn, os wyt ti am rwdlan gymaint â hyn, waeth i ti fynd yn ôl i dy wely.'

'Dwi'n addo byhafio. Fuost ti'n ddigon prysur yn sgwennu'r llythyrau 'na neithiwr...'

'Meddwl wnes i y gallwn anfon at Tada a gofyn oedd ganddo lyfrau. Dwi mor gynhyrfus ynglŷn â'r syniad o lyfrgell...'

'A minnau. Allwn i ddim cysgu neithiwr yn meddwl am bosibiliadau'r festri newydd... Mi allwn ni gael dosbarthiadau a phobl i annerch a seiadu...'

Edrychodd Mary'n flinedig arno, yn ei ddillad nos yn paldaruo am hyn am hanner awr wedi tri y bore. Pwy ond Silyn?

'Gweld potensial y cyfan ydw i. Mae pobl Tanygrisiau yn awchu am y cyfle i ddod at ei gilydd i drafod a chreu.' Cododd a cherddodd o amgylch y stafell. 'Y weledigaeth sydd gen i ydi cael addysg prifysgol i bobl y cylch yma, eu harfogi nhw efo gwybodaeth fydd yn y man yn eu gwneud hwythau'n arweinyddion...'

'Fedran nhw mo'i fforddio fo. Arian, nid ewyllys, ydi'r rhwystr.'

'Methu fforddio mynd oddi yma maen nhw – byw ym Mangor, talu ffioedd Coleg. Ond, yn lle anfon dwsin o bobl i'r Brifysgol, pam na ddaw y Brifysgol atynt hwy? Petaen ni'n gallu perswadio'r Brifysgol i anfon un darlithydd yma i gynnal cwrs o ddarlithoedd, fydda'r gost ddim mor ofnadwy â hynny. Unwaith yr wythnos fyddai'r ddarlith yn cael ei chynnal, yn y Festri, a fyddai'r myfyrwyr ddim yn gorfod cael cyfnod o'u gwaith. Gallent barhau i ennill cyflog, ond eu bod yn neilltuo dwyawr un noson o'r wythnos i ddilyn cwrs... meddylia am y potensial, Mary... Mary?'

Pan drodd i edrych arni, roedd Mary a'r babi yn cysgu'n sownd.

Pennod 22

Gŵyl Lafur, Pafiliwn Caernarfon, Calan Mai 1909

Roedd David Thomas yng ngorsaf Caernarfon yn brydlon i gwrdd â'r trên. Gwelodd y gŵr eiddil, smart, gwelw ei wyneb, cringoch ei wallt, yn cerdded tuag ato.

'Dafydd, mae'n dda dy weld.'

'A tithau, Silyn. Gest ti siwrne iawn ddoe?'

'Do... a chyfle i'w gweld ym Mrynllidiart neithiwr. Hogyn Nel yn prifio.'

'Hen hogyn iawn ydi Mathonwy, a pheniog. Wyt ti wedi cael cinio?'

'Do, do – mi awn ni'n syth i'r Pafiliwn. Mae'n siŵr bydd torfeydd yno.'

Cerddodd y ddau tuag at Allt y Pafiliwn, ond roedd hi'n amlwg y byddai'n rhaid aros i'r holl chwarelwyr fynd i mewn yn gyntaf. Mawr oedd yr edrych ymlaen at glywed Thomas Jones yn areithio.

'Sut mae pethau'n mynd tua Rhostryfan 'na, Dafydd? Dydw i ddim wedi bod yno ers inni rannu llwyfan yn y cyfarfod ILP 'na.'

Bu cyfarfod cyntaf yr Independent Labour Party yn Rhostryfan yn un pwysig. Roedd y blaid newydd yn meiddio treiddio i ganol caer Rhyddfrydiaeth, ardaloedd chwareli Arfon.

'Rydan ni wrthi'n ddigon prysur yn braenaru'r tir, ond mae hi'n frwydr galed. Mae'r chwarelwyr mor driw i'w hen ddelfrydiaeth.'

'Rwyt ti'n cael hwyl ar yr ysgrifau yn *Yr Herald*.'

'Dyna sy'n cymryd fy amser i gyd, mae arna i ofn,' atebodd David Thomas efo gwên. 'Fy ngobaith yw eu casglu ynghyd, a chyhoeddi cyfrol.'

'Syniad rhagorol. Dwi 'di teimlo ers gwneud y daflen honno

ar yr ILP fod angen rhywbeth llawer mwy swmpus. Dal ati, da ti.'

'Beryg na fydda i yn Rhostryfan yn hir. Dwi wedi gwneud cais am swydd mewn ysgol arall...'

Trodd Silyn ato. 'Dwyt ti ddim yn mynd ymhell, gobeithio?'

'Talysarn, o bosib.'

Tro Silyn oedd gwenu. 'Talysarn! Da iawn ti, fachgen – i lygad y ffynnon. Wel, os cei di'r swydd, mi fydd Dyffryn Nantlle yn dy groesawu â breichiau agored. Mae 'na fwrlwm mawr yno ar hyn o bryd rhwng pawb – llenyddol rŵan, nid yn economaidd...' Roeddent wedi dod at ddrws y Pafiliwn. 'Dyma ni – dyma'n cyfle i fynd i mewn.'

Mawr oedd y cynnwrf ymysg y gynulleidfa, ac roedd disgwyl garw. Chwarelwyr oedd y gynulleidfa bron i gyd, a llawer yn adnabod ei gilydd. Yn dilyn croeso'r Cadeirydd siaradodd Philip Snowden, ac yna daeth yr Athro Thomas Jones ymlaen: academydd yn tynnu at ei ddeugain oed, wedi graddio ym Mhrifysgol Aberystwyth, ac yn darlithio yn Glasgow. Roedd yn anerchwr tan gamp, a dyna un rheswm pam roedd o wedi denu cynifer. Un o Rhymni ydoedd, fel y daeth yn amlwg o'r munud y dechreuodd siarad.

'Y Mudiad Llafur yng Nghymru' oedd ei destun, a disgrifiodd yr ILP fel *advance guard* i'r Blaid Lafur. Roedd David a Silyn ill dau â llyfr nodiadau yn gwneud sylwadau ar gynnwys ei araith, Silyn i'r *Glorian* a David i'r *Herald*. Pwysleisiodd Thomas Jones mai ymarfer hunanlywodraeth oedd y peth pwysig mewn gwleidyddiaeth, mewn masnach ac mewn undebau. Cenadwri'r Blaid Lafur oedd dryllio'r rhwystrau oedd yn ei ffordd. Roedd yr Arglwydd Penrhyn wedi bod yn symbyliad sylweddol i undebaeth yn Sir Gaernarfon, a phorthodd y gynulleidfa yn ddirfawr.

Pwysleisiodd pa mor bwysig ydoedd i'r chwarelwyr ymuno â'r Undeb, a chododd yr anerchiad i dir uwch wrth iddo amlinellu ei weledigaeth am weithwyr yn addysgu eu hunain.

'Mynnwch ddosbarthiadau i astudio Esaiah a Robert Owen fel diwygwyr cymdeithasol; dysgeidiaeth y Testament Newydd ar ryfel; neges Denmarc ac Iwerddon at amaethwyr Cymru; adroddiad y Ddirprwyaeth ar Ddeddf y Tlodion...

Estynnwch gortynnau eich preswylfeydd. Gwnewch Undeb y Chwarelwyr yn allu addysgol a moesol yn y siroedd hyn; yn allu nid i ddelio efo strikes yn unig, ond hefo holl sylfeini masnachol ein bywyd cenedlaethol...'

Edrychodd Silyn ar David, oedd yn sgwennu'n brysur. Er mor enfawr oedd y Pafiliwn, gallech glywed pìn yn disgyn. Rhaid cyfaddef fod gan Tom Jones allu i areithio – roedd y dorf yng nghledr ei law. A gwyddai fod rhai ymysg y gynulleidfa wedi bod ar streic am dair blynedd lai na chwe blynedd ynghynt... roedd siarad am Undeb y Chwarelwyr fel 'gallu addysgol a moesol' yn peri i'w cefnau sythu.

'Ymrwymwch i ddiwyllio eich meddyliau a'ch cymhwyso eich hunain fel cenhadon i ddiwyllio eraill, ac i symud yr hudoliaeth a'r gwarth yma o'n plith. Rhaid inni fagu ein cenhadon ein hunain... Gadewch inni fagu cad-filwyr, ac yna awn allan i'r prif-ffyrdd a'r caeau i gyhoeddi rhyfel yn erbyn gormes a gwaseidd-dra a thlodi...'

Roedd David wedi rhoi ei bensil tu ôl i'w glust. Syllai ar Thomas Jones fel petai yn Feseia. Welod Silyn neb wedi ei gyffwrdd yn debyg i'w gyfaill y pnawn hwnnw – roedd fel petai mewn perlewyg.

Gorffennodd y siaradwr ar nodyn buddugoliaethus, ar ôl cydnabod y trafodaethau cyfredol am ryfel ac ymladd,

'Os ydych am ymladd dros eich gwlad, ymunwch â Byddin Llafur, a bydded i holl Undebau a Phleidiau Llafur yn yr Almaen, yn Ffrainc, ym Mhrydain, yng Nghymru, y foment y cyhoedder rhyfel rhwng rhai o'r Cenhedloedd hyn, fod yn berffaith barod i gyhoeddi yr un foment streic fyd-eang!'

Cafodd fonllef o gymeradwyaeth ond roedd David Thomas yn dal fel delw.

'Hei, Dafydd,' meddai Silyn, gan ysgwyd ei lawes, 'mae'r dyn wedi gorffen – mae'r araith ar ben!'

Deffrodd ei gyfaill o'i berlewyg. 'Araith a hanner, Silyn – chlywais i ddim byd tebyg. Wel, dyna ni rŵan – dyna sy'n rhaid inni wneud. Bod yn genhadon dros Addysg.'

Winciodd Silyn. 'Chwarae teg, rydan ni'n trio ein gorau, gyfaill.'

Ond roedd David Thomas wedi cael ei gyffwrdd hyd at fêr ei esgyrn. Rhoddodd Thomas Jones fynegiant i ryw awydd dwfn iawn yn ei galon.

'Tyrd efo fi i'r tu blaen,' meddai Silyn, ac aethant yn groes i'r dorf oedd yn symud tua'r drysau yn y cefn. Arhosent eu tro, a chyn hir roedd yn ddau yn sefyll o flaen Thomas Jones.

'Silyn, achan! Dda dy weld... diolch am ddod.'

'Tom, hoffwn i gyflwyno cyfaill annwyl iawn i ti, a Sosialydd brwd – David Thomas. Mae o'n sgwennwr dyfal iawn i'r *Herald Cymraeg*.'

'Mae'n dda gen i gwrdd â chi, Mr Thomas.'

'Fyddwn i ddim wedi colli'r araith hon am bris yn y byd, Mr Jones. Rydach chi wedi datgan gwirioneddau mawr iawn. Diolch i chi.'

Ysgydwodd Thomas Jones law David Thomas yn wresog iawn.

'Roeddech ym Mhrifysgol Glasgow am gyfnod, toeddech?' meddai David.

'Oeddwn, oeddwn. Gradd mewn Economeg wnes i yno. Y'ch chi'n adnabod rhywun yno?'

'Robert Richards?'

'Bob? Adnabod Bob yn iawn, er ei fod yn iau na mi. Ond gawson ni flwyddyn yno 'da'n gilydd. Shwt y'ch chi'n ei nabod e?' gofynnodd Tom Jones.

'Ffrindiau ysgol yn Llanfyllin oedden ni.'

'Jiw, jiw. Wy'n dishgwl pethe mawr gan Bob Richards...'

'Ond yn Belfast ydach chi ar hyn o bryd, yntê?' gofynnodd Silyn. Trodd at David Thomas i egluro. 'Tom yma oedd fy newis cyntaf fel darlithydd ar gyfres o ddosbarthiadau i oedolion ar economeg yn y Blaenau, ond roedd ar ei ffordd i Belfast...'

'Y'ch chi wedi cael gafael ar ddarlithydd arall?'

'Ddim eto. Ond dwi'n frwd o blaid y syniad o gael Adran Economeg yn y Coleg. Mi allaf ei godi yn Llys y Llywodraethwyr. A phan benodant ddarlithydd, mi af ar ôl hwnnw.'

Cymaint o fanteision oedd ar gael wedi addysg prifysgol a gradd, meddyliodd David Thomas, manteision oedd y tu hwnt iddo fo. Gallai Silyn symud mynyddoedd, ac roedd bod ar Lys y Brifysgol yn rhoi agoriadau iddo hefyd.

Byseddodd Thomas Jones ei wefusau tra oedd yn meddwl.

'Weda i wrthot ti pwy fydde'n un da ar gyfer y swydd honno – J.F. Rees. Mae e ym Mangor nawr, yr Adran Hanes... bosib dy fod yn gyfarwydd ag e.' Sylwodd Thomas Jones fod David Thomas yn cael ei eithrio o'r sgwrs braidd, a throdd ato. 'Bachgen disglair o Sir Benfro – newydd gael dosbarth cyntaf yn Rhydychen llynedd.' Trodd yn ôl at Silyn. 'Bydde fe'n gwneud darlithydd Economeg penigamp... gyda llaw, dim ond am flwyddyn y byddaf yn Belfast – gweithio ar Gomisiwn Deddf y Tlodion wyf i'.

'Gwaith pwysig iawn,' meddai Silyn. 'Rydw i'n sgwennu cymaint ag y medraf ar y pwnc yn *Y Glorian*, ac am Adroddiad y Lleiafrif wrth gwrs – sy'n bwysicach.'

'Mae goblygiade hwnnw'n bellgyrhaeddol iawn,' cytunodd Thomas Jones.

'Tithau wrthi fel lladd nadroedd, on'd wyt, Dafydd?' meddai Silyn.

'Adroddiad y Lleiafrif ydi'r mater pwysicaf ar hyn o bryd, yn ddi-os.'

Gwenodd Thomas Jones arnynt. 'Gwyn eich byd chi – rhagor o wŷr ifanc fel chi mae Cymru ei hangen. Mi fydd yn rhaid i mi anfon llenyddiaeth i chi am fudiad diddorol sefydlwyd ryw bedair blynedd yn ôl, The Workers Education

Association – syniade tebyg iawn i'ch rhai chi, am gael addysg bellach i bobl gyffredin. Albert Mansbridge sydd tu ôl iddo – dyn adawodd yr ysgol yn bedair ar ddeg oed ac a ddilynodd gwrs estynedig mewn prifysgol... ac mae am weld pawb yn cael yr un fantais.'

Roedd Silyn a David Thomas yn llawn diddordeb, a gwnaeth Thomas Jones nodyn i anfon deunydd atynt y gallent ei rannu ymysg y chwarelwyr.

Daeth gwên dros wyneb y darlithydd. 'Gyda llaw, rwy' am ddod yn dad yn fuan – fe achubaist y blaen arno i 'da hynny, Silyn.'

'Newyddion da – pryd mae'r achlysur?'

'Fis Tachwedd, felly rwy' am fod yn ôl yng Nghymru erbyn hynny.'

Teimlodd David Thomas allan ohoni unwaith eto. Roedd pawb o'i gwmpas un cam ar y blaen iddo. Fu ganddo erioed gariad, heb sôn am fod yn briod a dechrau magu plant.

Paratôdd Thomas Jones i adael.

'Wel, mae'n rhaid i mi fynd yn awr, pethe'n galw – mae'n dda iawn cael dy weld Silyn, a chithe, David Thomas.'

Trodd Silyn at David. 'Dyna'r peth pwysicaf ddaeth o'r cyfarfod hwn heddiw – bod y siaradwyr wedi cael y chwarelwyr i anfon dirprwyaeth i Goleg Bangor i bwyso ar iddynt sefydlu Adran Economeg.'

'Os llwyddant, mi fydd yn wych.'

'Mae 'na obaith efo'r Prifathro, Harry Reichel: mae ganddo barch at undebau llafur. Dafydd, roeddet ti'n sôn ei bod yn fwriad gennyt gasglu dy ysgrifau ynghyd a'u cyhoeddi yn llyfr.'

'Oeddwn, ac rydw i wedi meddwl am deitl iddo: Y *Werin a'i Theyrnas*.'

'Teitl rhagorol... oes gen ti rywun i edrych dros y proflenni?'

'Dydw i ddim wedi meddwl cyn belled â hynny, rhaid i mi gyfaddef.'

'Fasa'n werth holi Thomas Jones. Mi fydda fo jest y dyn.'

'Fyddai ganddo amser?'

'I gyfrol mor bwysig, mi fyddai'n gwneud amser.'

Cyn gwahanu, daeth dyddiaduron Silyn a David o'u pocedi, a thrafod dyddiadau fuon nhw.

'Elli di wneud yr ugeinfed o Fedi, Dafydd, yn y Blaenau? Wn i ddim lle yn union eto.'

'Hwnna'n iawn,' meddai ei gyfaill gan ei nodi yn ei ddyddiadur efo pensil. 'A pha ddyddiad ydw i'n ei gael yn ôl?'

Byseddodd Silyn drwy ei lyfr bach. 'Dwi'n iawn ar gyfer y cyfarfod ddechrau Hydref ym Mhenygroes, ond ro'n i'n bwriadu cynnal un yn Nhalysarn yr wythnos ganlynol... nos Fawrth y deuddegfed?'

'Noson Seiat – amhosibl.'

'Nos Fercher?'

'Mae 'na gyngerdd yn Hyfrydle... nos Iau?' gofynnodd David.

'Y pedwerydd ar ddeg. I'r dim. Oes thema benodol?'

'Cadwa fo'n gyffredinol, dwi'n meddwl. Mater o'u hargyhoeddi fod angen plaid newydd yn lle'r Rhyddfrydwyr ydi o fwya.'

'Chwarae teg, dim ond llynedd y dois i fy hun yn aelod o'r Blaid Lafur,' meddai Silyn.

'Y ffaith ein bod yn dod â'r genadwri iddynt yn Gymraeg ydi'r peth mawr, Silyn. Maen nhw'n edrych arnom fel petha estron.'

'Ddaru Tom Platt ddim helpu'r ddadl honno yng Ngh'narfon, naddo? Doedd tri chwarter y gynulleidfa ddim yn deall Saesneg.'

'Digon gwir, Silyn. Ond yn araf bach, mi ddown ni â nhw drosodd.'

'Cael yr hogia ifanc sy'n bwysig. Mae R.T. Jones ganddon ni yn is-Gadeirydd cangen yr ILP yn y Blaenau, a gan ei fod yn gynrychiolydd Undeb y Chwarelwyr, mae o'n asiant tan gamp.'

Caeodd Silyn ei ddyddiadur.

'Dyna ni 'ta, "ymlaen yr elom". Randros, edrych ar yr amser – bydd raid i mi frasgamu am y trên. Da bo ti, gyfaill.'

'Mary'n iawn – a Glynn a Meilir?'

'Maen nhw'n llenwi'r tŷ! Hwyl!' Ac i ffwrdd â Silyn â'i wynt yn ei ddwrn.

Edrychodd David Thomas arno'n mynd. Roedd o'n weinidog pur anghonfensiynol, ac mor gynhyrchiol... a gwraig a dau o blant ganddo, yn teithio'n helaeth, ac yn mynd dramor yn aml. Lle yn y byd gâi o'r amser i wneud cymaint? Roedd o'n siaradwr poblogaidd, yn feirniad cenedlaethol, a bron â bod yn sgwennwr amser llawn i'r *Glorian*. Gŵr rhyfeddol, yn wir, a'r anwylaf o blant dynion.

Pennod 23

Y Betws, 2 Prince's Road, Bangor, 1954

Cododd David Thomas o'i gadair a sythu ei gefn. Doedd bod yn ei gwman dros yr holl bapurau ddim yn lles iddo o gwbl. Dyna'r drwg efo heneiddio, roedd rhywun yn casglu gwahanol boenau wrth i fywyd fynd rhagddo. Byddai wedi byw dri chwarter canrif erbyn y flwyddyn nesaf. Roedd heneiddio yn syniad hurt bost.

Edrychodd ar fwrdd y stydi. Byddai'n rhaid iddo gael trefn ar y papurau. Roedd rhyw lun ar drefn, ond roedd peryg i bethau fynd allan o reolaeth. Teimlai fel ci defaid yn ceisio cael y cyfan i ryw ffurf ar gorlan. Drwy ffenest ei stydi gallai weld myfyrwyr yn mynd a dod ar hyd Ffordd y Coleg. I'r chwith, bron gyferbyn ag o, roedd Rhoslas, cartref cyntaf Silyn a Mary. Cofiai hwy'n cyrraedd, cofiai'r hapusrwydd o glywed pwy oedd y teulu newydd oedd yn symud i'r stryd... erbyn hynny roedd Silyn ac yntau wedi colli cysylltiad, braidd, ond fe'i hunwyd drachefn. Roedd Glynn a Meilir wedi gadael cartref, ond dim ond tua deg oed oedd Rhiannon. Daeth hi'n ffrindiau efo Ffion a daeth Bet a Mary yn gyfeillion da. Pum mlynedd barodd y dedwyddwch. Bu farw Silyn, a rhyw ddwy flynedd wedyn cymerwyd Bet i'r ysbyty. Roedd ei fywyd ef, ac un Mary, wedi eu chwalu'n yfflon, yn ogystal â bywydau eu plant.

Daeth Mary Silyn ar hyd y stryd a chwifio'i llaw arno, ac aeth David Thomas i agor y drws iddi. Arweiniodd hi i'r stydi a chafodd hi, hyd yn oed, sioc o weld yr olwg ar y ddesg.

'Bobl bach, rydach chi'n boddi dan bapurau.'

'Dyna dwi wrthi yn ei wneud – rhoi trefn arnynt.'

'A dyma finna'n dod i darfu arnoch.'

'Ddim o gwbl, fi ofynnodd i chi ddod. Ydi'n oer yma, deudwch? Dydw i ddim wedi bod allan heddiw. Ges i alwad gan Arial ddoe, ac mae'n dweud ei fod am wrthod talu'r drwydded radio. Mae 'na ymgyrch "Glewion y Radio" i drio cael rhagor o oriau Cymraeg ar y gwasanaeth.'

'Tewch â sôn. Dwi'n cofio sgwennu llythyr cas iawn at y Gorfforaeth ddechrau'r Rhyfel yn cwyno am y diffyg parch roedd Cymru a'r Gymraeg yn ei gael – dros bymtheng mlynedd yn ôl – a dydi pethau ddim wedi symud ymlaen ddim. Nid dyna oeddech chi eisiau ei drafod, naci?'

Gwenodd yntau. Syth at y pwynt, dyna natur Mrs Silyn.

'Eisiau eich holi am gyfnod Tanygrisiau ro'n i – ar gyfer y cofiant...'

'Fanno ydach chi wedi'i gyrraedd? Ddowch chi byth i ben.'

'Naci – dwi wedi llunio drafft bras, ei sgwennu'n fanwl ydw i rŵan. Steddwch, da chi... symudwch y papurau 'na... Ia, rywle wnaiff y tro.'

Eisteddodd Mary yn yr unig gadair esmwyth yn y stafell, a cheisio cynhesu ei dwylo o flaen y tân trydan. Ew, roedd stydi'r Betws yn lle digysur.

'Wrthi'n mynd ar ôl hanes Coleg Harlech oeddwn i. Mi fu'n dipyn o ymdrech...'

'Do, dach chi'n deud y gwir. Ond breuddwyd oedd hi, 'te? Delfryd...'

Syllodd Mary Silyn o'i blaen fel tase hi'n bell i ffwrdd, a rhoddodd David Thomas amser iddi hel ei meddyliau. Ond doedd dim byd yn dod.

'Mrs Silyn?'

Roedd hi fel petai'n deffro o berlewyg.

'Sori, mi gollais drac o bethau. Am beth roedden ni'n sôn?'

'Sefydlu Coleg Harlech.. dwi'n trio meddwl o ble y tarddodd y syniad. Siŵr bod Denmarc wedi bod yn ysbrydoliaeth...'

'Do, do, o fanno tarddodd y syniad yn ddiau. Mae'r Daniaid wedi ei deall hi.'

'Do..'

'Roedd mynd i Ddenmarc fel mynd adre i mi... I fanno ro'n i'n mynd i adnewyddu f'ysbryd. Ac i ddianc, mae'n siŵr, oddi wrth pa bynnag broblemau oedd yng Nghymru...'

'Felly sut cododd y syniad o gael y Wern Fawr yn Harlech?'

'Nid hwnnw oedd y lle cyntaf. Drion ni gael Plas Tan y Bwlch, ond roedd 'na ryw drafferthion efo fanno, tydw i ddim yn cofio beth...'

Unwaith eto collodd drywydd y sgwrs, a bu'n syllu o'i blaen. Oedd hi'n cael trafferth cofio, tybed, dyfalodd ei chyfaill.

'Hitiwch befo, soniwch am Wern Fawr 'ta...'

'Fanno oedd cartref y dyn rhyfedd 'na. Beth oedd ei enw fo? Y creadur Kodak hwnnw...'

'George Davison.'

'Hwnnw. Dyn rhyfedd, ond mi ddaeth yn ffrindiau mawr efo ni. Anarchydd oedd o... a thŷ rhyfeddol o grand. Mi fyddai mynd i Wern Fawr fel mynd i fyd arall...'

'Dwi'n siŵr. Ond sut cafwyd o yn Goleg?'

'Thomas Jones, 'te?'

Thomas Jones, meddyliodd David Thomas. Hwnnw oedd yr ateb gymaint o weithiau. Mewn cymaint o feysydd, roedd ôl ei law o i'w gweld ar bethau.

'Ond fasa gan Thomas Jones 'mo'r modd...'

Ochneidiodd Mary, a chau ei llygaid. Doedd hi'n amlwg ddim yn iawn.

'Gadael ddaru George Davison, a mynd i fyw i dde Ffrainc neu rywle... Thomas Jones berswadiodd ffrind iddo fo i brynu'r lle, tydw i ddim yn cofio'r manylion rŵan.'

'Ond mi ddaru chi a Silyn eich siâr o waith yn ei berswadio...'

'Wn i ddim. Doedd dim angen fawr o berswâd ar Thomas Jones. Cadw'r glo ar y tân ddaru Silyn a mi, cadw'r freuddwyd yn fyw.'

'A chi siaradodd yn y cyfarfod agoriadol, 'te?'

'Ia. Yr unig ferch ar y llwyfan.'

'Mrs Silyn, ydach chi'n teimlo'n iawn?' gofynnodd David Thomas ymhen hir a hwyr.

'Ddrwg gen i nad ydw i'n llawer o help i chi heddiw.'

'Be sy'n bod?'

'Teimlo'n benysgafn ydw i... a dipyn yn swrth.'

'Fasach chi'n lecio i mi nôl dipyn o ddŵr i chi?'

'Diolch.'

Cododd David Thomas a mynd i'r gegin i mofyn y dŵr. Doedd ganddo 'mo'r syniad lleiaf beth i'w wneud. Roedd yn gas ganddo sefyllfaoedd fel hyn.

Ymhen dipyn, wrth weld Mrs Silyn yn dod ati'i hun, meddyliodd y byddai'n galw yng nghartref Muriel a gofyn iddi fyddai hi'n fodlon mynd â Mary adref. Muriel fyddai'n 'morol am brydau iddi, ac mi fyddai hi'n gwybod beth i'w wneud. Teimlai'n euog ei fod wedi ei holi cyhyd.

Daeth Muriel i nôl Mary a mynd â hi i'w chartref ei hun. Galwyd y meddyg, ond doedd dim byd mawr yn bod heblaw henaint. Henaint oedd yr ateb i bopeth y dyddiau hyn. Wedi iddi gael wythnos o orffwys adferwyd ei hysbryd, a daeth draw i'r Betws i brofi hynny i'w chyfaill.

'Dwi'n falch o ddeud 'mod i'n ôl ar dir y byw, Dafydd Thomas.'

'Dwi'n falch o glywed.'

'Ddim hanner mor falch â mi,' cyfaddefodd Mary.

'Gawsoch chi rywbeth gan y doctor?'

'Cerydd – a rhybudd i wneud llai! Siŵr eich bod chi'n cael digon o'r rheiny!'

'Ydw,' meddai David Thomas, yn swil. Roedd o'n casáu trafod ei iechyd.

'Ac yn eu hanwybyddu nhw i gyd, fel fi! Be maen nhw'n ddisgwyl inni ei wneud efo'n hamser? Eistedd fel delwau yn gwneud dim?' Chwarddodd yn harti.

Gwenodd David Thomas. Roedd o wrth ei fodd efo chwerthiniad Mary Silyn. Roedd hi'n chwerthin o'r galon, yn mynegi hapusrwydd dwfn o'i mewn. Doedd dim yn trechu ei hysbryd ac roedd yn donig bod yn ei chwmni. Hyd yn oed a hithau'n tynnu at ei phedwar ugain, roedd hi'n atyniadol. Doedd ryfedd i Silyn ffoli arni.

'Felly be fedra i ei gyfrannu heddiw, ar ôl i mi wneud

smonach go iawn o bethau y tro dwytha? Rydach chi wedi gorffen cyfnod Tanygrisiau bellach, ydach? Ydach chi wedi cael hanes taith Merica – yr ail un?'

Crychodd talcen David Thomas. 'Nes mynd drwy'r papurau, wyddwn i ddim fod dwy daith... Un 1903 rydw i wedi ei chofnodi, ac wedyn dyma ddod ar draws papurau 1912...'

'Wrth i bethau fynd ar i lawr yn Nhanygrisiau roedd hi'n fain arnon ni, a doedd gennyn ni ddim pres. Dyna pryd daeth syniad y Gronfa Dicáu...'

'Syniad David Davies Llandinam oedd hwnnw?'

'Ia, ia... daeth Silyn i gysylltiad efo David Davies, trwy Thomas Jones, o bosib.'

Cofiai David Thomas y Gronfa yn iawn. Roedd rhywbeth ymarferol iawn ynglŷn â David Davies. Cronfa Goffa Edward VII oedd hi, ond manteisiwyd ar y cyfle i godi arian i gael gwared o'r dicáu, oedd yn gymaint o felltith ar y pryd. Cyfrannodd y miliwnydd swm o ryw gan mil o bunnau at y Gronfa, a'r gobaith oedd dyblu'r swm.

'Beth oedd cysylltiad Tom Jones efo'r Gronfa?'

'Wel, fo oedd Trefnydd y cyfan!' meddai Mary, 'a'r Ysgrifennydd. Mi ddaeth o Brifysgol Belfast a chael ei gyflogi gan David Davies i wneud y gwaith.'

Ysgrifennodd David Thomas yn brysur yn ei lyfr nodiadau. 'A sut daeth Silyn yn rhan o'r stori?'

'Dwi'n rhyw amau mai yn Wern Fawr y daeth Silyn ar draws y ddau – Tom Jones a David Davies. Roedd Silyn wedi cymryd diddordeb yn y Gronfa ac wedi sgwennu amdani yn *Y Glorian*. Peth nesaf, roeddent wedi gofyn iddo sgwennu taflen i'r Gronfa – "Y Gwir am y Ddarfodedigaeth". Mae gen i gopi ohoni yn rhywle. Roeddent yn brysur, chwarae teg, yn cynnal cyfarfodydd ym mhob cwr o Gymru i ledaenu gwybodaeth am y salwch. Wyddech chi na allai Thomas Jones yrru car? Roedd o'n cael *chauffeur* i bob man – "Chief" roedden nhw'n ei alw...'

'Y disgrifiad gorau glywais i o Tom Jones oedd "cyfuniad o Robin Hood a Friar Tuck"!'

Chwarddodd Mary. 'Dyna daro'r hoelen ar ei phen! Coblyn o gymeriad oedd o, ac yn lecio pobl. Ond yn hynod, hynod ddylanwadol – mi fydda fo fel wenci yn canfod ei ffordd i ddylanwadu ar bobl mewn grym. Ffrind mawr i chwiorydd David Davies, wrth gwrs... ac i feddwl fod ei ferch o bellach yn aelod seneddol!'

Eirene... ia, hi oedd y babi y clywodd amdani gan pan gyfarfu â Thomas Jones am y tro cyntaf, meddyliodd David.

'Well inni fynd ar ôl hanes Merica...' Dyna'r drwg efo Mrs Silyn weithiau, roedd rhywun yn dilyn sgwarnog. Sgwarnogod difyr iawn, ond bod gormod ohonynt...

'Merica... Ia. Dwi'n meddwl mai syniad Llandinam oedd hwnnw. Roedd o eisiau i Silyn fynd draw i Merica efo Côr y Moelwyn i godi arian. Hanner cyfle oedd Silyn ei eisiau, 'te, ac mewn wythnos, roedd yn dal y llong.'

'A Mary druan yn cael ei gadael ar ôl.'

'Roedd Glynn yn chwech a Meilir yn bedair. Byddai'n amhosib i mi fod wedi mynd. Ac roedd y daith hon yn un chwe mis. Ond doedd yr ymdrech ddim yn llwyddiant.'

'Rhyfedd hefyd. Mae Mericanwyr wrth eu bodd efo Corau Meibion.'

'Doedd dim byd yn bod ar y côr. Y trefniadau oedd yn anobeithiol. Doedd y cyngherddau ddim wedi cael eu hysbysebu'n ddigon da. Llanast go iawn. Felly mi ddaeth y côr adref, ac mi arhosodd Silyn. Fuo fo'n mynd o gwmpas yn darlithio am TB, a rhyw denor ifanc yn mynd o gwmpas efo fo... rhoswch chi... Evan Lewis oedd ei enw.'

'Aethon nhw i bob man, do?'

'Do – mae'r rhestr gennych chi. Canada yn gyntaf, wedyn Ontario... Chicago... Wisconsin...'

'Mi ddaru Silyn fwynhau'r daith, dwi'n cymryd?'

'Mi wnaeth les i'w iechyd, ac roedd David Davies yn talu ei gyflog felly roedd hynny'n tynnu'r pwysau oddi ar Bethel – ac mi gafodd Silyn ganpunt ychwanegol ganddo ar ddiwedd y daith.'

'Unrhyw straeon difyr am y daith y gallaf sôn amdanynt, Mrs Silyn?'

Gwenodd hithau. 'Rhaid i chi adrodd yr un am Silyn yn pregethu mewn rhyw gapel sinc yng nghanol nunlle, tua anialwch Nebraska ffordd'na. Dyna lle roedd Silyn wrthi'n pregethu, a'r cwbl oedd yno i oleuo'r tywyllwch oedd dwy gannwyll o boptu'r pulpud bach. Yn sydyn, dyma glywed sŵn carnau ceffyl... pwy yn y byd fyddai'n cyrraedd ar ganol pregeth?'

Gwrandawai David Thomas yn astud, wedi'i ddal yn ei gwe.

'Cyn i neb allu gwneud dim, agorodd y drws, daeth chwa o wynt i mewn a diffoddwyd y canhwyllau...' Gostyngodd Mary ei llais. 'Yn y tywyllwch, roedd pawb yn eistedd yn eu seddau fel delwau, a'r peth nesaf, taniwyd gwn – yn y capel bach! Roedd rhywun yn ddigon dewr i aildanio'r canhwyllau, a throdd pawb i edrych beth neu bwy oedd yno. A be welsant ond cowboi yn sefyll yng nghanol y capel â dau wn, un ym mhob llaw – ac roedd o'n eu hanelu at Silyn!'

'Bobl bach!'

'Mi lewygodd un wraig. Ond wyddoch chi be ddeudodd y cowboi? "Tawn i byth – Robat Brynllidiart! Ti'n fy nghofio i?" '

'Pwy oedd o?'

'Richard Roberts o Gaeronwy, ochra Mynydd Mawr. Hogyn ysgol oedd o pan oedd Silyn yn ei gofio, ddaru fudo i Merica yn ddeunaw oed...'

'Pwy ddywedodd y stori honno wrthoch chi?'

'Silyn ei hun – ma' hi yn un o'r llythyrau, cyn wired â'r dydd.'

'Dwi'n meddwl ei fod o'n tynnu'ch coes chi...' Ac eto, nodwedd o fywyd ei gyfaill oedd ei fod yn canfod ei hun yn y sefyllfaoedd mwyaf anhygoel. Roedd ei straeon byrion yn adlewyrchu hynny, a doedd dim pen draw ar ei ddychymyg.

'Mi oedd o'n cario refolfer efo fo i bob man yn Merica, 'chi.'

'Mi wn i,' meddai David Thomas. 'Roedd o'n ffansïo'i hun yn dipyn o gowboi.'

Daeth darlun clir i'w gof – gardd Afallon, yn fuan wedi i

Silyn ddychwelyd o America. Gwelodd y refolfer, a dechreuodd y ddau chwarae'n wirion, fo'n chwarae Rheinallt Tomos i Dwm Nansi Silyn. Roedd o rêl Buffalo Bill...

Ar ôl i Mrs Silyn fynd, bu David Thomas yn myfyrio ar yr holl hanesion. Yn sydyn, rhoddodd bwlb y lamp dinc ysgafn, a diffoddodd y golau. Go daria, byddai'n rhaid cael bwlb newydd. Ond o leiaf doedd neb yn tanio refolfer yn ei stafell! Roedd David Thomas yn casáu pethau bach yn mynd o chwith yn y tŷ – doedd o'n dda i ddim am eu trwsio. Un peth bach arall i'w ychwanegu at y rhestr. Yn ei oedran o, doedd o ddim yn mynd i fentro mynd i fyny ysgol, hyd yn oed pe gwyddai beth i'w wneud ar ôl ei dringo.

Pennod 24

Trodd Mary y dwrn yn dawel ac aros wrth y drws gwydr yn y cyntedd i sbecian er mwyn gweld a oedd y cyfarfod ar ben. Roedd wedi cael gadael Glynn a Meilir efo Gwennie er mwyn mynd i'r Festri. Gwelodd fod y dosbarth yng nghanol dadl danbaid, a chafodd ei chyfareddu wrth weld y taerineb ar eu hwynebau. Wrth eu gwylio, gwyddai Mary ei bod yn dyst i rywbeth hanesyddol. Dyma oedd gwireddu breuddwyd. Aeth dros flwyddyn heibio ers codi'r syniad o gael addysg prifysgol i chwarelwyr. Bu'r holl drafod efo'r Coleg ym Mangor i'w cael i dderbyn yr egwyddor, yna'r gwaith pellach gan Silyn o fynd i siarad ymysg y chwarelwyr. Cafwyd Undeb y Chwarelwyr o blaid, ac i gydsynio i gyfrannu'n ariannol, rhoddwyd y strwythur gweinyddol yn ei le, chwilio am ddarlithydd, casglu enwau i ffurfio dosbarth – a dyma fo bellach yn ffaith. Teimlai mor hapus. Yr athro oedd yn siarad yn awr, a chlustfeiniodd.

'Fyddech chi'n argymell hynny?' gofynnodd J.F. Rees. Dyn main oedd o efo sbectol fechan.

'Os na fyddai dim byd arall yn tycio!' atebodd y gŵr ifanc. Roedd sawl un arall yn porthi.

'Oes yna ffordd arall ar wahân i streic? Nid dadlau yn erbyn hynny ydw i rŵan, ond eisiau i chi ystyried y gwahanol opsiynau.'

'Ddaru streic fawr ddim i helpu chwarelwyr Bethesda, naddo?' meddai llais o'r cefn. 'Gorfod mynd yn ôl ddaru nhw yn y diwedd, a thair blynedd o ddioddefaint y tu cefn iddynt.'

'Unrhyw un arall – Arfon – chi yn y cefn, beth ydach chi yn feddwl?'

Bu distawrwydd am dipyn, a chliriodd Arfon ei wddf. 'Mae'r perchnogion a'r gwŷr cyfoethog yn cael eu ffordd yn y diwedd, tydyn, waeth faint o stŵr wna'r gweithwyr... yr unig ateb ydi cael gwared o'r cyfan a chael trefn gyfiawn yn ei lle.'

'Wel, ar y nodyn chwyldroadol hwnnw, mi rown ni derfyn ar y dosbarth yr wythnos yma... erbyn yr wythnos nesaf, mi garwn i chi ddarllen rhai penodau o *Y Werin a'i Theyrnas* gan David Thomas. Dwi am i chi ganolbwyntio ar yr adran "Goleuni yn y Tywyllwch".'

Wrth weld y dynion yn paratoi i adael, camodd Mary allan ac aros iddynt fynd heibio. Roeddent yn siarad bymtheg y dwsin, a dim ond un neu ddau a sylwodd arni hi. Tomos a Huw, brodyr Gwennie'r forwyn, ddaeth ati.

'Helô, Mrs Roberts...'

'Sut mae hi'n mynd?'

Un swil oedd Huw, yn tueddu i fyw yng nghysgod ei frawd. Ond roedd Tomos yn gymeriad a hanner.

'Da iawn. Mae'r drafodaeth wedi'r ddarlith yn gwneud sens o'r cwbl. Mae'n well os ydan ni'n anghytuno.'

'Mae dadlau yn hogi'r meddwl, Tomos.'

'Dwi'n cytuno,' meddai, 'mae anghytuno yn iach i'r meddwl!' datganodd, gan chwerthin yn harti.

Gresynai Mary nad oedd merched yn eu mysg. Roedd cael pump ar hugain i gynnal y dosbarth ar Economi wedi bod yn llwyddiant, ond dosbarth o ddynion oedd o. Roedd y Syffrajets yn gofyn am gael y bleidlais i ferched, ond petai modd galluogi merched i ddod i ddosbarthiadau, byddai'n gam ymlaen. Eto, pa ddisgwyl? Dim ond am fod Gwennie yn gwarchod yr oedd hi, Mary, wedi gallu picio i lawr. Roedd gan y rhan fwyaf o wragedd nythaid o blant i ofalu amdanynt, a dim gobaith o gael dianc o'u cyfrifoldebau.

Aeth draw i'r gegin, ac roedd rhai pobl ifanc yno.

'Mrs Roberts! Mae'n dda eich gweld chi,' meddai Beti. Hen hogan iawn oedd Beti, ac roedd hi'n ddarllenwraig dda. 'Wedi bod yn pori yn y Llyfrgell ydw i... dwi wrth fy modd efo'r llyfr *The Awakening* y sonioch chi amdano tro dwytha.'

'Mi geisiaf gael rhagor ohonynt. A dweud y gwir, byddai'n

syniad i ni gael casgliad Llyfrgell y Merched yma – llyfrau sydd ddim yn rhwydd i'w cael mewn llefydd eraill... llyfrgell danddaearol yn cuddio yn Festri Bethel!'

Gwenodd y merched, fel petaent yn rhan o gynllwyn mentrus.

'Ddyliet ti a Mair fod yn meddwl am ddod yn rhan o'r dosbarth nos,' meddai Mary, yn difrifoli.

'Fi? Ond dynion ydyn nhw i gyd! Ac maen nhw'n hŷn na mi.'

'Ond tase dwy ohonoch yn mynd, mi fyddai mwy o ferched yn dilyn. Cael y rhai cyntaf sy'n anodd...'

'Ond be wn i am Economeg?'

'Dim mwy na nhw – dyna pam ydach chi'n mynd i'r dosbarth!'

'Fedrwn i byth 'i wneud o, a faswn i ddim yn teimlo yn gyfforddus beth bynnag... ac mi awn drwy'r llawr tase'r athro yn gofyn rhywbeth i mi.'

'Beti, ti'n alluog. Beth am inni ei drafod yn y dosbarth ysgol Sul 'ta?'

Nodiodd Beti ei phen. 'Mae hynna'n swnio'n llawer brafiach. Dwi'n teimlo 'mod i'n gallu siarad efo chi, dach chi ddim yn chwilio am fylchau yn fy rhesymu.'

'Falle mai dyna wnawn ni – sefydlu rhwydwaith i ferched, a gweithio pethau allan ein hunain. Mi fydda fo'n hwyl!' Chwarddodd Mary yn ddireidus wrth droi am adref.

Cyrhaeddodd y tŷ, a dyna braf oedd bod Silyn yno o'i blaen. Roedd Gwennie wedi mynd adref, a'r plant yn eu gwlâu. Trodd Mary ati i wneud eu paned hwyrol – roedd Silyn yn brysur yn sgwennu. Aeth at ei ddesg.

'Dal i sgwennu?'

'Adolygiad i'r *Glorian* ydi o – dwi bron â'i orffen. A dwi wedi cael syniad arall hefyd!'

Roedd yn hen bryd iddo stopio cael syniadau a sylweddoli mai bod meidrol oedd o. 'Randros, nawr bod ganddynt ddau o blant, a gofal eglwys, a chant a mil o gyfrifoldebau eraill, lle oedd y cyfan am ddod i ben?

'Silyn, fydda i'n mynd ar streic os cei di fwy o syniadau.'

'Na fydd, Mary, fyddi di'n lecio hwn.' Edrychodd yn ddireidus arni.

'Deud y syniad, Silyn,' meddai'n gadarn.

'Dwi'n lecio pan ti'n edrych fel'na arna i! Meri Berig...'

'Deud be ydi'r syniad!'

'Dwi eisiau trefnu cyfres o gyfarfodydd gwleidyddol, gan gychwyn efo Keir Hardie – mae ganddo fo gyfarfod yn G'narfon, a dwi am ofyn iddo ddod i Blaenau.'

Trodd Mary ato efo gwên. 'Silyn Roberts – mae hwnna'n syniad ysbrydoledig. Mi fyddwn i wrth fy modd yn ei gyfarfod...'

'Fydda hi'n iawn i mi gynnig iddo gael aros yma dros nos? Byddai'n arbed costau.'

'Wrth gwrs, byddai'n noson ddifyr. Lle rhown ni o? Fydd o ddim eisiau cysgu yn yr un stafell â phlant...'

'A chaiff o fawr o gwsg os ydi Meilir mor swnllyd ag arfer...' ychwanegodd Silyn. 'Anghofiais ein bod wrthi'n peintio'r stafell gefn. Well cael rhywun draw i orffen y gwaith...'

'Wel, ydi, os ydyn ni am letya radicaliaid! Ac mae gen innau syniad am gyfarfod arall posibl. Pryd mae'r cyfarfod yn Harlech am Adroddiad y Lleiafrif?'

'Mis Awst... pam?'

'Mi fydd George Lansbury a Thomas Jones yno?'

'Byddan,' atebodd Silyn.

'Rhyw ddeuddeng milltir i ffwrdd ydi Harlech. Pam na drefnwn ni gwarfod yma yn y Blaenau gyda'r nos, a chael y ddau yna i annerch?'

Nodiodd Silyn. 'Ond yn Saesneg y basan nhw'n annerch...'

'Dwi'n siŵr y daw Dafydd Thomas i lawr, a rhyngddo fo yn annerch yn Gymraeg a thithau'n cadeirio, fydd o'n goblyn o gyfarfod da.'

Estynnodd Silyn ati, a'i chusanu. 'Ew, mi wyt ti'n gyd-weithiwr da, Mary.'

Cododd Mary i glirio'r bwrdd, a chofiodd y stori roedd hi eisiau ei hadrodd.

'Glywais i un dda heddiw, Silyn. Esther, gwraig Moi Twm, oedd yn deud wrtha i am rywun oedd wedi bod yn trafod dy bregeth. Fuost ti'n pregethu am Jona y Sul dwytha, do, ac yn deud mai alegori oedd y stori...'

'Paid â deud 'mod i wedi tynnu nyth cacwn i 'mhen.'

'Naddo, naddo. Wedi mynd yn ddadl oedd hi rhwng dau, a dyma un yn deud, "Waeth gen i, os ydi Mr Roberts yn deud mai aligator oedd y morfil, mi creda i o".'

Parodd hyn i Silyn chwerthin yn harti. 'Mae honna'n un dda, mi fydd yn rhaid i mi ei chofio. Da iawn... gen i syniad go lew pwy fydda'r creadur hefyd.'

Mwya sydyn, clywodd Mary sŵn Meilir yn crio, ac aeth i fyny ato.

Pennod 25

Ar y ffordd i Fynytho, 1935

Doedd R. Williams Parry ddim yn rhy hoff o yrru, ond ni fyddai wedi colli'r noson hon am bensiwn.

'Dwi'n ddiolchgar iawn i chi am feddwl amdanaf.'

'Raid i chi ddim o gwbl, Mary. Fel deudais i, ro'n i'n mynd p'run bynnag. Beth ydi'r pwynt cael car os na fedrwch chi ei rannu?'

'Newydd gael car mae John Davies yn y Sowth... wel, y WEA pia'r car, ac mae o at ei wasanaeth fel Trefnydd.'

'Mi fydd yn haws o dipyn iddo,' meddai R. Williams Parry. 'Dwi'n ei gofio'n deud y gallai gymryd tridiau iddo weithiau os oedd o'n ymweld â changen yn Sir Aberteifi.'

'Ddim yn lecio cael ei ystyried yn fonheddwr mae o, am ei fod yn gyrru car.'

'Does 'na'm lot o beryg o hynny, dwi'm yn meddwl... o nabod John.'

'Ddeudodd o wrtha i fod dynion wedi pledu'r car efo cerrig yn Nowlais...'

Arwydd o'r amserau, meddyliodd Williams Parry. Roedd diweithdra'n rhemp yn mhobman, ond yn arbennig yn y Cymoedd.

'Dwi'm yn credu byddan nhw'n gwneud hynny inni ym Mhen Llŷn, Mary. Ond un peth am gael car, mae'n gas gen i yrru yn y nos, fel y gwyddoch.'

Roedd Mary wedi gwneud cais i gael ei ddosbarthiadau yn nes at ei gartref, i arbed iddo orfod teithio mor bell.

'Ond dydi ddim ots gennych chi *gerdded* yn y nos...'

'Na, mae hynny'n wahanol – dydach chi ddim yn mynd ar y fath gyflymder! Yn hytrach, dach chi'n teimlo'n un â'r greadigaeth. Mi fyddai Silyn yn gwirioni ar gerdded yn y nos, bydda?'

Dyna un peth oedd yn braf am fod yng nghwmni Williams Parry – roedd o'n un o'r bobl brin hynny na fyddai ganddo ofn crybwyll Silyn yn y sgwrs.

'Mi daroch chi'r hoelen ar ei phen yn eich cerdd: "Tithau, a garai grwydro'r rhos Pan losgai'r nos ei lleuad"...'

'Ia, mi ddaeth y gwpled honno i mi yn gwbl naturiol. Rhyfedd...'

'Ydach chi'n dal ar eich streic farddol, Bob?'

'Dydi hi ddim yn anodd bod ar streic yr amser yma – does 'na fawr i gynhyrfu'r awen.'

Roedd Williams Parry wedi gwrthod cyhoeddi unrhyw farddoniaeth ers tua dwy flynedd oherwydd y ffordd y câi ei drin gan Brifysgol Bangor, ond yn nhyb Mary roedd y peth wedi mynd ar ei feddwl o braidd.

'Dyna pam mae'n llawer gwell gen i gwmni'r dosbarthiadau nos,' meddai Bob. 'Rhain ydi fy nghwmni naturiol – lot llai o drafferth efo nhw na rhyw academyddion sy'n meddwl eu hunain.'

'Rydach chi'n treulio digon o'ch amser yn eu cwmni nhw,' atebodd Mary. 'Mae rhai ohonyn nhw'n ffrindiau gorau i chi: W.J. Gruffydd a Saunders Lewis, i enwi dim ond dau.'

Coblyn o un am dynnu'n groes oedd Mrs Silyn weithiau, meddyliodd Bob.

'Pobl yr Awen ydi'r rheiny... pobl sy'n deall be 'di be. Fydda i'n lecio'u cael i aros noson. Cwmni pobl felly sy'n fy nghadw rhag i mi fynd o'm co'.'

'Ydach chi'n gyfarwydd â'r *Eurgrawn*, Bob?'

'Misolyn y Wesleaid? Na, fedra i ddim dweud fy mod i. Pam?'

'Wedi cael llythyr gan Tecwyn Evans ydw i – eisiau erthygl am f'atgofion o Daniel Owen.'

'Oes gennych chi rai? Fyddwn i wedi meddwl eich bod yn rhy ifanc.'

'Dyna oedd Dafydd Thomas yn ei ddeud. Ddychrynodd o 'mod i'n ei gofio. Fo soniodd wrth Tegla, ac wedyn mi glywodd

Golygydd *Yr Eurgrawn*... Cof plentyn sydd gen i, yn naturiol. Ac eto, ma' raid 'mod i'n bymtheg os nad yn ddeunaw pan fuo fo farw. Hen ŵr oedd o bryd hynny. Wel, roedd o'n ymddangos yn hen i mi. Ond dwi'n cofio *Enoc Huws* yn cael ei gyhoeddi, a *Gwen Tomos*, ac mi darllenais nhw'n awchus...'

'Ond rydach yn deud eich bod yn cofio Daniel Owen ei hun?' Roedd Williams Parry yn rhyfeddu weithiau at y pethau fyddai Mary yn eu dweud.

'Ydw. Roedd Nain a Taid yn byw yn yr Wyddgrug – dyna oedd y cysylltiad... rhieni 'Nhad felly. Ac mi fyddwn yn mynd i aros atynt. A dwi'n cofio mynd i'r Dreflan a Mam yn dweud wrtha i pwy oedd Daniel Owen. Roedd o'n ddyn clên a roddodd o geiniog i mi.'

Gwenodd Williams Parry. 'Nid llawer o bobl all ddweud hynny.'

'Na, m'wn. Lle rydan ni rŵan, deudwch?'

'Yn dod am Lanaelhaearn. Tydach chi ddim wedi bod yn Nenmarc ers tro, Mary...'

'Naddo, ond rydw i am gael ymweliad gan Henni Forchammer yn fuan, chwarae teg iddi. Mae hi am ddod i Fangor, ac efo mi y bydd hi'n aros.'

'Rydach chi wedi cadw cysylltiad â hi? Tydach chi'n un dda? Wn i ddim lle cewch chi'r amser, na wn i. Ydach chi'n cofio chi'n mynnu 'mod i'n gwneud cerdd i Frøken Iohanne? – chi berswadiodd fi i wneud pan oeddem yn y Barri.'

'Ia, bydd gen i hiraeth am gwmnïaeth y Barri yn aml. Roedd o'n gyfnod da, toedd?'

'Oedd – y Rhyfel falodd hwnnw'n ufflon.'

Cofiodd Mary fel roedd Bob wedi cael ei fartsio i'r Fyddin o'r Barri. A rŵan, dyma sôn am ryfel arall yn y gwynt.

Ymhen dipyn, gadawsant oleuadau Pwllheli, ac roeddent mewn tywyllwch dudew.

'Wyddoch chi lle ydan ni, Bob?'

'Dwi'n gobeithio 'mod i... fyddwn ni ddim yn hir rŵan. Os awn ni dros y dibyn, mi fyddwn yn gwybod ein bod wedi mynd ffordd rong!' Chwarddodd yn harti.

Un da oedd Bob, meddyliodd Mary. Un da oedd Caradog Jones hefyd, Trefnydd y WEA yn Llŷn, peiriant o ddyn.

'Chwarae teg i Caradog am drefnu'r cyfarfod 'ma, 'te?'

'Ia,' cytunodd Bob. 'Mae'n dyled yn fawr i Caradog. Mae o wedi edrych ar fy ôl ym Mynytho... pawb yn meddwl y byd ohono.'

'A threfnydd heb ei ail.'

'Yn wir. Rydach wedi clywed am ei syniad diweddaraf... mae o eisiau cylchgrawn Cymraeg. Does ganddo ddim lot i'w ddweud wrth yr *Highway*.'

'Wyddoch chi beth, Bob? Mae hwnna'n syniad rhagorol.'

'Rêl Caradog. Ond mwya'n y byd dwi'n meddwl amdano, mwya dwi'n ei lecio. Dwi'n gwybod bod gennym wasg Gymreig ddigon bywiog, ond mae rhywbeth i'w ddweud dros gylchgrawn... neu gylchlythyr i gydio canghennau.'

'Ac mi fydde rhywbeth felly gymaint difyrrach na'r hen adroddiadau diflas 'na dwi'n eu sgwennu...' Teimlai Mary weithiau fod rhan helaeth o'i bywyd yn mynd i sgwennu cofnodion a chyhoeddi adroddiadau. 'Mi gaf air efo Caradog, i gael gwybod ei blania fo.'

''Mond syniad ydi o ar hyn o bryd.'

'Dydi syniadau Caradog ddim yn aros yn syniadau yn hir...' meddai Mary gan wenu.

'Digon gwir. Synnwn i ddim ei fod o'n un o'r rhai tu ôl i godi'r neuadd 'ma. Mae o mor falch fod y gwaith wedi ei orffen. Mi fydd yn gymaint o gaffaeliad i'r ardal.'

'Felly roeddan ninnau'n teimlo pan godon ni Festri yn Nhanygrisiau. Dim ond i rywun gael gofod fel hyn, ac mae cymaint o bethau'n bosibl. Rhagor o lefydd cyhoeddus ydan ni eu hangen – yn llyfrgelloedd a neuaddau... mi ddaw pobl wedyn, ac mae'n bosibl eu rhoi ar ben ffordd, i ddarllen, a holi a thrafod... i hogi'r meddwl a gwneud iddynt gwestiynu pethau.'

'Yn hollol. Roedd y penderfyniad i godi Neuaddau Coffa wedi'r Rhyfel yn benderfyniad da – un o'r chydig bethau da i ddod o'r drin.'

'Toedd dim rhaid cael rhyfel i godi neuaddau pentref...'

'Dyma ni,' meddai Williams Parry gan barcio'r car. 'Mae 'na dyrfa go lew ar eu ffordd i mewn, da iawn.'

Bu'n gyfarfod da. Caradog Jones oedd yn llywyddu, a chafwyd anerchiad penigamp gan T.H. Parry Williams ar y testun 'Lle'. Nododd Caradog Jones eu bod yn falch iawn fod Mary Silyn wedi gallu bod yn bresennol, ac aeth yn ei flaen.

'Mae yna un enw nad ydw i wedi ei grybwyll hyd yma,' meddai, 'enw un sydd wedi ein gwasanaethu yn ffyddlon yma ym Mynytho ers dros flwyddyn. Dydi Bethesda ddim yn agos iawn atom, ond bob nos Fercher yn ddi-ffael, mae R. Williams Parry wedi dod yma i gynnal ei ddosbarth. Mae gennym feddwl y byd ohonoch, Mr Williams Parry: fyddech chi'n fodlon dod ymlaen i ddweud gair wrthym ar yr achlysur hapus iawn yma? Mr Williams Parry?'

Edrychodd y Llywydd yn sydyn ar hyd y rhes flaen, ond ni allai weld y bardd o gwbl. Gwelodd wynebau yn troi i'r cefn, ac yn sydyn fe'i gwelodd – reit yn y cefn, a llygaid gofidus yn edrych arno drwy ei sbectol. Yn gyndyn, cododd y bardd a gwneud ei ffordd i'r tu blaen.

'Barchus Lywydd,' dechreuodd, a phesychu. 'Diolch am eich geiriau caredig... mae'r dorf sydd o'm blaen heno yn dipyn mwy na'r un gaf i fel rheol yn Mynytho...'

Chwarddodd y gynulleidfa yn rhadlon braf.

'... ac ar nos Fercher rydw i wedi paratoi yn llawer gwell.' Gwenodd. 'Heno dydw i ddim wedi paratoi, a does gen i ddim i'w ychwanegu at y wledd arbennig ddarparwyd ar ein cyfer. Dwi'n ddyledus iawn i chi. Ond tra o'n i'n gwrando, mi rois i englyn bach at ei gilydd, a dim ond hwn sydd gen i i'w rannu â chi...'

Estynnodd ddarn o bapur o'i boced, ac fe'i agorodd yn hamddenol. Sythodd ei sbectol a darllenodd englyn fyddai'n cael ei ddyfynnu filgwaith ymhen blynyddoedd i ddod.

'Adeiladwyd gan Dlodi, – nid cerrig
　　Ond cariad yw'r meini;
Cydernes yw'r coed arni,
　　Cyd-ddyheu a'i cododd hi.

Diolch yn fawr i chi am eich ymdrechion rhagorol.'

Yn sŵn bonllef o gymeradwyaeth, plygodd y papur, ei roi yn ôl yn ei boced, a cherdded yn ôl i'w sedd. Rhoddodd y Llywydd y diolchiadau, ac roedd y cyfarfod ar ben. Wedi sgwrsio gyda sawl un, anelodd Williams Parry a Mary Silyn at y car.

'Noson lwyddiannus iawn, ddeudwn i,' meddai Mary.

Trodd Williams Parry y car i wynebu'r ffordd arall a chychwyn y daith hir tua Dyffryn Ogwen.

'Mi welwch rŵan pam rydw i mor ffond ohonynt,' meddai Bob, 'chaech chi ddim pobl gleniach yn unman...'

Cytunodd Mary, ond methodd atal ei hun rhag dweud y sylw roedd yn ysu am gael ei ddweud.

'Ac mi ddaru chi dorri eich streic farddol, dwi'n falch o nodi. Roedd yr englyn hwnnw gennych chi yn un campus. Beth oedd y cwpled olaf eto?'

Syllodd Williams Parry i'r tywyllwch o'i flaen. 'Sut oedd o'n mynd, deudwch... "Cydernes yw'r coed arni, Cyd-ddyheu a'i cododd hi".'

'Mi gofia i hynny. Mae o mor gryno a thwt. Ac mae'n wir am y WEA hefyd, cyd-ddyheu. Dyna'r union air. Dim ond inni fod eisiau rhywbeth ddigon, ac fe allwn ei wireddu. Da iawn, iawn. Diolch i chi, Bob.'

Mewn tawelwch y gwnaed gweddill y siwrnai, gan fyfyrio ar yr hyn ddywedwyd ac a drafodwyd yn Neuadd Mynytho.

Pennod 26

Cwmorthin, 1911

Cerddodd Silyn i fyny'r lôn tua Cwmorthin. Roedd hi'n fore delfrydol, ac roedd am gymryd mantais o hynny. Wrth iddo fynd draw tua'r cwm, galwodd heibio Cadwaladr Hughes, aelod yng Nghapel y Gorlan, Cwmorthin. Doedd ei iechyd ddim wedi bod yn dda ers tro, ond cafodd groeso mawr ganddo.

'Dowch i mewn, Mr Roberts, mae'n dda eich gweld... dewcs, dach chi wedi'ch gwisgo'n wahanol...'

Fel rheol, roedd Mr Roberts y Gweinidog yn drwsiadus iawn o ran pryd a gwedd, er nad oedd yn rhy hoff o wisgo'i goler gron.

'Mynd i bysgota ydw i... ond doeddwn i ddim am fynd heibio eich tŷ heb alw.'

'Go dda rŵan. Wrth y llyn y carwn innau fod tase gen i iechyd tebyg i rywbeth... Mrs Roberts yn iawn, a'r hogia? Maen nhw'n prifio...'

'Glynn yn bump ac wedi cychwyn yn yr ysgol, a Meilir yn dair – llond eu crwyn, ac yn llawn direidi!' Chwarddodd Silyn. 'Mi fyddech wedi chwerthin efo Meilir y dydd o'r blaen. Roedden ni mewn stesion, a pheiriant siocled yno, a medda fo, "Dad, tasech chi yn hogyn bach fel fi, a tase gennych chi geiniog yn digwydd bod, fasach chi'n ei roi yn y peiriant yna?" Be fedra rhywun ei wneud, 'te?'

'Peth bach, druan. Mae o'n gyfnod braf, credwch fi. Hoffais eich stori chi yn *Y Glorian* yr wythnos dwytha, gyda llaw. Mae 'na edrych 'mlaen garw ati yn y tŷ yma...'

'A'r Dosbarth yn mynd yn iawn?'

'O ydi, Mr Roberts. Y Dosbarth ydi pinacl yr wythnos i mi. Gan nad ydw i'n gallu gweithio mae'r wythnos yn llusgo, ond mae cael troi am y Dosbarth ar nos Fawrth yn uchafbwynt... ac yn rhoi gwaith meddwl i ddyn, 'te? Mae rhywbeth doniol amdanom: dynion yn ein hoed a'n hamser wedi ein gwasgu i ddesgiau plant! Ond does neb yn cwyno. Mi fydd y drafodaeth yn tanio pynciau i gnoi cil arnynt, a dyna lle fydda i wedyn am weddill yr wythnos, yn pwyso a mesur... yn darllen... ac yn troi y peth yn fy mhen, 'nunion fel hen ddafad yn cnoi cil!' Chwarddodd Dwalad yn harti, ac yna dechreuodd dagu. Roedd yntau, fel cymaint o chwarelwyr, yn dioddef o lwch ar y frest.

'Be fu'r drafodaeth yr wythnos dwytha?'

'Dosbarthu anghenion oedden ni – yn Angenrheidiau, Cysuron a Moethau. O wneud hynny, mae'n haws wedyn 'studio cynilo a chyfalaf. Ac yn raddol bach, mi ddaw yn gliriach yn eich meddwl, nes ei fod o mor amlwg â haul y bore!'

'Ie,' meddai Silyn, 'mae 'na ddyfyniad dwi'n ei ddefnyddio'n reit aml: "There is an endless variety of wants, but there is a *limit* to each separate want".'

'Yn burion. Roedd Mr Rees yn deud eich bod wrthi yn sgwennu llyfr ar Economeg.'

'Ydw... 'blaw bod 'na ddiffyg amser, 'te? Pethau pwysicach i'w gwneud – megis 'sgota!' chwarddodd Silyn, gan edrych ar ei wialen.

' "An endless variety of wants"...' meddai Cadwaladr efo gwên lydan, yn gyndyn o adael i'w gyfaill fynd.

'Da bo chi, Dwalad... wela i chi yn yr oedfa bnawn Sul.'

'Oes 'na daith i fod yn fuan? Dydi o ddim 'run fath â chi i aros yn eich unfan am hir!'

Trodd Silyn ato. 'Dim am y tro. Dwi'n falch o gael bod adre yn eich mysg chi, a chael cyfle i 'sgota.'

'Chaech chi nunlle tlysach na Chwmorthin ar ddiwrnod fel heddiw,' atebodd Cadwaladr yn hiraethus.

Dringodd Silyn yr allt serth oedd yn arwain at y cwm. Waeth pa mor aml y deuai yno, byddai'r olwg gyntaf ar y llyn wastad yn llonni ei ysbryd. Roedd o'r peth agosaf at Gwm Tawelwch ei blentyndod. Ar y Sul, i fynd i Gapel y Gorlan, troi i'r chwith a wnâi, ond pan oedd ar berwyl 'sgota, dilynai'r llwybr i'r dde.

Roedd yn meddwl y byd o bobl Cwmorthin – roeddent yn halen y ddaear. Gosododd ei stondin, a rhoi'r genwair ar y bachyn. Gwelodd rywun o bell yn codi llaw arno. Pan oedd popeth yn barod, setlodd Silyn i lawr a lluchio'r wialen i'r dŵr. Roedd 'sgota ar y llyn hwn yn un o'i hoff bleserau mewn bywyd. Doedd dim golwg o Ellis yn unman.

Wfft i'r byd a'i bethau am dipyn bach... wfft i bobl bwysig y pentref, i fân reolau ac i bwyllgorau diddiwedd. Weithiau, breuddwydiai sut fywyd fyddai cael caban bach yng Nghwmorthin a byw yng nghanol natur. Gymaint haws fyddai pethau, a neb ar ei ofyn. Y cwbl fyddai'n rhaid iddo ei wneud fyddai dal digon o bysgod i gadw corff ac enaid ynghyd, a châi ddigonedd o amser i ddarllen a barddoni. Oedd Duw yn gofyn mwy ganddo? Onid dyna roedd rhywun fel Beuno Sant wedi ei wneud? Canfod cilfach, ac encilio o sŵn a dwndwr y byd? Gwenodd. Dychmygodd ei hun yn gwisgo gŵn o frethyn llwyd at ei draed. Beth ddywedai trigolion Tanygrisiau am yr hen ŵr rhyfedd ar y mynydd? 'Gwyddem fod Mr Roberts yn ddyn "gwahanol", ond ddaru ni rioed feddwl yr âi mor bell â hynny...' Gwenodd wrtho'i hun.

Na, syniad dwl oedd troi'n feudwy. Gwyddai fod ganddo ormod o ddiddordeb mewn pobl, a doedd dim deunydd sant ynddo chwaith. Roedd o'n llanc yr unigeddau, oedd, ac yn frawd i flodau'r grug, ond byddai yn feudwy anobeithiol. Ac ar ddyddiau tamp, fyddai ei ogof o ddim mor ddiddos. Ac os byddai'n sant, fyddai o ddim yn cael cwmni Mary, a fyddai ganddo 'mo'r hogiau, a byddai'n sant digalon iawn. Fyddai o ddim yn cael mynd i 'steddfodau chwaith! A pa fath o fywyd fyddai hwnnw?

Teimlodd blwc ar y wialen, a deffrodd o'i fyfyrdodau. Trodd y rîl, ond doedd dim wedi cydio. Lluchiodd yr abwyd i'r dŵr drachefn.

Syllodd ar Tai Llyn yn y pellter a myfyrio ar ddioddefaint y bobl fu'n byw yno tua deugain mlynedd ynghynt. Diffyg glanweithdra a charthffosiaeth iawn oedd y broblem, a bu sawl plentyn bach farw o'r clefyd coch. Roedd yr amodau wedi gwella rhyw fymryn ers hynny, ond roedd llawer o le i wella eto. Roeddent hefyd yn dai tamp, a phwysai hyn ar Silyn. Pryderai am y sefyllfa yn ei bentref ei hun lle roedd carthion y Blaenau yn cael eu gadael ar dir dan Ysgol Tanygrisiau, ac roedd y drewdod yn llethol. Araf iawn oedd y Cyngor i ymateb, gan gwyno mwy ei fod o fel gweinidog yn ymddwyn yn anweddus yn ffwdanu ynglŷn â'r fath fater amhleserus. Doedd dim yn ei gynddeiriogi'n fwy na'r agwedd hon – rhyw ffug-barchusrwydd a olygai fod ymddwyn yn neis yn bwysicach na iechyd pobl a phlant. Yr un Phariseaid oedd yn gwgu arno am ymhel â byd y ddrama.

Rhoddodd ei wialen blwc. Diawch! Falle mai dyna a wnâi – sgwennu drama am y modd roedd y Cyngor yn trin holl fater y carthion! Ei sgwennu mewn dull ffars fyddai'n codi gwên ar wynebau pobl... byddai ganwaith mwy effeithiol na rhyw lythyru biwrocrataidd. Yn lle pregethu yn eu herbyn, penderfynodd wneud sbort llwyr o'r sefyllfa, a dangos y rhagrith. Cododd ei wialen a dyna frithyll bras yn dawnsio yn yr awyr. Go dda, llwyddiant buan, a choblyn o syniad da! Teimlai Silyn y câi ei syniadau gorau wrth 'sgota...

Falle fod gwir yn yr hyn ddywedai Mary – ei fod yn mynd yn fwy diamynedd wrth fynd yn hŷn. Roedd delfrydiaeth yn nodwedd o bobl ifanc, ond doedd cyflymder y newid ddim yn ddigon sydyn iddo bellach. Un peth oedd addysgu pobl a rhoi'r cyfleoedd iddynt, ond pam roedd cymaint o rwystrau yn ffordd Sosialaeth? Hyn a hyn o draethu roedd modd ei wneud yn y wasg. Hyn a hyn o nerth oedd ganddo i ddadlau ar bwyllgorau. Pam na allai pobl weld? Beth oedd yn codi'r fath ofn arnynt? Bob tro y deuai adref o bwyllgor teimlai fel petai wedi bod mewn gornest gorfforol.

'Dydi'r Parch Silyn Roberts ddim fel petai'n hidio am gost y cynllun hwn.'

'Y drwg efo Mr Roberts yw bod ei ddelfrydiaeth yn cuddio ffeithiau...'

'Mr Roberts, rhaid i chi ddeall nad fel hyn mae pwyllgorau yn gweithio...'

'Amynedd, Mr Roberts, amynedd... tasech chi fy oed i, mi fyddech wedi hen dderbyn na ellir rhuthro cynllun fel hwn drwodd.'

A'n gwaredo! Byddai Iesu Grist, hyd yn oed, wedi cael trafferth efo pobl fel hyn. Beth fyddent yn ei ddweud wrth yr Iesu?

'Fedrwch chi ddim deud petha felly! Cabledd ydi hynna...'

'Y drwg efo'r Bregeth ar y Mynydd ydi nad ydi hi'n ymarferol, triwch ddallt...'

'Dwsin o ddisgyblion sydd ganddoch chi – hy, a dach chi'n trio newid y byd!' Byddent yn chwerthin ar ei ben a'i wawdio. A mwya'n y byd roedd o'n meddwl am bwyllgorau maith yr Henaduriaeth, mwyaf atyniadol oedd y syniad o adael y Weinidogaeth. Neu ailgychwyn yr hen Eglwys Geltaidd...

Roedd rhyw lesgedd wedi taro aelodau Llafur y cylch hefyd. Digon yn addo gwneud pethau, ond yn llaesu dwylo wedyn. Roedd rhyw ofn a dychryn wedi eu meddiannu, a'r hen herfeiddiwch wedi mynd. Cydymffurfio oedd y gair newydd. Ac ar ben popeth arall, roedd Y Dinesydd mewn trafferthion dirfawr...

Ond bob tro y byddai'n gwangalonni efo'r enwad, byddai yn cofio aelodau Capel y Gorlan a'u dycnwch a'u dyfalbarhad. Roedd gan y rhain lawer mwy o reswm dros roi'r ffidil yn y to. Er eu bod yn gymdeithas fwy diarffordd yng Nghwmorthin, doedd y bobl ddim mor gul â rhai Blaenau. Wrth ddringo i'r pulpud yng Nghapel y Gorlan, teimlai Silyn yn nes at Dduw. Roedd lleoliad y capel, yng nghysgod Foel Ddu, yn help i rywun ymdawelu. Roedd y tawelwch yn ei swyno. Er gwaethaf eu hamodau byw a gerwinder y tywydd, roedd gan y trigolion eu ffydd dawel, ddofn. Ar sawl achlysur, dyna'r unig beth a feddent.

Roeddent hwy yn ei gynnal o gymaint ag yr oedd o'n eu bugeilio hwy: roeddent yn deall ei gilydd. Gallai uniaethu â'u profiadau, a gwyddent hynny. Sawl gwaith y clywodd y sylw, 'mi fedrwch chi ddeall, Mr Roberts – rydach chi'n un ohonom.' Ac roedd yn falch iddo gael ei fagu ym Mrynllidiart, a'i fod wedi gweithio fel chwarelwr. Pregethu Iesu'r Iachawdwr a wnâi, nid Iesu y Barnwr. Roedd gormod o farnwyr yn eu bywydau fel ag yr oedd pethau. Iesu'r Ffisigwr oeddent hwy ei angen...

Diawch, roedd o wedi dal eto... roedd yn sicr. Trodd y rîl mor sydyn ag y gallai a dyna fo – brithyll arall llond ei groen. Roedd yn sicr o'i swper.

Yn ei ben, roedd hen drawiad yn curo... a doedd hi ddim yn gadael llonydd iddo. Roedd wedi cael y cwpled cyntaf,

'Gwywa, gwywa rhosynnau diddanwch,
A'r hydref a dry yn aeaf llwm...'

Doedd dim yn dod er cymaint y byddai'n chwarae â hi, ond yn gwbl annisgwyl fe ddaeth.

'Cilia cerddi tlws difyrrwch,
Egwan eu heco yng nghreigiau'r cwm...'

Fyddai honna'n gwneud? Adroddodd hwy'n uchel, doedd neb o fewn clyw. Na, doedd hi ddim yn iawn... byddai dilyn patrwm yr ailadrodd yn well.

'Cilia, cilia cerddi difyrrwch,
Egwan eu heco yng nghreigiau'r cwm.'

Honna oedd hi, bendant. Diawch, meddyliodd, byddai'n dipyn mwy cynhyrchiol fel bardd petai'n cael mwy o amser i 'sgota!

Cododd ei ben a gweld Ellis yn dod tuag ato, a Mot yn dynn wrth ei sodlau. Go dda, roedd y llanc o'r Traws wedi dweud y byddai yn ei gyfarfod, ond tybiodd fod rhywbeth wedi ei ddal.

'Ellis, fachgen, mae'n dda dy weld!' galwodd, gan fwytho pen y ci. 'Yli, dwi 'di dal dau yn barod – mi gei di un ohonynt, ac mi fyddwn yn gyfartal wedyn. Eistedd. Sut mae petha?'

Daeth Ellis i eistedd wrth ei ochr, wedi llwyr ddiffygio.

'Mae'n ddrwg gen i 'mod i mor hwyr. Ro'n i wedi cael pàs yma, ond mi fuo Twm Pandy yn gwneud beth wmbredd o bethau ar y ffordd, ac eisiau fy help...'

'Hitia befo, rwyt ti wedi cyrraedd. Dyna sy'n braf yma, rydan ni mewn byd tu hwnt i amser. Mynd i gael seibiant ro'n i rŵan i gael brechdan... gymri di un?'

A dyna braf oedd treulio amser efo'i gilydd, yn mwynhau'r olygfa ac ymddiddan am bopeth dan haul.

'Ro'n i wedi anghofio mor dawel oedd hi yma, Silyn.'

'Wel, dydi Trawsfynydd 'mo'r lle mwya swnllyd ar y ddaear!' Gwenodd Ellis. 'Ond mae 'na ddyfnder i'r tawelwch hwn... ti'n teimlo fel y gallet neidio i mewn a nofio ynddo...'

Dyna oedd yn dda efo Ellis. Er ei fod bymtheng mlynedd yn iau nag o, roedd o'n gymeriad mor aeddfed fel na theimlai Silyn y bwlch oedran. Roedd fel brawd iddo.

'Dwi wedi dod â'r taflenni yn ôl, Silyn... dyma nhw. Roeddent o fudd mawr.'

'Da iawn, mwya'n y byd wnei di ddarllen, mwya y doi di i ddeall.'

'Dyna'r peth. O'r blaen, rhyw sentiment yn y galon oedd Sosialaeth – rhyw awydd i gael cyfiawnder a thegwch. Tase rhywun wedi fy herio, fyddwn i'n gwybod dim. Ond rŵan bod gen i'r ffeithiau, mi fedra i ddal fy nhir mewn dadl, ac mae rhywun yn hogi'r meddwl drwy drafod efo eraill, tydi?'

Edrychodd Silyn ar Ellis, a'i wyneb hawddgar. Mor gyfarwydd oedd y taerineb hwnnw, gwelai ei hun yn y gŵr ifanc.

'A sut mae'r awen? Dwyt ti ddim yn ei hesgeuluso, gobeithio...'

Mynd yn swil ddaru Ellis, a gwrthod deud dim.

'Dwi 'di dweud mewn sawl 'steddfod do, Ellis, dy fod yn fardd o bwys. Dwi'm yn credu bod fawr o gwpledi yn dod yn agos at yr un wnest ti i'r ferch fach 'na:

Mae'r nef wen yn amgenach
Na helynt byd i blant bach.

'Mae hi'n berffaith.'

Ochneidiodd Ellis, 'Ia, Gwennie Bryn Glas, beth fach.'

'Be nesaf, Ellis? Mae'n bryd i ti godi dy olygon rŵan i bethau mwy nag eisteddfodau lleol.'

'Mi fûm yn gweithio ar bryddest... ond mae'r syniadau yn tueddu i gael y gorau ar y mynegiant.'

'Dyna'r gamp. Ac ro'n i'n gweld dy fod wedi newid dy enw barddol. 'Heddwyn' oeddet ti yng Ngarddwest Llyn y Morynion y llynedd.'

'Awgrym Bryfdir oedd ei wneud yn ddau enw... mae o'n swnio'n well.'

'Cystadla mor aml ag y medri, Ellis, dyna 'nghyngor i.'

'Dwi wrthi â'm deg egni – dwi wedi trio am gadair 'Steddfod Meirion ddwywaith ac am gadair 'Steddfod Dolig Stiniog...'

'Mi ddaw, mi ddaw,' meddai Silyn. 'Mae ennill yr ail gadair wastad yn anodd.'

'Mae 'na gerddi yn fy mhen i drwy'r amser. Wnes i un y dydd o'r blaen tra o'n i'n 'sgota... i Lyn Hiraethlyn yn Traws.'

'Enw da i lyn. Gad inni ei chlywed.'

'Llyn Rhuthlyn mae pobl leol yn ei alw...

Ail i gyfaredd telyn – rhyw unig
Riannon gwallt melyn,
Ar nos o haf rhwng bryniau syn
Yw hiraethlyn tonnau'r Rhuthlyn.'

Gwenodd Silyn, ac amneidio. 'Da iawn, ti wedi'i ddal o...'

Edrychodd Ellis ar ei wialen. 'Wel, tydw i ddim wedi dal dim byd arall!'

'Tase Mary a finnau'n cael merch, Rhiannon fyddwn i'n ei galw. Wn i ddim am Riannon gwallt melyn – fasa hi'n debycach o fod yn gochwallt petai'n debyg i mi.'

'Dydw i ddim wedi meddwl beth fyddwn i'n galw fy mhlentyn. Dibynnu ar fy ngwraig i, debyg...'

'Ac oes 'na un arbennig y dyddia' hyn?'

'Mae un dwi'n ffond iawn ohoni.'

'Wna i ddim holi mwy. Ond pob lwc i ti – mae bachu ambell un yn fwy o waith na dal brithyll!'

Ymdawelodd y dynion, a dechrau synfyfyrio. Ond mynd ar yr un trywydd wnaeth meddyliau'r ddau, gan ddyfalu beth oedd gan y dyfodol i'w gynnig iddynt.

Pennod 27

Llanrhychwyn, 1912

'Diolch am ddod, Silyn,' meddai Mary, gan droi ato a gwasgu ei law.

Roeddent yn cerdded o orsaf Trefriw, i fyny'r allt oedd mor gyfarwydd iddynt. Rhedai Glynn o'u blaenau, a cheisiai coesau pumlwydd Meilir ddal i fyny ag o. Cofiai Mary mor drwm oedd cario Meilir yn ei breichiau i fyny'r allt ers talwm, ynghyd â'u paciau...

'Diolch am fy mherswadio, Mary, roedd pethau'n mynd yn rhemp...'

Dianc o Danygrisiau oeddent mewn gwirionedd, dianc am eu bywydau. Doedd pethau ddim yn hawdd o gwbl. Ar ben hynny, roedd y byd cyfan wedi mynd yn lle hurt. Yr unig newyddion yn y papurau oedd gwledydd yn cynghreirio â'i gilydd, a mwy a mwy o arfau yn cael eu cynhyrchu. Tase gan Danygrisiau ffatri arfau, falle byddai bywydau yn well! Doedd 'na ddim llewyrch ar ddim arall.

Gwylio'r hogiau oedd yn mynd at galon Mary. Beth yn y byd oedd o'u blaenau? Roeddent yn llawn bywyd, ac mor ddiniwed... ond gyda'r ansicrwydd wedi dod i'w rhan am swydd Silyn, beth oedd yn mynd i ddigwydd? Pan ddaeth y ddau flaenor i Afallon i drafod gyda hwy, roedd y sefyllfa yn gwbl blaen. Roedd Bethel yn cael trafferth gwirioneddol i gynnal gweinidog. Bu pethau yn wael cynt, ond nid cynddrwg â hyn. Dyna ddrwg cael ardal gyfan yn ddibynnol ar un diwydiant, meddyliodd Mary. Roedd prisiau llechi wedi gostwng yn gyson ers tua deng mlynedd, roedd o'n naturiol yn dilyn dirwasgiad yn y byd adeiladu. Gorfodwyd cymaint i fynd i'r de i chwilio am waith yn y pyllau, a bellach roedd y gwaith yn y chwareli wedi peidio'n llwyr. Pan aeth Tomos Fron Heulog a'i frawd i lawr, mi ddigalonnodd Silyn yn fawr. Tomos Williams oedd un o sêr disglair y dosbarth nos – os na allai Tanygrisiau ddal ei gafael ar rywun felly, pa obaith oedd am y dyfodol? Roedd Mary'n grediniol mai'r pryder am yr ymfudo hwn oedd wedi gwneud Silyn yn wael; bu'n dioddef o'r clwy melyn ers misoedd bellach. Ond pa ryfedd? Nid oedd yr un ohonynt wedi meddwl wrth gyrraedd Tanygrisiau y byddent ymhen rhai blynyddoedd yn gwylio pobl yn mynd heb fwyd er mwyn gallu bwydo'u plant, a cheisio cael dillad ail-law i deuluoedd oedd yn methu cadw deupen llinyn ynghyd.

Gwasgodd Silyn ei llaw. Gwyddai faint oedd pryder Mary. Roeddent wedi dal ati, cyhyd ag y gallent. Ond roedd y misoedd diwethaf wedi bod yn erchyll. Silyn gymerodd y penderfyniad yn y diwedd. Ei le fo oedd cydnabod y sefyllfa a gwneud rhywbeth yn ei chylch. A'r ffaith amdani oedd na allent barhau fel ag yr oeddent. Os na allai Bethel fforddio gweinidog, byddai'n rhaid iddo chwilio am waith arall. Ochneidiodd. Fyddai hynny'n golygu gadael Tanygrisiau? Roedd y dosbarthiadau addysg yn dod yn eu blaenau'n wych, er nad oedd cymaint o lewyrch ar yr ILP, y gangen o'r Blaid Lafur. Teimlai Silyn fod llawer gormod o gyfrifoldeb ar ei ysgwyddau ef. Ond siŵr bod hynny'n ddealladwy – roedd hi'n anodd i bobl ddal ati, a phethau cynddrwg. Ac roedd ei bryder a'i gonsyrn am Bethel wedi mynd yn faich corfforol, bron, oedd yn ei gadw ar ddi-hun. Yr aflwydd oedd mai y rhai ifanc oedd yn gadael. Rhaid bod dros gant wedi symud eu haelodaeth, a doedd neb yn dod i gymryd eu lle.

'Rwyt ti'n dawel, Silyn,' meddai Mary. 'Ceisia adael dy fagaid gofidiau yng Ngorsaf Trefriw. Cymera rai dyddiau o orffwys – a choda'r baich eto pan fyddwn ni'n teithio adre.'

Gwenodd Silyn yn dyner arni. Mary annwyl, beth fyddai'n ei wneud hebddi?

'Rwyt ti'n un dda i siarad. Pwy sydd wedi bod wrthi fel lladd nadroedd y misoedd dwytha 'ma?'

Roedd Mary wedi bod yn brysur eithriadol efo pwyllgor y Ddeddf Yswiriant yn y sir, a olygai gryn deithio.

'Ond mi wn i lle i stopio – dyna'r gwahaniaeth rhyngom. Dydw i ddim yn ei gymryd fel cymaint o faich... Yli, Silyn, rydan ni ar fin cyrraedd!'

Roedd hi'n gyd-ddealltwriaeth dawel rhwng Silyn a Mary mai'r ddau can llath olaf tuag at Dŷ Newydd oedd rhan orau'r daith. Roedd y lle yn golygu cymaint iddynt gan eu bod yn cysylltu'r fan â dyddiau eu carwriaeth. Treuliwyd amser mor fendithiol yno, a theimlent eu bod wedi troi cefn ar y byd.

Cusanodd Silyn ei wraig yn ysgafn. 'Mae o'n dal yma...' sibrydodd Silyn. 'Waeth pa lanast mae'r byd ynddo, mae 'na wastad ddrws yn fan hyn y gallwn ddianc drwyddo i'n noddfa...'

Gwenodd Mary, a meddyliodd Silyn mor hardd oedd hi. Beth ar y ddaear wnaeth o i'w haeddu?

'Glynn! Meilir!' gwaeddodd Mary ar y plant, a chyrcydu o'u blaenau iddynt gael deall ei bod yn gwbl o ddifri. 'Rŵan, yn Nhŷ Newydd, rydan ni'n byhafio, dydan? Tydan ni ddim yn rhedeg o gwmpas yn wirion, nac'dan?' Ysgydwodd y ddau fach eu pennau. 'Bod yn ofalus efo'r dodrefn, a'r staer, achos be wyddon ni am Dŷ Newydd, hogia?'

'Mae bob dim yn hen,' atebodd Glynn, fel petai'n adrodd *Rhodd Mam*.

'Da iawn, Glynn.'

'Hen iawn!' meddai Meilir wedyn, fel parot.

'Da iawn, Meilir.'

'Ac mae hen bethau yn fwy tebygol o dorri, felly gofal pia hi. Os ydach chi eisiau rhedeg yn wirion, mae 'na hen ddigon o le i wneud hynny tu allan. Rŵan i ffwrdd â chi!'

Wedi iddynt setlo, eisteddodd Silyn yn y gadair freichiau yn y gornel, a gwenu. 'Rwyt ti rêl athrawes,' meddai.

'Silyn... dwi'n cofio fy hun yn blentyn yma... a dyna'r druth fyddai Mam yn ei rhoi inni, y munud roedden ni wedi camu dros y rhiniog. A fi oedd yr hynaf o'r plant, felly ro'n i'n teimlo baich cyfrifoldeb hyd yn oed 'radeg honno!'

Syllodd Silyn drwy'r ffenest. 'Ew, mae hi'n braf yma. Biti na allem fyw yma, 'te?'

'Byw ar y gwynt?'

'Mi allwn i ffermio, Mary.'

'Paid â gwneud i mi chwerthin,' meddai Mary wrth bicio i'r cefn. 'Pwy fath o ffermwr wyt ti? Os wyt ti'n ffermwr, dos i'w helpu ym Mrynllidiart.'

Ni wyddai Mary mor agos at yr asgwrn oedd ei sylw. Pan gyrhaeddodd Silyn Frynllidiart y tro dwytha, roedd Nel yn torri ei chalon. Newydd adael i ddal y trên i'r de oedd Joseph, ac ni wyddai pryd y gwelai o nesaf. Roedd hi'n fain ddychrynllyd arnynt, a phryder mwyaf Nel oedd Mathonwy. Doedd iechyd y creadur ddim yn dda, ond doedd dim arian i roi triniaeth iawn iddo. Roedd yn amau fod priodas Nel a Joseph dan straen hefyd. Ond dylai Joseph fod wedi 'morol am ryw fath o siwrans fyddai'n talu am driniaeth i Mathonwy. Roedd yn gas ganddo feddwl am Nel yn ceisio cynnal y tyddyn ei hun. Yn Nel gwelai ei ddyfodol ei hun, pe na bai wedi cael yr ysgoloriaeth i'r Brifysgol. Roedd digon ym mhen Nel iddi hi fynd i'r Coleg hefyd, ond ar drywydd arall aeth ei bywyd hi...

Daeth Mary yn ôl i'r stafell. 'Beth bynnag, be wnaet ti taset ti'n ffermio? Ffurfio undeb ymysg y gweision ffermydd, ac mewn dim byddet wedi codi nyth cacwn... fyddai 'run ffermwr eisiau siarad efo ti!'

Cododd Silyn ei ysgwyddau.

Agorodd y drws a rhuthrodd y plant i'r stafell fel corwynt, ac allan â nhw drwy ddrws y ffrynt heb drafferthu ei gau.

'Hei, hogia! Pwyll pia hi!' gwaeddodd Mary, a chodi i gau'r drws.

'Ac wedyn – wyt ti eisiau gwybod be wnelet ti wedyn? Mi fyddet wedi cytuno i fod yn feirniad mewn 'steddfod, a byddai'r gwaith rhyfeddaf efo honno. Ac wedyn byddai'n rhaid i ti sgrifennu erthyglau meithion i'r *Llanrwst Leader*, a byddai Ysgrifennydd y Blaid Lafur leol ar dy ôl eisiau help. Ac wedi helpu'r rheiny, byddet yn derbyn sedd ar y Cyngor, a byddai'r capel yn clywed dy fod yn gyn-weinidog, ac mi fydde'n rhaid i ti lenwi Suliau, achos mi wyddoch sut mae hi, Mr Roberts, mae hi'n sobor arnon ni...'

Eisteddodd Silyn yn ôl a mwynhau'r perfformiad. 'Dwyt ti'n newid dim, Mary, nag wyt wir. Dal yn actores tan gamp.'

'Dwyt tithau'n newid dim chwaith – falle mai dyna'n drwg ni. Falle y dylen drio newid... derbyn fod bywyd yn mynd yn ei flaen, ac na allwn ni gael cymaint o heyrn yn y tân.'

'Ti'n gwrando arnat ti dy hun Mary? Ti'n gweithio'n galetach na mi... ac yn gwneud yr holl waith magu ar ben hynny.'

'Ddim *eisiau* newid ydan ni, Silyn. Dyna'r gwir amdani. Rydan ni'n mynnu dal ati, achos ein bod ni am i bethau symud yn eu blaenau. Ond os cei di swydd arall, bydd pethau'n siŵr o fod yn wahanol...' Ochneidiodd. 'Be *ydan* ni'n mynd i wneud, Silyn?'

Edrychodd Silyn i fyw ei llygaid. Bu'n dawel am amser maith.

'Dwi'n ceisio am bob math o swyddi, Mary... bydd yn rhaid i mi dderbyn beth bynnag ddaw. Un swydd sy'n edrych yn go obeithiol ydi un yng Nghaerdydd...'

Caerdydd? Ddaru Mary erioed freuddwydio y byddai angen ystyried lle yng Nghaerdydd. Byddai eu bywydau yn gwbl wahanol yno.

'Pa swydd ydi honna?'

Roedd Silyn â'i fryd ar gymaint o wahanol yrfaoedd, roedd hi'n anodd cadw trac ar bob un.

'Gollais i'r hysbyseb am y swydd gan 'mod i ar y ffordd adre o Merica...'

Roedd yn gas gan Mary feddwl yn ôl i'r cyfnod hwnnw pan hwyliodd Silyn adre wythnos cyn i'r *Titanic* suddo. Sawl gwaith y meddyliodd beth fyddai wedi digwydd petai llong Silyn wedi taro'r mynydd rhew? Byddai ei bywyd yn chwilfriw. Ni allai ddychmygu bywyd fel gweddw, ni allai barhau i fyw heb Silyn...

'Mary...' Gwyddai Silyn yn burion beth oedd yn mynd drwy ei meddwl.

'Ia...'

'Gollais i'r dyddiad cau, ac aeth y cyfweliadau rhagddynt, ond doedd 'run o'r rhai ymgeisiodd yn addas. Felly mae'r swydd yn dal yn agored...'

'Ond dwyt ti ddim wedi dweud beth ydi hi...'

'Prifysgol Cymru sydd wedi sefydlu Bwrdd Penodiadau, efo'r bwriad o helpu myfyrwyr i gael gwaith wedi iddynt orffen eu cwrs coleg. Y gŵyn ydi eu bod i gyd yn mynd yn athrawon neu yn weinidogion. Felly syniad y Bwrdd Penodiadau ydi ceisio cyfeirio graddedigion i gyfeiriadau eraill: masnach, diwydiant, papurau newydd, y gwasanaeth gwladol...'

'A'r swydd ydi...?'

'Ysgrifennydd.'

Cododd aeliau Mary. 'Mae hwnna'n debyg iawn i'r gwaith ti wedi bod yn ei wneud yn y Blaenau ers tro – heb geiniog o dâl...'

'Dyna aeth drwy feddwl Tom Jones, beryg. Pan o'n i yn Llandrindod, tynnodd fy sylw at y swydd a holi pam na fyddwn yn ceisio amdani.'

'Felly mae gen ti obaith.'

Cododd Silyn a mynd at y ffenest. 'Cystal gobaith â 'run...' trodd at Mary, 'ond mi fyddai'n golygu gadael Tanygrisiau...'

Hynny fyddai'n brifo. Roeddent wedi cael amser mor hapus yno.

Yn sydyn, clywsant waedd un o'r plant a rhuthrodd Silyn allan. Meilir oedd wedi cael codwm wrth geisio dynwared ei frawd ar goeden. Roedd wedi crafu ei benglin yn go ddrwg, ac roedd ei wefus yn gwaedu.

Daeth Silyn ag o i mewn o'r ardd, ac aeth Mary ati i olchi ei ddolur.

Pennod 28

22 Ffordd y Coleg, 1955

Pan agorodd Mary y drws safai David Thomas o'i blaen, a golwg fel drychiolaeth arno.

'Mae hi wedi marw.'

Llyncodd Mary ei phoer. 'Bet?' Nodiodd David Thomas. 'Dewch i mewn.'

Safodd yno. 'Chi ydi'r cyntaf i wybod... wn i ddim be i'w ddweud...'

'Mae'n iawn.. dowch.'

Dilynodd David Thomas hi i mewn. Wyddai Mary ddim beth i'w wneud. Gwyddai ers blynyddoedd y byddai'n rhaid i hyn ddod, ond... pan ddaw'r awr, does gan rywun ddim syniad beth i'w wneud. Roedd Bet wedi bod mewn Ysbyty Meddwl cyhyd, diau fod ugain mlynedd wedi mynd ers y'i gwelodd ddiwethaf.

'Steddwch.'

'Diolch.'

Roedd y dyn mewn sioc. Aeth Mary drwodd i'r gegin i wneud paned. Bechod drosto. Ar ben ei hun bach, roedd yn dda ei fod yn gallu curo ar ei drws. Mewn ffordd, roedd wedi byw hebddi cyhyd, ond byddai'n ymweld â hi unwaith y mis ym Manceinion. Yna, yn weddol ddiweddar, roedd wedi cael ei symud i Ysbyty Dinbych.

Daeth â'r tebot drwodd, ac roedd yn dda cael rhywbeth i'w wneud tra syllai David Thomas yn syth o'i flaen.

'Pryd gawsoch chi wybod?'

'Jest rŵan... galwad ffôn... o'r ysbyty.'

Eisteddodd Mary gyferbyn ag o. 'Runig beth allai hi ei wneud oedd gwrando.

Cliriodd David Thomas ei wddf, ond ddywedodd o ddim byd.

Roedd Bet wedi bod yn ddifrifol wael ers wythnos, dyna pam y daeth David Thomas i fyny o'r de. Roedd Arial wedi mynd ag o yn ôl ac ymlaen i'r ysbyty sawl gwaith iddo gael ei gweld.

'Mae'n rhyfedd mor amhersonol y gall galwad ffôn fod... "Mae gennym ni newydd drwg i chi" ddeudson nhw, a dylwn fod wedi gwybod beth oedd yn dod. Ac wedyn dyma'r ddynes yn deud "Mae Mrs Thomas wedi marw yn ystod y nos". A doedd o'n golygu dim i mi... fel tase fy ymennydd yn gwrthod gadael i mi dderbyn y newyddion. Roedd o'n od.'

'Sioc ydi hynny.' Roedd yn dal i geisio prosesu'r newyddion.

'Falle mai'r "Mrs Thomas" oedd yn swnio'n ddieithr. Tasen nhw wedi deud "Bet"...'

'Bet oedd hi i ni, 'te?'

Cofiodd Mary am ei chyfarfyddiad cyntaf â Bet. Roedd eu gwŷr yn nabod ei gilydd yn dda iawn, ond doedd y ddwy wraig erioed wedi cwrdd. Ond pan symudodd Silyn a hithau i Ffordd y Coleg, Bet oedd y gyntaf i alw draw. Roedd hi'n feichiog ar y pryd efo Arial, ond roedd Ffion tua pedair oed, yn gafael yn ei llaw.

'Dwi wedi dod â chacen i chi,' meddai Bet, a gwên fawr ar ei hwyneb. ''Dan ni'n hapus iawn eich bod wedi symud dros y ffordd inni, ac mae Ffion Mai wrth ei bodd fod gynnoch chi hogan.'

Gwaeddodd Mary ar Rhiannon, a chyn pen dim roedd y ddwy wedi mynd ymaith i chwarae. Yn naw oed, roedd Rhiannon yn dipyn hŷn na Ffion, ond bu'r ddwy fel chwiorydd.

Daeth Bet a hithau'n ffrindiau yn syth. Dynes ddi-lol oedd Bet, o ochrau Bwlchgwyn, Sir Fflint. Rhyw flwyddyn ynghynt yr oedden nhwythau wedi symud i Fangor o Dalysarn, lle bu David yn athro. Mi gafodd o amser digon caled yn wrthwynebydd cydwybodol yn ystod y Rhyfel Mawr. Yn wir, dyna sut y cyfarfu'r ddau – Dafydd Thomas yn cael gwaith ar fferm yng nghyffiniau Wrecsam, ac yn mynychu'r capel Wesla yr oedd hi'n aelod ohono. Prifathrawes yr Ysgol Fabanod oedd hi, ond roeddent yn go hen yn priodi. Roedd Bet ryw bum mlynedd yn iau na

Mary. A'u gwŷr ymaith mor aml efo gweithgareddau'r WEA, byddai Bet a hithau yn rhannu sawl pnawn, ac roedd Mary wedi mwynhau gweld y plant yn tyfu. Roedd gan Mary ryw gof ei bod wedi colli plentyn rhwng Ffion ac Arial. Sylweddolodd nad oedd hi na Dafydd Thomas wedi torri gair.

'Ydi Ffion ac Arial yn gwybod eto?'

'Nac ydyn... ro'n i'n meddwl y baswn i'n ei gadael hi tan tua deg cyn tarfu arnynt.'

Felly roedd o'n dal yn y Tir Neb diffaith hwnnw, pan nad ydi rhywun wedi dechrau torri'r newydd, ac felly dydi o ddim cweit yn wir. Dyna sut y cofiai hi bethau efo Silyn. Roedd Silyn wedi marw yn Rhoslas, a dim ond hi a Rhiannon a'r forwyn oedd yn gwybod. A chofiai Mary yn glir y teimlad: os na ddeudwn ni air, a'i gadw yn gyfrinach, fydd neb callach... Doedd wybod, falle nad oedd o wedi marw go iawn... neu falle y byddai'n dechrau anadlu eto... Ond y munud mae rhywun yn cyhoeddi'r farwolaeth caiff yr hud ei dorri, a does dim gobaith iddo ddod yn ôl wedyn...

Pam roedd hi mor affwysol o dawel? Roedd Ffordd y Coleg yn brysurach na hyn. Cynnar oedd hi, siŵr o fod.

'Mi fydd yn ddiwrnod anodd i chi, Dafydd Thomas...'

'Bydd.'

Dyfalodd Mary pam roedd hi'n dal i'w alw yn Dafydd Thomas, tra galwai ei wraig yn Bet. Od.

'Faint sydd 'na ers iddi fynd i ffwrdd?'

'Tair blynedd ar ddeg. Wyth oed oedd Arial.'

Cofiodd Mary y pnawn. 'Breakdown' ddwedon nhw. Ond roedd Bet yn iawn ddechrau'r wythnos. Ac wedyn roedd hi wedi mynd i'r ysbyty, a welodd hi erioed mohoni wedyn. Dwy flynedd wedi iddi golli Silyn y digwyddodd, felly falle nad oedd hi, Mary, cweit o gwmpas ei phethau. Ond roedd hi'n cofio mai bychan oedd Arial, creadur. Welodd o na Ffion eu mam wedi hynny. Pawb yn disgwyl iddi wella, a dod adref, ond ddaru hi ddim. A byddai David Thomas yn gwneud y siwrne i Fanceinion am flynyddoedd, ond byth yn sôn gair. Yn y man rhoddodd Mary y gorau i holi sut oedd Bet. Ddaru hi ddiflannu o'u bywydau nhw, rywsut.

'Well i mi ei throi hi debyg,' medda fo yn y diwedd, ond ddaru o ddim symud.

'Eu ffonio nhw wnewch chi?'

'Ia, cr'aduriaid.'

'Mi ddaw Arial draw...'

'Gwnaiff. Wedyn mi awn ni draw i Ddinbych, debyg.'

'Gwnewch.'

Edrychodd ar ei sgidiau, fel tase fo'n disgwyl iddynt symud.

'Doeddwn i ddim am iddi fynd i Ddinbych, wyddoch chi.'

'Nag oeddech?'

Ysgydwodd ei ben, ac edrych i lawr.

'Ym Manceinion oedd hi cynt, ia?'

'Ia – Cheadle. Rhyw feddwl mai fanno oedd y lle gorau iddi.'

'Ia..'

'Ond mi ddaeth Deddf Iechyd 1947, do? A'r Gwasanaeth Iechyd roedden ni yn ei chwenychu cyhyd yn cyrraedd... aeth costau Cheadle i fyny yn ddychrynllyd o ganlyniad – rhag i'r Weinyddiaeth Iechyd ei feddiannu mae'n debyg... a fedrwn i 'mo'i fforddio...' Ochneidiodd. 'Doeddwn i ddim eisiau ei hanfon i Ddinbych o'r cychwyn cyntaf. Dyna pam roedd hanner fy nghyflog yn mynd i dalu costau Cheadle – unrhyw beth i'w chadw o Ddinbych – ond yno y bu raid iddi fynd yn y diwedd.'

Bywyd yn llawn eironi, meddyliodd Mary. 'Roedd hi'n cael gofal yno...' meddai hi, yn mentro ar flaenau ei thraed.

'Carchar oedd o,' meddai David Thomas yn chwerw. 'Roedd yn gas gen i ymweld â'r lle. Teimlwn... fel bod ysbryd yr hen wallgofdy gynt wedi treiddio i'w ymysgaroedd...'

Edrychodd Mary arno, ond doedd o ddim fel petai'n ymwybodol ohoni.

'Y peth cyntaf ddaru nhw oedd ei rhoi yn Ward y Cleifion, ac yn ei gwely fuo hi wedyn.'

Teimlai Mary yn allan o'i dyfnder yn llwyr. Doedd hi erioed wedi bod mewn ysbyty meddwl.

'Unwaith y gwelais i hi yn ei gwely yn Cheadle, ond ar ôl rhyw ddwy flynedd yn Ninbych, mi ddaliodd hi'r dicáu, ac yn y TB Ward y buo hi wedyn.'

'Rhaid i chi beidio beio eich hun, Dafydd.'

Cododd ei ben ac edrych arni. 'Pa ffordd arall fedra i edrych ar bethau?'

Doedd dim pwrpas dadlau. Roedd o yn ddwfn yng Nglyn Cysgod Angau. Cymerodd Mary ei hanadl, ac yn sydyn daeth atgof i'w meddwl, fel saeth. Chydig fisoedd, os nad wythnosau, ar ôl marw Silyn, roedd hi wedi edrych drwy ffenest ei llofft. Pwy oedd yn digwydd dod allan o'u tŷ ond Dafydd Thomas a Bet, a'r plant. Roedd Ffion yn cerdded efo nhw, ac Arial yn rhedeg yn ei flaen, ac mi ddywedodd un ohonynt rywbeth, a dyma nhw i gyd yn chwerthin. Aeth rhywbeth drwy Mary fel gwayw, a theimlai'r eiddigedd mwyaf tuag at Bet. Ei bod hi, Mary, yn weddw, a bod Bet mor, mor ffodus. Teimlai yn euog mwya sydyn, a gwthiodd y darlun o'i chof.

'Dafydd Thomas bach, cwbl ddeuda i ydi 'mod i'n cydymdeimlo efo chi o waelod calon.'

'Diolch i chi, Mrs Silyn, a diolch am gael dod yma.'

'Dydw i ddim wedi gallu bod o unrhyw gymorth i chi.'

'Mi fuoch chi o gymorth mawr. Ro'n i ... ro'n i am fod yng nghwmni rhywun, a...'

'Fyddwch chi'n iawn i fynd adre rŵan? Cofiwch, y cwbl sydd raid i chi ei wneud ydi curo.'

'Na, fydda i'n iawn. Mi ffonia i Ffion, wedyn Arial, ac mi gymrwn ni betha o fanno. Da bo chi – a diolch eto.'

A chaeodd y drws ar ei ôl.

Preifat ydi pob galar yn y pen draw.

Pennod 29

Y Betws, 2 Prince's Road, Bangor, 1958

Roedd hi'n fore hyfryd o Fedi a chamodd David Thomas dros y rhiniog i anadlu'r awyr iach. Ar foreau fel hyn, roedd yn ddiolchgar am fod yn fyw. Petai o'n digwydd ysgrifennu hunangofiant, dyna fyddai'r teitl, *Diolch am Gael Byw*. Byddai'n werth sgwennu'r gyfrol er mwyn cael defnyddio'r teitl. Roedd ei blant yn ei ben drwy'r amser eisiau iddo gofnodi ei atgofion.

Gwelodd Mary Silyn yn cerdded i lawr Ffordd y Coleg tuag ato. Sylwodd fod ei chamau wedi arafu, er ei bod yn dal i allu cerdded heb gymorth ffon. Cododd ei llaw arno, a gwenu. Roedd yn dda ei gweld eto.

'Bonjour Monsieur Thomas, content de te revoir!'

'Merci, Madame Silyn. Ja'i passé du bon temps.'

'C'est tres bien!' a chwarddodd y ddau.

'Un o'r pethau dwi'n eu difaru ydi 'mod i wedi methu mynd â'r plant i Ffrainc ar eu gwyliau pan oeddent yn fach,' meddai Mary. 'Ro'n i'n awyddus iawn iddynt gael mynd yno yn y gobaith y byddent yn dod yn rhugl mewn Ffrangeg ... Ta waeth, sut aeth hi?' Edrychodd arno. 'Rydach chi'n edrych yn dda iawn.'

'Gwyliau bendigedig, rhaid deud, er ei bod yn braf bod adre.'

'A sut oedd Paris?'

'Gwych. Mae hi'n ddinas hyfryd. Ac mi edrychodd Ffion a Herman ar fy ôl yn dda iawn. Ydach chi'n dod i mewn?'

'Merci,' meddai Mary'n siriol. 'Byddai'n dda aros yn yr haul, ond fydda nghoesau i ddim yn fy nghynnal am hir...'

'Steddwch...'

'Dwi eisiau yr hanes i gyd... rydw i wedi bod yn edrych ymlaen at hyn.'

Ac fe'i cafodd, yn fanwl iawn. Roedd David Thomas yn gwerthfawrogi'r cyfle i gael adrodd y cyfan, ac ail-fyw pleser y gwyliau.

'Mae'n dda eich bod wedi gallu mynd,' meddai Mary. 'Mi rown i unrhyw beth i gael mynd i Ddenmarc rŵan. Gen i hiraeth am y lle.'

'Greda i. Does 'na neb am ddod draw i aros efo chi? Dach chi'n cofio amser da gawson ni pan ddaeth Peter Manniche drosodd?'

Gwenodd Mary wrth gofio'r ymweliad. 'Mynd yn hŷn ydw i, a fedra i ddim croesawu pobl fel ro'n i'n arfer gwneud. Nid yn unig cynnig llety i bobl ond y gwaith o drefnu ymweliadau a ballu iddynt. Mae o tu hwnt i mi bellach, mwya'r piti.'

Peth anghyffredin oedd i Mrs Silyn gyfaddef fod rhywbeth y tu hwnt i'w gallu.

'Wel, rydan ni'n dal i allu tynnu maeth o atgofion, tydan?' meddai David Thomas, 'a gadewch inni fod yn ddiolchgar am hynny. Mi wnes i ddeffro bore 'ma yn teimlo'n ddiolchgar iawn.'

'Ie, mi ddyliech, a chithau wedi cael wythnos yn *Gay Paris*!' meddai Mary yn smala, a chwarddodd yn harti. 'Ches i rioed fynd i Baris, wyddech chi?'

'Onid oedd hi'n hoff ddinas i Silyn?'

'Oedd, ond fûm i rioed yno. Efo Francis Knoyle yr aeth o i Baris.'

'A phwy oedd o?'

'Ffrind coleg, aeth yn weinidog wedyn. Fo briododd ni.'

'Ond mi fyddech wedi lecio mynd?'

'Mi fyddwn wedi bod wrth fy modd. Ond roedd gwaith neu rywbeth yn galw o hyd. Roedden ni fel Sion a Sian, un i mewn a'r llall allan. Unwaith roedd Sion i mewn, roedd Sian allan!'

'Rydach wedi gwneud eich siâr o deithio – mwy na'r rhelyw o ferched – felly peidiwch edliw Paris i mi. Dwi'n cofio Ffion yn gorfod aros adre o fwy nag un gwyliau tra oedd Arial a Herman a mi yn mynd i ffwrdd. Roedd yn rhaid iddi tra oedd y plant yn fach.'

Wfftiodd Mary. 'Taswn i wedi derbyn yr egwyddor honno, fyddai 'run o 'nhraed i wedi mynd i unman. Na, o'r cychwyn cyntaf, mi dderbyniodd Silyn ein bod yn gydradd, ac nad oedd plant yn mynd i 'nghaethiwo adref.'

'Rydw i wedi casglu hynny, ond mi fentra i nad oedd hi'n hawdd...'

'Mi fu Mam yn fendith hefyd, ac roedd gennyn ni Tŷ Newydd...'

'Os ydach chi'n cwyno na fuoch ym Mharis, fedra innau gwyno nad ydw i rioed wedi gweld Tŷ Newydd. Mae'r lle wedi bod mor bwysig i chi ar hyd eich oes... Pryd prynoch chi'r lle?'

'Yng nghanol y Rhyfel – y cyntaf, hynny ydi. Er cymaint ro'n i wedi mwynhau cwmnïaeth y Barri, doedd o ddim yn lle i fagu plant. Felly mi brynodd Silyn Tŷ Newydd gan deulu Mam, a symud y plant yno. Dydw i ddim yn difaru. Roedd Silyn ei hun wedi ei fagu ar dyddyn, toedd?'

'Ond doedd Silyn byth yno...'

Ysgydwodd Mary ei phen. 'Nagoedd, mwy nag ro'n innau – mi ges i'r swydd fel Trefnydd y Land Army, do? Ond ro'n i'n treulio dipyn mwy o amser na fo yn gofalu am Dŷ Newydd... Roedd o'n fywyd braf, ond caled...'

'Dwi'n gwybod o brofiad. Pan es i'n was ffarm yn ystod y Rhyfel, ges i wybod be oedd gwaith caled corfforol. Gollais i stôn mewn pwysau yn y mis cyntaf. Ond ei fod o'n waith iach...'

Eisteddodd Mary yn ôl a phlethu ei gwisg wrth hel atgofion.

'Dyna oedd o, 'te? Mi oedd gan Silyn a minnau ein breuddwydion. Ar Ddenmarc roedd y bai yn f'achos i. Ro'n i wedi 'nhrwytho yn hanes yr ysgolion gwerin, toeddwn, ac ro'n i eisiau gweithio ar y tir. Mae'r Daniaid yn credu bod y tir yn sanctaidd, wyddoch chi, mewn ffordd nad ydi'r Cymry, na'r Saeson tase hi'n dod i hynny. Rydan ni wedi colli'r cysylltiad ysbrydol hwnnw.'

Cofiai David Thomas ei ddyddiau yn casglu tail, hel cerrig a thorri dalan poethion. Doedd o ddim yn brofiad hynod ysbrydol, roedd yn rhaid iddo gyfaddef, a dywedodd hynny.

'Dach chi'n deud y gwir... pan o'n i'n bwydo'r lloi a'r moch, y glaw wedi troi'r caeau'n fwd, doedd o ddim yn ysbrydol iawn... ond mi fyddwn i'n canu yr adeg honno, a dychymygu fy hun mewn fferm yn nghefn gwlad Denmarc!'

Roedd o'n ddarlun doniol, a gwenodd David Thomas. Roedd llygaid Mary yn pefrio, ac aeth yn ei blaen efo'i hatgofion.

'Roedd gan y Llywodraeth ryw gynllun lle roeddech chi'n cael ceffyl i'ch helpu i drin y tir, ac mi lwyddais i gael un yn Nhŷ Newydd. Ro'n i wrth fy modd efo'r ceffyl. Mi ddysgais gymaint drwy wneud gwaith ymarferol. Ro'n i hyd yn oed yn codi mawn! Roedd Gwynn yn cymryd diddordeb mawr yn y fenter, ond yn deud 'mod i'n pryderu gormod, ac yn mwydro 'mhen fod angen peiriant. Gynigiodd o ddod draw i helpu. Roedd o'n deud y bydda fo a Silyn a dwy bladur yn gwneud y joban mewn dim!'

Dyna ddarlun hyfryd, meddyliodd David Thomas: Mary a Silyn a T. Gwynn Jones yn torri gwair efo pladur...

'Ddoth Gwynn?'

'Naddo. Gafodd o annwyd, siŵr iawn, felly ges i 'ngadael fy hun, ac wedyn mi fu'n rhaid i mi gael peiriant... Roedd o'n fywyd hunangynhaliol iawn. Ac os oedd pethau'n mynd yn ddrwg, wyddoch chi beth ro'n i'n ei wneud? Dychmygu fy hun yn y tŷ hwnnw yn y Barri, ac ro'n i'n diolch i'r nefoedd nad oeddwn yn byw mewn tref – byddwn wedi colli 'mhwyll!'

Doedd David Thomas erioed wedi deall y cynllun Llanrhychwyn yn iawn.

'Ond roeddech chi a Silyn ar wahân yn y cyfnod hwnnw?'

'Oedden. Wel, roedden ni ar wahân p'run bynnag – pan ges i'r swydd fel Trefnydd y Land Army roedd fy swyddfa i yn Llanelli. Dwi'n meddwl mai dyna pryd y gorfodwyd ni i wneud penderfyniad efo'r plant... ac roedd o'n cyd-fynd efo Glynn yn mynd i'r ysgol uwchradd. Roedd Ysgol Llanrwst ddwy filltir i ffwrdd i Glynn, a dim ond milltir oedd yn rhaid i Meilir deithio i fynd i Ysgol Gynradd Trefriw. Mi fydda fo'n aml yn gwneud y daith ar y ceffyl, Twmi oedd ei enw...'

Estynnodd David am ei lyfr nodiadau – fyddai o byth yn cofio'r cwbl, ac roedd Mary fel llifeiriant.

'Wyddoch chi mai Bill ydi enw Meilir bellach... wel, ers tro ddalltis i. Ers y rhyfel?'

'Pam?'

'Pan aeth o i'r Fyddin, dyma nhw'n gweiddi "Name?" a dyma fo'n ateb, "Meilir ap Silyn Roberts". Edrychodd y swyddog yn hurt arno fo a deud, "Listen, Taff, from now on, your name is Bill". A Bill fuo fo.'

'Fasach chi a fi ddim yn cael y broblem honno...'

'Na fasan, digon gwir!'

'Ond mi gadwoch chi'r tŷ yn y Barri yn ogystal â Thŷ Newydd...'

'Roedd Silyn yn dal angen lle i fyw, felly ddaru ni drefniant efo rhyw deulu yn y Barri – roedden nhw'n cael gweddill y tŷ a Silyn yn cadw stafell yno, a chael defnyddio'r gegin, wrth gwrs... ac wedyn, caem ddod at ein gilydd fel teulu yn Nhŷ Newydd pan fyddai'r cyfle yn codi.'

Doedd ryfedd fod pobl yn meddwl ei fod yn drefniant od, meddyliodd David Thomas.

'A phan oedd Silyn yn Nhŷ Newydd, roedd o'n cael dilyn y bywyd roedd o eisiau, 'toedd? Trin y tir, gofalu am yr anifeiliaid a ballu. Ac yn wir i chi, daeth yn debycach i fferm yn y diwedd, yn hytrach na thir gwyllt. Roedd o'n waith mor wahanol i'r un roedd Silyn yn ei wneud yng Nghaerdydd. Cael bod yn was fferm yn lle gwas sifil!'

'Fedra i feddwl ei fod yn ddihangfa iddo.'

'Ac yn achubiaeth fwy nag unwaith. Dwi'n cofio un adeg, roedd y plant i gyd efo'r ffliw, a bu raid i Silyn gymryd wythnos o'r gwaith i ddod i'm helpu. Ro'n i ar fy ngliniau. Ac ar adeg arall, cafodd Huw oedd yn helpu efo'r tir – roedd yn tynnu mlaen – mi gafodd o *double pneumonia*, ac roedd hi'n ddrwg arna i wedyn. Fuo raid i mi anghofio fy nghynlluniau 'radeg honno, ac aros adre i weithio ar y fferm.'

'Lwc eich bod yn drefnydd heb eich ail.'

'Yn aml iawn, roedd anifeiliaid yn haws i'w trin na phobl. Dydyn nhw ddim mor anwadal. Y broblem fwyaf oedd cael pobl i helpu efo'r plant,' meddai Mary, gan ysgwyd ei phen. 'Fyddai'r merched fyddan ni'n eu cael i helpu byth yn aros yn hir... falle fod y plant yn rhy heriol iddyn nhw. Roedd 'na un forwyn – Magi oedd ei henw – mi wrthododd symud o'r Barri i Lanrhychwyn,' chwarddodd Mary, 'a wyddoch chi be wnes i? Ei gwadd am bythefnos o wyliau i Dŷ Newydd, ac roedd yn lecio'r lle gymaint, mi arhosodd!'

Cofiodd David y prysurdeb oedd ar fferm ei rieni yn Llynclys a sut y deuai'r teulu at ei gilydd bob gwyliau haf – llond tŷ, a mwy, ohonynt. Dyddiau braf.

'Pan ddaeth y plant yn hŷn, daeth yn haws. Mi ddaeth Glynn a Meilir i allu helpu ar y fferm. Am gyfnod, roedd gan Meilir awydd bod yn ffermwr! Wnes i addo y câi ddod i Ddenmarc efo mi. Ac mi ddaeth, a daeth Rhiannon yn fuan wedyn – pawb ond Glynn. Pan oedd Rhiannon yn ifanc iawn, roedd yn rhaid iddi ddod efo mi i'r Barri yn aml, bu'n rhaid i mi lusgo'r greadures o gwmpas fel dol glwt. Ges i forwyn o Ddenmarc unwaith, meddyliwch. Ond ddaru hynny ddim gweithio. Roedd y plant yn siarad mwy o Ddaneg nag o Gymraeg! Maen nhw'n dal i gofio rhai caneuon Daneg i blant. Wedi i Frøken Karla fynd, wnes i ddim potsian efo morynion. Mi ffendiais ei bod hi'n llawer brafiach cael Tŷ Newydd i ni'n hunain, ac mi ddois i ben. Daeth y plant i ddifyrru eu hunain, er 'mod i'n mynnu ein bod yn cael awr gerddorol gyda'r nos, pan fydden ni'n canu ac yn dysgu alawon. Dyddiau dedwydd iawn o edrych yn ôl arnynt.'

'Ond chaech chi ddim ymweld â Denmarc yn ystod blynyddoedd y rhyfel...'

'Dyna oedd un baich mawr... ro'n i'n cael hynny'n anodd, er i mi ohebu â nhw drwy'r cyfnod. Ond roedd gen i gynllun ro'n i'n gweithio arno, sef cael criw o ferched i fynd draw o Gymru, rhai o Loegr hefyd, i Goleg y Bobl iddynt gael profi'r cyfan eu hunain, yn hytrach na gwrando arna i'n pregethu. Mae o'n wir, tydi – mi fuoch draw eich hun. Mae gweld y lle yn gwbl wahanol.'

'Ydi, siŵr iawn. Ddaru chi lwyddo i gael y merched 'ma draw?'

Ochneidiodd Mary. 'Do – yn y diwedd, ond mi fu mor

drafferthus. Ro'n i'n ceisio cael y Llywodraeth i dalu am eu cludo draw, ac roedden nhw'n gwrthod yn lân. Yn un peth, roeddent yn griw o ferched, doeddent? Yn ail, mynd i ddysgu dulliau o amaethu a chyd-fyw oedden nhw, 'te? 'Randros, roedden nhw wedi talu i filiynau o hogiau fynd i'r cyfandir i ladd eu cyd-ddyn am bedair blynedd, ond talu i ferched fynd draw i ddysgu cydweithio? Roedd hynny'n *gwbl* amhosibl!'

Doedd neb tebyg i Mary Silyn am bregethu.

'Doedd dim problem hyfforddi'r merched yn y sgiliau technegol ym Mhrydain, ond roedd Denmarc yn cynnig cymaint mwy. Hwnnw ro'n i'n rhyfeddu ato fwyaf ymysg y Daniaid – eu hysbryd. Roeddent yn ymhyfrydu ym mywyd y tir. Nid y dosbarthiadau yn unig ro'n i am i ferched Cymru gael eu gweld, ond gweld merched Denmarc yn canu a dawnsio. Roeddent yn meddu ar rywbeth na allai arian ei brynu – roeddent yn fodlon eu byd, achos roeddent yn adeiladu cenedl... Roedden nhw'n meddu ar *obaith*, ac mae hwnnw'n beth mor brin. Un o'r pethau mwyaf gwerthfawr sydd gen i yw llestr bach tsieina – fas fechan o Copenhagen a roddwyd i mi gan blant ysgol, a'i llond o lili'r dyffryn, ac roedd un o'r merched wedi dysgu araith fer. Daw'r atgof yn ôl i mi'n glir wrth edrych ar y fas, ac mae hi gen i rŵan ers deugain mlynedd...'

'Pryd ddaeth eich swydd efo'r Land Army i ben?'

'Symudodd y brif swyddfa i Lundain yn ystod blwyddyn olaf y Rhyfel, ac ro'n i wedi edrych ymlaen at hynny, ond profodd y teithio yn drech na mi – a'r hiraeth. Felly 'nôl i Lanrhychwyn â mi, am dipyn, a byw bywyd mwy confensiynol.'

'Ond mi ddaru chi barhau i ymweld â Denmarc?'

'Do, a dod â Daniaid i Gymru, ac ro'n i'n trefnu fod Cymry'n mynd i Ddenmarc hefyd. Mae'n bwysig meithrin y cysylltiadau. Un felly fûm i erioed, yn mynnu gwneud pethau'n bosibl, er gwaetha'r awdurdodau. Dwi'n fodlon mentro, ac anwybyddu mân reolau i gael fy ffordd.'

'Fel y gwn yn dda, Mrs Silyn.'

'Er daioni, wrth gwrs, ac er lles dynoliaeth,' meddai gyda winc ddireidus.

Er gwaethaf ei phedwar ugain, doedd hi ddim wedi colli dim o'i swyn.

Pennod 30

Y Barri, Hydref 1913

Cyffyrddodd Mary yn nhannau'r delyn a chanu alaw oedd bron wedi mynd yn angof ganddi. Beth oedd hi, tybed? Câi ddedwyddwch rhyfedd wrth ei chanu. Yna, cofiodd – 'Dafydd y Garreg Wen', hoff gân Lizzie a hithau. Byddai ei phoenau a'i phryderon yn cilio i'r cysgodion, ac anodd oedd bod yn drist tra oedd yn tynnu'r tannau.

Teimlai ei bod yn dechrau setlo yn ei bywyd newydd yn y Barri. Roedd Glynn a Meilir wedi dechrau yn yr ysgol gynradd a gwneud ffrindiau newydd, ac roedd y loes o adael cymaint o wynebau cyfarwydd yn Nhanygrisiau yn dechrau pylu. Roedd Silyn wedi mynd i'r afael o ddifri efo'i swydd newydd fel Ysgrifennydd y Bwrdd Penodiadau, ac yn weddol ddedwydd ei fyd er ei fod yn dal i or-weithio. Canfod swyddi i raddedigion Prifysgol Cymru oedd ei gyfrifoldeb – gwaith cwbl wahanol i fod yn weinidog. Ond golygai roi hogiau ifanc ar ben ffordd, ac fel y dywedai Silyn, doedd hynny ddim gwahanol i'r hyn a wnâi yn Nhanygrisiau, ond bod rhywun 'blaw yr Hen Gorff yn cadw llygad arno!

Hithau, Mary? Oedd, roedd llai o ofynion arni bellach gan nad oedd yn wraig gweinidog. Dim ond ers dod i'r Barri y sylweddolodd gymaint roedd hi'n ei wneud efo'r eglwys, yn ddosbarth ysgol Sul, yn Gymdeithas y Chwiorydd, yn waith plant, a phwyllgorau fil. Roeddent wedi dod yn aelodau yn Penuel, y Barri, ond peth braf oedd gadael i eraill gymryd yr awenau. Roedd hen ddigon o gymdeithasau yn y dref i'w chadw yn brysur, ond braf oedd cael dewis pa rai y dymunai eu mynychu. Roedd ei rhieni wedi bod draw yn aros yn y tŷ newydd, a châi Silyn a hithau doriad o bryd i'w gilydd, gan fynd i aros i Frynllidiart, neu gael wythnos yn Llanrhychwyn.

Roedd hi wedi meddwl mai yng Nghaerdydd y byddent yn byw, ond roedd Thomas Jones wedi eu perswadio y byddai y Barri yn lle brafiach. Yn wir, fo ganfu'r tŷ iddynt, heb fod ymhell o gartref ei deulu ef, a ddim yn bell o Penuel. Roedd Silyn ac yntau wedi dod yn ffrindiau da iawn ers iddynt fod yn gweithio i'r Gronfa TB. Roedd David Davies Llandinam ymysg ei gydnabod hefyd, a mwya sydyn roeddent yn nabod pobl mewn cylchoedd dylanwadol iawn. Roedd Rene, gwraig Tom Jones, yn ddynes y closiodd Mary ati, a dim ond blwyddyn yn iau na Meilir oedd ei merch, Eirene. Roedd gan Mary frith gof ohoni yng Ngholeg Aber – roedd Rene tua dwy flynedd yn hŷn na hi, ac aeth yn ei blaen wedyn i Gaergrawnt. Gwraig ddiddorol, ac roedd Emily Pankhurst wedi ymweld â'i chartref.

Cafodd Mary agoriad llygad pan ddaeth i'r Barri – nid oedd wedi disgwyl y byddai cymdeithas mor ddiddorol yno. Un o'r rhai cyntaf y daeth yn ffrindiau efo nhw oedd Annie Gwen. Daeth Silyn yn ffrindiau efo Edgar Jones, ei gŵr, oedd yn Brifathro'r Ysgol Ramadeg i fechgyn, a chafodd bnawn yng nghartref Annie a brofodd fod ganddynt lawer yn gyffredin. Anturwraig oedd Annie, wedi cael mynd i Rwsia yn ddeunaw oed i addysgu wyrion John Hughes, y Cymro oedd wedi sefydlu gwaith haearn yno. Roedd yn fyd cwbl wahanol, a chafodd Mary bnawn wrth ei bodd yn clywed am Kiev a Krakov a bywyd yng nghartref Cymry yng nghanol Rwsia. Cofiodd Mary i fab Annie ddod adref o'r ysgol, a hithau'n holi faint oedd ei oed o.

'Wy'n wyth oed, wel, wyth a hanner.'

'Wel, wel, mae 'na fachgen bach wyth oed yn ein tŷ ni. Hoffet ti ddod draw i chwarae ag o? Glynn ydi ei enw, ac mae ganddo frawd, Meilir, sy'n chwech.'

Trodd y creadur swil at ei fam i gael ei sêl bendith, a gwenodd hithau.

'Pwy fath o bethe mae Glynn yn eu hoffi?'

'Awyrennau.. a chicio pêl..' atebodd Mary, a lledodd gwên dros wyneb y bachgen. 'Beth ydi dy enw i mi gael deud wrth Glynn?'

'Gareth.'

'A be garet ti fod wedi tyfu'n ddyn?'

'Dyn papur newydd,' meddai'n syth, a synnwyd Mary gan ateb mor uniongyrchol.

'Wyt ti'n un da am sgwennu, Gareth?'

'Wy'n hoffi ysgrifennu, a garwn i fynd i Rwsia – fel Mami.'

'Wel, os bydd gen ti le i un sbâr yn dy gês, rho wybod, achos dwi'n meddwl y carwn i ddod ar y daith honno, wedi i mi gael cymaint o hanesion gan dy fam!'

'A Glynn..' atebodd y bychan.

Soniodd Annie y byddai'n werth i Mary gysylltu ag Ellen Ellis yng Ngholeg y Barri, ac Annie Foulkes – 'y ferch o'r North oedd yn yr ysgol ramadeg efo Edgar' – a sawl un arall.

'Un peth arall, dwi wedi dechrau cangen o'r *Suffragists* yn y Barri hefyd. Garech chi ddod?'

'Mi garwn yn fawr,' atebodd Mary, 'lle bydd o?'

'Yma – fi ydi'r ysgrifennydd!' meddai Annie, a chwarddodd y ddwy.

Aeth Mary dros ddetholiad o'i hoff alawon telyn, gan feddwl beth fyddai'r pwyntiau yn ei herthygl nesaf. Roedd canu'r delyn yn fodd o ymlacio, ond yn gadael iddi droi pynciau gwahanol yn ei meddwl, a datblygu strwythur ei darlith neu ei herthygl. Yna, yn gwbl annisgwyl, clywodd ddrws y ffrynt yn agor, a llais Silyn yn gweiddi arni. Dychrynodd. Pam yn y byd mawr roedd o wedi dod adre ganol y pnawn? Clywodd sŵn traed ei gŵr yn brysio tuag ati.

'Mary!'

'Silyn... beth sy'n bod?'

Safai yno, wedi rhewi, yn rhythu arni. Yna daeth ati, a gwasgu ei chorff yn ei freichiau.

'Mary, Mary... fedra i ddim credu'r peth...'

'Deud wrtha i... beth sydd wedi digwydd?' Doedd hi erioed wedi gweld Silyn yn y fath stad. Y peth gwaethaf am bob newyddion drwg ydi'r eiliadau bach hynny cyn i'r newyddion gael ei dorri. Roedd ei stumog yn troi.

Cymerodd Silyn ei wynt, fel petai'n ceisio rheoli ei hun.

'Damwain sydd wedi bod... draw yng Nglofa Senghennydd...'

Caeodd Mary ei llygaid. Ddaru hi ddim dychmygu mai rhywbeth fel hyn oedd wedi digwydd. Os oedd hi'n ddamwain mewn pwll glo, roedd yna golledion. Mater o faint oedd hi bob tro.

'Pryd?'

'Bore 'ma... mae'n ddamwain erchyll. Sôn am gannoedd...'

Safodd Mary ar ei thraed. 'Cannoedd? Ond lle fedran nhw eu trin nhw? Does 'run ysbyty yn ddigon mawr i gael niferoedd felly o gleifion...'

Ysgydwodd Silyn ei ben yn ddwys. 'Nid cleifion ydyn nhw – maen nhw wedi marw.'

Roedd Mary yn fud. Roedd damweiniau yn y maes glo yn rhy gyffredin, ond... ond doedd yna erioed ddim byd fel hyn wedi bod. Cannoedd? Doedd o ddim yn gwneud synnwyr...

Gwasgodd Silyn hi ato. 'Mary...Mary... bydd rhaid i mi fynd i yno – fanno mae Tomos Fron Olau yn gweithio.'

Rhoddodd stumog Mary dro. Rhythodd i lygaid ei gŵr. 'Silyn...'

Gwasgodd Silyn ei lygaid, ac ysgwyd ei ben. 'Does wybod, ond... O, Mary, wn i ddim be wna i...' Siglodd hi yn ei freichiau.

Rhyfedd fel mae adnabyddiaeth o rywun yn gwneud gwahaniaeth. Cydiodd rhywbeth yn ei gwddf.

'Sut ei di yno, Silyn?'

Roedd pen Silyn yn ei ddwylo. 'Wn i ddim... wn i ddim be i wneud. Does dim ffordd o gysylltu... mi fydd y pentref yn llawn o bobl, ond bydd rhaid i mi fynd... fedra i ddim sefyll yn gwneud dim.'

Meddwl am Edward ac Edith wnaeth Mary yn syth, a Gwennie druan. Roeddent mor bell i ffwrdd. Byddai'n cymryd diwrnod o leiaf iddynt deithio i lawr. Sut fyddai'r newyddion yn eu cyrraedd? Faint o blant oedd yno? Y tri hynaf, Seth, ac Ernest a Lora oedd y ddau fach. Lwc bod Huw wedi dod adre, neu beryg y byddai yntau yn y ddamwain. Biti na fyddai Tomos wedi mynd efo fo...

Teimlodd Mary dannau'r delyn yn llonydd rhwng ei dwylo. Dychmygodd yr offer weindio a'r rhaffau haearn oedd yn mynd â'r dynion i lawr i'r pyllau... eu bod wedi eu gostwng y bore hwnnw, ac nad oedd y dynion byth am ddod i'r wyneb drachefn. Y diwrnod y peidiodd y tannau. Fydde hi byth yn anghofio'r diwrnod – byth.

Dyna nodweddodd y cyfnod – y chwilio a'r methu canfod. Methodd Silyn gael ffordd i gyrraedd Caerffili y diwrnod cyntaf, ond cytunodd cyfaill i fynd â fo yno drannoeth. Aeth i weld y teulu, ac roedd Tomos ymysg y rhai oedd ar goll.

Ar fore'r 14eg o Hydref, roedd bron i fil o lowyr wedi mynd i lawr i'r pwll, ac roeddent ar shifft o chwech tan ddau y pnawn. Digwyddodd y ffrwydrad yn go gynnar wedi iddynt ddechrau gweithio – a lledodd y tân yn gyflym. Roedd hanner y gweithlu ar ochr ddwyreiniol y pwll, a daethant hwy i fyny yn ddianaf. Ni fu'r rhai yn yr ochr orllewinol mor ffodus. Ceisio diffodd y tân oedd y flaenoriaeth am y diwrnod cyntaf, ond roedd yn rhaid gwneud hynny â llaw gan fod y peipiau dŵr wedi malu. Disgrifiodd y rhai ddaeth allan o'r lle yn fyw yr olygfa fel 'syllu i geg uffern'.

Pan lwyddodd Silyn i fynd i lojins Tomos, cyfarfu ag Edward Fron Heulog, oedd wedi dal y trên cyntaf o Danygrisiau pan glywodd am y danchwa. Fel roedd pawb yn ofni, yn yr ochr orllewinol roedd Tomos yn gweithio. Doedd neb wedi clywed dim amdano ers y bore y gadawodd y tŷ, nac am y pedwar cant o lowyr eraill oedd efo fo. Aeth rhai dyddiau heibio cyn ei bod yn saff i fynd i lawr, ac aeth Silyn yno bob diwrnod i gadw cwmni i Edward. Yn y diwedd, aeth Edward adref heb newyddion am ei fab. Aeth wythnosau heibio cyn iddynt allu dod â rhai o'r cyrff i'r wyneb. Ddaeth yr un o'r 432 oddi yno'n fyw, a bu farw saith arall yn yr ysbyty. Hon oedd y ddamwain fwyaf a fu yn hanes pyllau glo Prydain, ond i Silyn a Mary, ymgorfforwyd y trasiedi yng nghymeriad Tomos Fron Heulog, ac ysgydwyd y ddau i fêr eu hesgyrn.

Bob tro y byddai'n canu 'Dafydd y Garreg Wen' wedi hynny, deuai'r pnawn lle clywodd y newydd am Senghennydd yn ôl i'w chof.

Pennod 31

Y Betws, 2 Prince's Road, Gaeaf 1953

'Felly os caf i eich help efo un neu ddau o betha...' meddai David Thomas, yn eistedd wrth y bwrdd efo'i bensil yn barod a'i bapur o'i flaen.

Edrychodd Mary o amgylch yr ystafell. Roedd hi'n foel a dweud y lleiaf. Ystafell hen lanc fasa rhywun yn ei ddeud, mae'n siŵr, dim ôl gofal gwraig. Tybed beth oedd o ynglŷn â gwragedd oedd yn rhoi'r gallu iddynt wneud tŷ yn gartrefol? Gofal, debyg. 'Iwtilitaraidd' oedd gair arall i ddisgrifio'r stafell. Roedd popeth yn ei le ac yn lân, ac mae'n siŵr bod modd canfod pethau yn rhwydd... ond roedd rhywbeth ar goll. Tase fo ond yn cael ambell glustog hwnt ac yma, neu dipyn o flodau i roi lliw ar y lle...

'Ges i hwn drwy'r post heddiw – llun o fabi Ffion.'

Estynnodd Mary amdano. 'Digon o sioe. Caron ydi hwn, ia?'

'Ia. Mae Herman wedi cael galwad i fynd yn weinidog i Burry Port, ac mae o awydd derbyn. Bechod ei fod o mor bell, 'te?'

'O leiaf mae o'n dde Cymru yn lle de Lloegr lle mae 'mhlant i...'

'Faint o wyrion sydd gennych chi bellach?'

'Gareth a Sally yn blant i Meilir yn dal yn yr ysgol gynradd, Bera – hogan Rhiannon – yn yr ysgol uwchradd, a Sion yn fab i Glynn – mae o'n ddeunaw. Mewn ysgol breifat mae o, wedi i Glynn a'i wraig wahanu...' Sylwodd ar David Thomas yn anesmwytho. 'Efo be yn benodol oeddech chi eisiau help?' holodd Mary.

'Dwi wedi cyrraedd pennod y Rhyfel.'

'Hmm,' meddai Mary. Roedd yn amau y byddai'n cael trafferth efo honno. 'Am eich bod chi'n wrthwynebydd a Silyn ddim?'

'Na – dwi'm yn cael trafferth efo hynny. Roedden ni wedi derbyn ein bod o wahanol farn ar y mater yna.'

'Driodd Silyn ymuno efo'r Fyddin... chymren nhw mohono fo. Doedd ei iechyd o ddim digon da.'

'Dwi'n gwybod.'

'Tybed beth ddeuda fo fod Glynn wedi mynd i'r RAF?' Edrychodd ar ei chyfaill. 'Tydi hi'n sobr ein bod wedi byw drwy ddau Ryfel Byd?'

'Ydi – ac maen nhw'n paratoi am y trydydd... Na, eisiau mwy o fanylion am y cyfnod hwnnw ydw i, gan nad oeddem mewn cymaint o gysylltiad... Does gen i ddim digon o gig i'w gwneud yn bennod...'

Pellhau ddaru nhw, roedd o'n sicr o ddigwydd. Cyfnod felly oedd o.

'Ddaru chi bellhau, do?' gofynnodd Mary, a doedd dim diben i David Thomas wadu'r peth.

'Roedd o'n anorfod. Ac ro'n i yn Wrecsam a chi'ch dau yn y Barri...'

'Hmm... ond dwi'n cofio Silyn yn deud i chi gyfarfod mewn oedfa yn Nhalysarn unwaith, tua'r cyfnod hwnnw. A ddeudsoch chi ddim byd wrtho. Roedd Silyn wedi teimlo.' Doedd waeth iddi ddeud hyn ddim, iddo gael gwybod. Roedd Silyn wedi ei frifo.

Er bod deugain mlynedd wedi mynd ers y noson, cofiai David Thomas hi yn iawn. Yng Nghapel Mawr Talysarn roedd yr oedfa – doedd o ddim wedi cael ei anfon i ffwrdd eto, a doedd Gorfodaeth ddim wedi dod i rym. John Evan Thomas, gwyn ei fyd, oedd wedi clywed bod eu hen gyfaill Silyn yn pregethu yn Capel Mawr y Sul canlynol. I'r capel Wesla yr âi David Thomas, ond y noson honno cytunodd i ymuno efo John a'r Methodistiaid. Roedd o hyd yn oed yn cofio testun y bregeth.

Tase Silyn wedi dewis unrhyw destun arall, byddai wedi bod yn haws gwrando arni, ond bu'n rhaid iddo fynd i gyfeiriad Gorfodaeth. Siŵr iddo gael achlust gan Lloyd George a Thomas Jones ei fod ar y ffordd – roedd o'n troi ymysg criw go ddylanwadol bryd hynny yn y Barri. Felly mi bregethodd am genedl Israel yn yr anialwch, a sôn fel roedd gorfodaeth filwrol bryd hynny yn nyddiau Moses, ac nad peth newydd mohono o gwbl.

Afraid dweud nad oedd John na David yntau wedi eu cyfareddu gan yr oedfa, ond wrth iddynt fynd allan, roedd torf o amgylch Silyn eisiau siarad efo fo, a'i longyfarch ar ei bregeth.

Edrychodd John arnynt a meddai yn ddigon chwerw, 'Edrych, maen nhw o'i gwmpas fel gwenyn rownd pot jam. A doedden nhw ddim eisiau ei nabod pan oedd o'n traethu ar Sosialaeth.' Ac roedd JET, fel arfer, wedi taro'r hoelen ar ei phen.

Edrychodd David Thomas ar Mary Silyn. 'Ddim ei anwybyddu fo ddaru ni. Roedd pawb wedi mynd ato i'w longyfarch ar y diwedd.'

'Falle, ond fasa gair gennych chi wedi cyfrif mwy na dim.'

Cadw'n dawel ddaru David Thomas. Gwyddai fod Silyn yn gallu dygymod efo'i syniadau ef yn haws nag y gallai ef ddygymod â syniadau Silyn. Ond un felly fu Silyn erioed; roedd ganddo ryw garisma nad oedd ym meddiant David Thomas. Doedd Silyn, debyg, ddim wedi disgwyl gweld David yn yr oedfa, a doedd JET ddim ymysg y disgyblion ffyddlonaf yn unrhyw gapel. Falle ei bod hi'n anodd traddodi'r fath bregeth efo dau gonshi yn eistedd yn y cefn.

'Roedd y Barri yn gryn newid o gymdeithas Tanygrisiau,' meddai Mary, yn ceisio llywio'r sgwrs i'r cyfeiriad roedd o'n dymuno. Mi fydde hi'n rhoi pâr o gyrtans newydd yn y *bay-window*, mi fydde hynny'n gweddnewid y stafell. Yn y Barri, roedd ganddynt lenni lliw glas bendigedig, a golwg ar y môr.

'Ond cyfnod dedwydd, dwi'n casglu,' atebodd David.

'Roedd yn loes calon gorfod gadael Tanygrisiau, ond cawsom groeso arbennig yn y Barri... math gwahanol o Gymry wrth gwrs – roedd y Barri yn llawer mwy dosbarth canol, ond roeddent yn bobl abl, weithgar. Pan dach chi'n deud "y Barri" wrtha i rŵan, wyddoch chi beth ddaw i'm meddwl i, Dafydd Thomas?'

Edrychodd David arni, roedd wedi bywiogi drwyddi, ac aeth yn ei blaen.

'...un o nosweithiau'r Dosbarth Canu Penillion – dyna rai braf oedd y rheiny, a chriw difyr yn eu mynychu. Pwy'na... J.E. Jones, Maentwrog... oedd yn eu cynnal. Mi fyddai'n teithio bob wythnos o Lanilltud Faerdre. Mi fydden ni'n rhannu alawon rhyngom, ac roedd J.E. yn stôr o wybodaeth. A gan ein bod yn dod o bob math o lefydd yng Nghymru, roedden ni'n gallu rhannu'r fersiynau gwahanol o'r caneuon. Mi gofnododd Silyn y cyfan... roedd ganddo lyfr nodiadau a "Gosodiadau J.E." ar y clawr. Mae'n siŵr ei fod o yn y tŷ 'na yn rhywle...'

'Roedd gan Silyn lais da, os cofiaf.'

'O, roedd Silyn wrth ei fodd yn canu. Fo brynodd y delyn 'na sydd gen i... ei phrynu hi gan Gwyneth Vaughan. Mi fyddai Williams Parry yn dod i'r dosbarthiadau hefyd...'

'Bach yn bell iddo ddod i ddosbarth, toedd, ynteu oedd o'n byw yn y cylch hwnnw bryd hynny?'

'Silyn hudodd o i lawr! Roedd Bob yn berffaith hapus yng Nghefnddwysarn, ond mi berswadiodd Silyn o i geisio am swydd athro yn yr Ysgol Sir – ysgol Edgar, 'te? Daeth Edgar Jones a Williams Parry yn ffrindiau mawr. Ro'n i'n tynnu coes Silyn ac yn deud na allai hel pawb i lawr o Ddyffryn Nantlle, ond mi lwyddodd yn rhyfeddol. Roedd o eisoes wedi perswadio'i gefnder, Llew Williams, Penygroes, i ddod yn weinidog i Benuel. Rhyfedd na cheisiodd o eich denu chi...'

Fyddai o ddim wedi mynd i'r Barri hyd yn oed tase fo wedi cael gwahoddiad, meddyliodd David. Peidiodd y llifeiriant – am ryw hanner munud.

'Lle ro'n i, deudwch?'

'Rhamantu am gymdeithas y Barri oeddech chi, ac am y Dosbarth Canu Penillion...' meddai David Thomas.

'Ie, ie... Dwi'n colli'r canu. Mae o'n wahanol i ganu capel... mae canu penillion yn rhywbeth cymdeithasol yn ei hanfod. Fedra i fynd at fy nhelyn rŵan a chanu'r hen alawon, ond dydi o ddim 'run fath – hen wreigan mewn hen dŷ yn canu hen delyn...' Gwenodd, a fflachiodd y llygaid.

'Fedrwch chi wrando ar y radio...'

'Wn i ddim be fyddwn i'n ei wneud heb y radio. Mae'n gwmni mawr. Ond does na'm hanner digon o Gymraeg arno. Faswn i wrth fy modd efo rhaglen wythnosol ar ganu gwerin. A deud y gwir, mi fyddwn yn fodlon ei threfnu fy hun!'

Tro David Thomas oedd hi i wenu wedyn. Mi fyddai Mrs Silyn yn ei gwneud hi hefyd, a byddai'n raglen wych. Yr hyn oedd yn ei syfrdanu oedd ei brwdfrydedd heintus – roedd hi'n dal i befrio a byrlymu er gwaetha'r blynyddoedd.

'Dwi'n lecio'r gwpled yna gan Williams Parry,' meddai Mary,

'Mae ynys yn y Barri
Ac awel ym Mhorth-cawl...'

Cydiodd David Thomas yn y sgwarnog,

'Paham y treuli ddyddiau ir
A nosau haf yn Ynyshir?'

'Doedd Bob ddim yn lecio'r Barri gymaint â hynny, ond ew, roedd o a Silyn yn ffrindiau...'

'Roedd Silyn yn lecio'r Barri?'

'Silyn wrth ei fodd yno. Wel, drychwch ar y criw: Edgar Jones ac Annie Gwen – sobr meddwl eu bod wedi colli Gareth druan. Mynd i Rwsia wnaeth o, 'te. Roedd o wedi bod eisiau cael mynd rioed, ac mi lladdwyd o, yn fuan wedi i Silyn farw. Dial oedd hynny, gan yr awdurdodau, wyddoch chi – roedd Gareth wedi datgelu gormod fel gohebydd, 'mabi gwyn i. Roedd o 'run oed â Glynn.'

Cofiai David Thomas yr achlysur trist. Bu'n sioc i bawb, a Gareth Jones yn ŵr ifanc mor alluog.

'Wedyn roedd ganddoch chi Thomas Jones – meddyliwch fod Eirene ei ferch wedi dod yn Aelod Seneddol Llafur... dwi'n ei chofio yn hogan fach... a phwy arall? Annie Foulkes.'

Roedd yr enwau eu hunain yn soniarus.

'Sef criw y *Welsh Outlook* 'te?'

'Wel, ia – dyna i chi gynnyrch arall ddaeth o'r ofaint honno. Cylchgrawn pwysig iawn yn ei ddydd. Ar y dechrau, welwn i ddim pam fod angen papur Saesneg, ond dyna oedd gwelediogaeth Thomas Jones – cylchgrawn fyddai'n trafod pob agwedd o fywyd Cymru, ond i gael y di-Gymraeg yn rhan o'r drafodaeth honno hefyd. *Telyn y Dydd*, Annie Foulkes wedyn – 'run cyfnod... 'run criw.'

'Ac mi chwalwyd y pwerdy hwnnw yn y Barri gan y Rhyfel...'

'Mi ddioddefodd y Barri yn ddychrynllyd yn ystod y rhyfel – a phorthladd mwya Cymru yno, yntê? O'r cychwyn cyntaf mi oedd y milwyr yn cael eu lleoli yn yr ysgol, ac mi fu raid i Edgar Jones gynnal y dosbarthiadau yn yr eglwysi. Aeth Edgar yn ei flaen i fod yn Major. 1917 oedd y flwyddyn waethaf – mi ddinistriodd yr U-Boats y dociau...'

'Ond roedd Llew yn wrthwynebydd cydwybodol...'

'Oedd, ac wedyn dyna i chi Williams Parry druan yn cael ei hel i'r drin – meddyliwch! Mae'n rhaid i chi roi y stori honno i mewn yn y llyfr.'

'Dewch â'r manylion,' meddai David Thomas, yn barod efo'i bensil. Ew, roedd hi'n anodd cadw Mrs Silyn ar y trac.

Setlodd Mary i ddweud yr hanes.

'Mae honno'n stori enwog, ac roedd hanner y bai ar Bob ei hun. Ddaru Bob symud i fyw o'r Barri i Gaerdydd tua adeg Gorfodaeth, a ddaru o ddim deud wrth yr awdurdodau ei fod o wedi gwneud. Fuo'r rheiny'n chwilio amdano am ryw ddeufis – meddwl ei fod yn eu hosgoi yn fwriadol. Gafodd o archwiliad meddygol, ac yn y diwedd, mi basiodd yn A1. Diwrnod gafodd o i bacio'i bethau, ond doedd dim brys ar yr hen Bob, nag oedd? Mi aeth i riportio a chael cerydd gan y swyddog. "Why the hell didn't you turn up yesterday?" gofynnodd y swyddog – sgiwsiwch yr iaith – ac meddai Bob, "How the hell could I?" ac wedyn mi wylltiodd y swyddog a deud ei fod o am roi Williams

Parry yn y 2nd Welsh. John Llywelyn – ei gyfyrder o – ddeudodd y basa'n rhaid iddo fynd i weld Silyn wedyn i ddatrys petha. Ond ddaru o ddim, naddo. Roedd Bob yn rhy styfnig.'

'Beth ddigwyddodd yn diwedd?'

'Aeth Silyn i weld Bob a doedd o rioed wedi gweld ei ffrind mor ddigalon, yn eistedd o flaen y tân wedi pwdu. Na, doedd o ddim am fynd i weld neb, wnaetha fo ddim ymddiheuro... doedd Silyn ddim yn meddwl ei fod o'n sylweddoli mor ddifrifol oedd y sefyllfa...'

'Neu doedd y Fyddin ddim yn deall mor styfnig y gallai Bob fod...'

'Wel ia, mae hynny ynddi hefyd,' cytunodd Mary. 'Beth bynnag, mi perswadiwyd o gan Silyn yn y diwedd, ond doedd petha ddim gwell hyd yn oed ar ôl i Bob weld y swyddog. Roeddent yn gweiddi ar ei gilydd, a'r swyddog yn bygwth ei anfon i'r 3rd Welsh. Roddodd Silyn ei droed i lawr wedyn a mynnu bod Bob yn ymddiheuro, a diwedd y busnes oedd i Silyn lwyddo i gael Bob i'r OTC. Dyna i chi be oedd helynt Williams Parry...'

'Ac mae'r dyddiadau'n gywir gennych chi?'

'Mi gewch chi'r llythyr sgwennodd Silyn ataf i ddeud yr hanes. Dwi'n cofio Silyn yn gofyn, "Ond be ŵyr y Saeson ddiawl yma am Fardd yr Haf?".' Gwenodd Mary ac ysgwyd ei phen, 'Ia, be wydden nhw wir?'

Caeodd David Tomos ei lyfr nodiadau. Rhagoriaeth Mary Silyn oedd adrodd stori. Gellid dweud yn rhwydd amdani, 'Gorau cyfarwydd yn y byd oedd...'

Pennod 32

Llanrhychwyn, 1915

Gyda'r babi yn ei breichiau, eisteddodd Mary wrth y ffenest i edrych ar y dail oedd yn prysur droi'u lliwiau. Dyma'r cyfan roedd hi eisiau: noddfa Tŷ Newydd. Doedd neb yn hapus iddi ddod yma ei hun yn ystod ei beichiogrwydd, ond roedd hi wedi mynnu cael ei ffordd ar ôl y geni. Wedi'r fath flwyddyn, bu bron i bethau fynd yn drech na hi. Trodd y byd yn lle gwallgof. Diolch byth ei bod wedi llwyddo i ganfod rhywun i ofalu am y bechgyn yn Nhŷ Newydd – fynnai Silyn ddim iddi fod ar ei phen ei hun efo'r tri, a doedd hithau ddim am gymryd y bechgyn oni bai bod rhywun i ofalu amdanynt. Roedd yn iawn eu hanfon i Frynllidiart fesul un, ond doedd dim disgwyl i Nel, chwarae teg iddi, gymryd dau fachgen direidus ar ben ei chyfrifoldebau eraill, er bod Mathonwy yn llanc pymtheg oed bellach.

Edrychodd ar Rhiannon yn cysgu'n sownd yn ei chôl. O ble yn y byd y daeth hon?

Dyna lle roedd hi, wedi canfod rhyw drefn ar bethau wedi i'r hogiau fynd i'r ysgol; roedd pethau'n mynd yn dda yn y Barri, a hithau wedi llwyddo i ddod yn ôl i ganol berw bywyd. Ac yna, chwalodd popeth. Daeth y Rhyfel i droi byd pawb â'i ben i waered, ac yna, dyma ganfod ei bod yn feichiog. Dychryn wnaeth hi gyntaf, a phoeni. Pwy yn y byd fyddai am ddwyn plentyn i fyd mor wallgof? Ond mae'r pethau bach yn canfod eu ffordd, a sylweddolodd Mary fod ei byd hi am newid yn go sydyn. Byddai'n rhaid iddi fynd yn ôl i fagu, a chwtogi ar ei gweithgareddau. Dim teithio i Ddenmarc oedd un o'r pethau a'i trawodd gyntaf, ond ni châi wneud hynny beth bynnag. Fyddai 'na ddim teithiau dramor tra oedd y gwledydd hyn i gyd yng ngyddfau ei gilydd.

Deffrodd Rhiannon, a bwydodd Mary hi. Chwarae teg i'r

greadures, roedd hi'n blentyn digon diddig. Ond a bod yn gwbl onest, meddyliodd Mary, doedd bod yn fam ddim yn dod yn hawdd iddi. Gwyddai am rai merched oedd yn ymhyfrydu yn y rôl famol, ond doedd hi ddim ymysg y rheiny. Doedd ganddi 'mo'r amynedd; roedd yr holl fusnes magu yn dreth ar ei hamser. Roedd yn ei hatal rhag gwneud cymaint... petai yn ddyn, byddai'n fodlon cael nythaid o blant – a rhywun arall yn gofalu amdanynt. Unwaith roeddent tua chwech oed roedd modd eu dysgu a bod yn rhan o'u bywydau, ond tan hynny, gwaith caled oedd magu...

Ond o leiaf fe gâi gyfle i feddwl yn Llanrhychwyn. Roedd bywyd yn arafach yma. Fan hyn oedd ei noddfa – wedi bod erioed. Dihangfa oedd Llanrhychwyn. Beth bynnag ddigwyddai, roedd modd troi cefn ar y cyfan a dal y trên i Drefriw. Yma y daeth yn blentyn, a rhywfodd roedd y cynnwrf a'r cysur hwnnw wedi aros efo hi. Cerdded o orsaf Trefriw i fyny'r allt serth i Lanrhychwyn oedd un o'r teithiau a roddai y mwyaf o bleser iddi. A diolch byth fod Silyn wrth ei fodd efo'r lle.

Ceisiodd ei gorau i'w gael yntau i ddod gyda hwy, petai ond am ychydig ddyddiau, ond roedd wedi mynd yn gaeth i'w swydd newydd. Y straeon a ddeuai gan y milwyr Cymraeg oedd bod swyddogion Saesneg yn gwneud bywyd yn annioddefol i'r Cymry. Po fwyaf o swyddogion Cymraeg y gallai Silyn drefnu i gael eu hyfforddi, mwyaf o help oedd hynny i'r Cymry yn y ffosydd. Os na allai ymladd gyda hwy, gallai ysgafnhau eu baich.

Yn y diwedd, llwyddodd Tom Jones i gael Lloyd George i wneud rhywbeth. Sefydlwyd adran Gymreig o'r OTC, yr Officer's Training Corps, a Silyn oedd yr ysgrifennydd. Byddent yn cyfarfod yn ddyddiol a llwyddwyd i benodi mil a hanner o fyfyrwyr yn swyddogion.

'Rhywle yn Ffrainc' oedd ei brawd hi, Henry, erbyn hyn ac roedd y pryder amdano fel rhyw ddannodd nad oedd byth yn diflannu, yn rhan o'i chyfansoddiad ac yn bwyta ei thu mewn. Pryderai yn gyson am ei mam. Yn weddw bellach ac eisoes wedi colli un mab flwyddyn ynghynt yn Awstralia, byddai colli'r ail yn ei llorio. Dyma beth yw tyfu i fyny, meddyliodd Mary. Nid priodi a chael plant, ond wynebu profedigaethau fyddai tu hwnt i'w dirnadaeth pan oedd yn iau.

O ran aberthu ei hun i'w swydd, bu pethau'n ddigon drwg yn Nhanygrisiau, ond y gwahaniaeth yno oedd ei bod hi yn rhan o'r gwaith – gweithio fel rhan o dîm roedd Silyn a hithau. Gwyddai am bob agwedd, roedd hi'n nabod pawb o'r aelodau, roedd digon o waith i'w cadw'n brysur, a gwaith yn ymwneud â phobl oedd y cyfan. Câi bleser o weld datblygiad pobl hefyd, nid plant a phobl ifanc yn unig, ond merched a dynion. Roedd yr holl drafod a'r canu a'r dosbarthiadau yn rhwydwaith oedd yn eu cyd-gysylltu, ac roedd nod cyffredin. Gwyddai ei bod yn teimlo'r straen ambell dro, ond roedd sêl yr efengylwyr cynnar yn nodweddu eu gwaith.

Dyddiau da oeddent, a chyfeiriodd Silyn yn hiraethus atynt wedyn,

A minnau'n hiraethu am ddyddiau a ges
   Yn henfro Morgannwg mewn blodau a thes,
A'r eos yn canu'n y llwyn wrth fy nôr,
   Ar ben bryn y Barri yng ngolwg y môr.

Yna, daeth y Rhyfel gebyst. Fel rhyw dderyn gwae bu'n hofran uwch eu pennau am fisoedd, ac yna, trawodd. Ac mi 'ffeithiodd ar bopeth. Cymaint fu'r straen, fe beidiodd ei misglwyf. Ac yn fuan wedyn, canfu nad pryder oedd yr achos, ond ei bod yn magu mân esgyrn. Roedd rhywbeth rhyfedd – a chwithig – yn hynny. Newyddion cyson am fywydau ifanc yn cael eu colli, tra oedd gwragedd ar draws y byd yn canfod eu bod yn cario bywyd newydd. Rhywfodd, roedd ganddi ofn rhoi anadl einioes i berson arall, a'r byd mor orffwyll.

Dychrynodd pan geisiodd Silyn gofrestru. Roedd Silyn wedi breuddwydio amdano'i hun yn filwr mewn rhyfel ers ei blentyndod, y rhamantydd ffôl. Byddai rhywun yn meddwl mai rhyfel personol ydoedd rhyngddo fo a phwerau'r Fall. Mi ddeudodd y meddyg yr hyn a wyddai yn iawn, nad oedd ei iechyd yn ddigon da i fynd dramor, ac mai ym Mhrydain y gallai wasanaethu'r ymdrechion orau. Roedd o dros ei ddeugain. Ond petai wedi cael ei dderbyn, sut yn y byd y byddai hi wedi ymdopi? Colli Silyn oedd ei hofn eithaf. Ni chredai y gallai barhau ar y byd hebddo. Roedd yn syniad rhy enbyd i'w ddychmygu.

Roedd y Barri yn ferw o frwdfrydedd pan gyhoeddwyd bod Rhyfel, ac roedd dynion yn listio yn eu cannoedd. Wrth i'r ffoaduriaid gyrraedd yn eu miloedd, y peth cyntaf wnaeth Rene oedd cymryd rhai i'w chartref. Mater o droi ati oedd hi wedyn i godi arian a chasglu deunydd i'w helpu. Bu Silyn yn annerch cyfarfodydd recriwtio efo Owen Thomas, ac mi gyfieithodd bamffled Lloyd George ar y Rhyfel.

Ond ddaru Mary erioed feddwl y byddai'n byw drwy'r fath ddyddiau. Bellach, daeth yn ffordd o fyw, clywed am golledion cyson – yn y Barri ac yn Nhanygrisiau a Dyffryn Nantlle – a doedd dim argoel fod pethau'n gwella, hyd yn oed wedi deunaw mis o ryfela.

Gallipoli fu'r erchylltra y flwyddyn honno. Roeddent yn dal wrthi ers misoedd a dau gan mil wedi colli eu bywydau. Lle roedd y cyfan yn mynd i orffen? Diolchodd yn ddyddiol nad oedd Silyn dramor. Byddai wedi colli ei phwyll.

Rhuthrodd Glynn a Meilir i mewn i'r stafell, a neidiodd y babi druan.

'Ust, wnewch chi?'

'Dydi Glynn ddim yn gadael i mi fynd ar y siglen...'

'Mae o'n rhy fach! Nath o ddisgyn tro dwytha.'

'Dwi'n hogyn mawr!'

'Nag wyt ti ddim – babi wyt ti.'

'Taw, Glynn. Rhiannon ydi'r babi, mi wyddost ti hynny. Rho gyfle i dy frawd.'

Dechreuodd Meilir sniffian crio. 'Dydw i ddim eisiau chwarae efo fo. Dwi'm yn lecio fo.'

'Paid â deud petha felly, Meilir.'

'Dwi'm yn lecio fo chwaith,' meddai Glynn, ac allan â fo a'i freichiau ar led, yn dynwared awyren.

'Ffendia rywbeth arall i'w wneud 'ta, Meilir. Hitia befo dy frawd.'

'Dwi eisiau aros efo chi a Rhiannon.'

'Dyna fo, 'ta.'

Chwaraeodd Meilir efo llaw y babi, gan ryfeddu at y modd roedd hi'n gafael yn ei fys.

'Bach ydi hi, 'de, Mam?'

'Mi dyfith, paid poeni. Roeddet ti fel hyn un tro. A finna.'

Edrychodd Meilir arni'n syn. 'Chi – yn fabi?'

'Wel, ia siŵr. A rhyw ddydd fyddi di yn hen fel finna.'

Chwarddodd Meilir at syniad mor abswrd. 'Na fyddaf siŵr!'

'Byddi – fyddi di'n hen ddyn efo gwallt gwyn a chetyn a ffon...' pryfociodd Mary.

Cerddodd Meilir yn araf yn ei gwman, a thro ei fam ydoedd i chwerthin.

'Fatha Mr Pritchard Cae Haidd...'

'Meilir...' meddai, gan ei wylio'n diflannu drwy'r drws.

Sut fyddai Meilir yn ddyn, tybed? meddyliodd Mary. Anodd oedd dychmygu'r plentyn wythmlwydd wedi tyfu. Ac eto, roedd 'na fechgyn ddeng mlynedd yn hŷn na fo yn y ffosydd.

Diolch byth mai plant oeddent... os oeddent yn mynd i aros yn Llanrhychwyn am gyfnod, byddai'n rhaid meddwl am anfon y ddau i'r ysgol.

Pennod 33

22 Ffordd y Coleg, 1964

Deffrodd Mary gan deimlo'r gwayw yn ei chorff. Edrychodd ar y cloc. Deng munud wedi tri... doedd hi ddim yn debyg o fynd yn ôl i gysgu. Gorweddodd yn y gwely am dipyn, yna cododd ar ei heistedd ac estyn am y bocs llythyrau. Fyddai hwn ddim ganddi am fawr hwy, os oedd am ei roi i'r Llyfrgell. Ond am y tro, roedd ganddi hawl iddo – yn enwedig ym mherfeddion nos fel hyn, a hithau mewn poen. Byddai'n well iddi gymryd tabled i'w leddfu.

Estynnodd am y pecyn oedd ar y bwrdd wrth y gwely, a chymryd llymaid o ddŵr o'r gwydr.

Rywfodd, wrth roi'r gwydryn yn ôl, rhoddodd hwth i'r bocs, a disgynnodd ei gynnwys ar y llawr... Mary, Mary... beth sy'n bod arnat? Trwsgwl ydi peth fel hyn.

Ceisiodd ymestyn dros erchwyn y gwely am un o'r dalennau. Byddai'n dychryn weithiau mor esgyrnog oedd ei braich. Doedd fawr o gnawd arni. Llwyddodd yn y diwedd i godi un o'r llythyrau... un gan T. Gwynn Jones, un o'r ffefrynnau. Sawl gwaith y darllenodd hwn? Bron na allai gofio'r cynnwys ar ei chof. Ac roedd T. Gwynn wedi marw ers faint bellach?... siŵr ei bod hi dros ddeuddeng mlynedd. Un clên oedd o...

... 'glannau graean glân Llyn Geirionnydd' yn rhyw beth am na allant fod mwy, canys er tristed y naill a'r llall, fe wyddai dyn fod y dewin mwyn a'u gwnaeth eto a'i draed ar y ddaear a goleuni'r haul yn ymlapio amdano a ninnau eto'n ieuanc!

Ysgrifennodd hynny wyth mis wedi marw Silyn.

... y mwynder a'r dewrder a'r daioni hwnnw oedd bod Silyn yn bod yn rhywle o hyd.

Oedd, roedd hwnnw ymysg y goreuon. Gwasgodd ei llygaid wrth deimlo gwasgfa arall. Byddai'n rhaid iddi fynd i weld y meddyg eto. Roedd yn gas ganddi'r syniad, ond ni allai ddal ati fel hyn. Falle y gallai'r meddyg alw i'w gweld hi. Doedd hi ddim yn debyg o gyrraedd y feddygfa os teimlai cynddrwg â hyn yn y bore...

Er nad oedd y boen cynddrwg yn y bore, gorfododd Mary ei hun i ffonio'r meddyg, a daeth hwnnw draw i'w harchwilio yn ddiweddarach. Oedd, roedd henaint yn ffactor, oedd, roedd ei chalon yn wan, doedd dim gwadu'r ffaith. Syllodd Mary arno'n mynd i lawr y stryd, a mwya sydyn roedd yn teimlo'n ddiymgeledd iawn. Efo pob problem arall gallai ganfod ffordd o'u cwmpas, ond efo Henaint, roedd o fel bwystfil mawr yn sefyll yng nghanol y ffordd, yn gwybod nad oedd modd i neb ei drechu. Doedd hi ddim eisiau bod ar ei phen ei hun efo'r fath feddyliau, a gwnaeth yr hyn fyddai yn well na thonig. Aeth allan drwy'r drws a throi i'r chwith, heibio'r pedwar tŷ a churo ar ddrws Y Betws. Bu Dafydd Thomas i lawr yn y de am tua mis, ac roedd wedi colli'r gwmnïaeth. Creadur, roedd o'n llawn ei ofidiau y dyddiau hyn. Wrth ei weld yn agor y drws, sylwodd fod ei war yn crymu, a bod ei symudiadau yn arafach.

'Mrs Silyn, dydw i ddim wedi eich gweld ers tro. Mae'n ddrwg gen i nad ydw i wedi galw ers dod yn ôl o dŷ Ffion.'

'Peidiwch ag ymddiheuro, Dafydd Thomas.'

'Teimlo ydw i bod cymaint i'w wneud wrth symud yn ôl. Mae'n cymryd wythnos i mi gael y tŷ i drefn. Wel, ddim y tŷ yn gymaint, ond fi fy hun. Dwi fel rhyw sipsi yn mynd â cymaint o bethau gyda mi. Eisteddwch.'

'Sut mae Ffion druan?'

'Rhyfeddol, o styried. Mae'n rhaid iddi fod – er mwyn yr hogia.'

'Petha bach.'

Ni allai Mary beidio â meddwl am Ffion fel hogan fach, er ei bod dros ei deugain bellach.

Ers iddi hi a Herman symud i'r de i fyw, doedd hi ddim yn ei gweld mor aml. Yna, mwya sydyn, rhyw fis yn ôl, tra oedd Herman yn Sasiwn yr Annibynwyr ym Mangor, roedd o wedi disgyn yn farw o ganlyniad i drawiad. Dyna pam roedd Dafydd Thomas wedi mynd i lawr yn ystod mis Mehefin, yn hytrach nag yn y gaeaf, fel roedd yn arfer ganddo.

'Faint ydi oed yr hogia?'

'Yr hynaf yn un ar bymtheg ac yn gwneud ei arholiadau Lefel O, a Caron druan ond yn ddeuddeg... Ac wrth gwrs, fel gwraig gweinidog, mae'n rhaid iddi symud allan o'r tŷ... a bydd yn rhaid iddi ganfod swydd... tydi hi ddim yn cael amser mewn gwirionedd i alaru.'

Roedd hi'n drefn annynol, meddyliodd Mary. Un munud roeddech chi'n wraig i weinidog efo statws, a'r munud wedyn, os oedd eich cymar yn marw, roeddech ar y clwt – heb dŷ a heb incwm. Doedd gan wragedd gweinidogion ddim hawliau o gwbl. Tase Silyn yn dal yn weinidog, byddai hi wedi bod yn yr un lle. Ond Ffion fechan, roedd hi'n llawer rhy ifanc i brofi'r fath golled. O leiaf roedd hi, Mary, dros ei hanner cant. Cafodd ddeng mlynedd yn fwy o fywyd priodasol na Ffion.

'Beth wnaiff hi?'

'Trio cael gwaith fel athrawes, debyg. Ond mae cymaint o bethau eraill i'w gwneud... Sut mae pethau wedi bod yn fan hyn?'

'Digon distaw. Does fawr o newydd. Dwi'n canfod fy hun yn troi mwy yn y gorffennol y dyddiau hyn. Bai yr archifau ydi o...'

'Rydach chi'n dal wrthi.' Ew, roedd gan hon galon.

'Pan fydda i'n meddwl 'mod i wedi cau pen y mwdwl, dwi'n canfod rhyw focsys ac amlenni eraill, petha nad oeddwn yn cofio am eu bodolaeth... mae'n ddiddiwedd.'

'Rydw i'n edmygu eich dycnwch,' meddai David Thomas, 'wedi gwneud erioed.'

Gwenodd Mary ac edrych ar ei dwylo, 'Wel, os dysgodd y WEA rywbeth inni, dycnwch oedd hwnnw... mae gan y ddau ohonom radd dosbarth cyntaf ynddo!'

Gwenodd y ddau.

'Pwy'na ro'n i'n meddwl amdano y dydd o'r blaen... Thomas Rees. Does 'na neb yn sôn amdano'r dyddiau hyn... mae o wedi mynd yn angof. Ond roedd o'n ddyn mawr, toedd?'

Cofiai David Thomas brifathro Bala Bangor yn iawn. Fo sefydlodd gangen o Gymdeithas y Cymod ym Mangor adeg y Rhyfel Mawr, a chafodd ei erlid yn go gas ar sail ei heddychiaeth.

'Oedd. Rydach chi'n iawn, dydi o ddim wedi cael y gydnabyddiaeth a haeddai.'

'Dwi'n cofio mynd i'w weld o un tro. Roedd o'n gadeirydd rhanbarth y WEA, 'toedd? Roedd 'na ddirprwyaeth ohonom yn gorfod mynd i weld Pwyllgor Addysg Môn, i ddadlau achos y WEA. Wel, doedd Thomas Rees ddim wedi cadarnhau ei fod o'n gallu mynd, a phan ganfu Silyn fod peryg na allai gyrraedd yn ôl o'i ddosbarth mewn pryd, ofynnodd o i mi fynd draw i weld Thomas Rees i erfyn arno i ddod. Roedd rhaid inni, 'toedd? Yn doedden ni'n gorfod dadlau dros bopeth reit ar y dechrau?'

Doedden nhw ddim yn ddyddiau hawdd.

'Dadlau dros y WEA ydan ni wedi bod yn ei wneud ar hyd ein hoes.'

'Digon gwir. Beth bynnag, dyma fi'n mynd i weld Thomas Rees, a mynd i'w stydi. Wrth ei ddesg yn sgwennu oedd o, a dyma fi'n deud fy neges. Ac mi fedrwn ddeud, 'mond wrth edrych ar ei wyneb, nad oedd o am fynd i'r cyfarfod...'

'A be ddaru chi?'

'Jest sefyll yno. Ro'n i'n gwybod mor bryderus oedd Silyn ynglŷn â'r cyfarfod, ac mor bwysig oedd hi bod Thomas Rees yn dod...'

'Beth ddigwyddodd?'

'Roedd ganddo bentwr o amlenni a phostcards ar y ddesg o'i flaen, yn barod i'w postio. Aeth o drwyddynt yn araf – mi fedra i ei weld o rŵan. A dyma fo'n dod at un postcard, ei dynnu allan o'r pentwr, a'i roi i mi i'w ddarllen. Nodyn taer oedd o i Silyn, yn gofyn am gael ei esgusodi'r cyfarfod. Yna, mi rhois i o'n ôl iddo, a dyma fo'n ei rwygo'n bedwar darn, a'i roi o yn y bin.'

'Ddeudodd o ddim byd?'

'Mae'n siŵr 'mod i wedi diolch iddo fo, ond dydw i rioed

wedi teimlo mor annifyr. Ac mae'r cof hwnnw wedi aros efo mi.
Mae o fel hiraeth, yn gwrthod fy ngadael i.'

'Roedd o'n beth anodd i'w wneud,' cytunodd David
Thomas, er mai dyna roedd Mary Silyn wedi ei wneud ar hyd ei
bywyd. Annog, procio, erfyn, crefu ar ei gliniau bron â bod. 'Ond
mi ddaeth i'r cyfarfod...'

'Do, do,' meddai Mary yn dawel. 'Dyna'r peth olaf wnaeth
o. Tasech chi'n darllen cofnodion adroddiad cyntaf y WEA yn
y gogledd, mae o'n nodi mai ei daith olaf oedd mynd efo mi ar
y ddirprwyaeth at Bwyllgor Addysg Môn i ddadlau achos y
WEA... Dydach chi ddim yn anghofio rhywbeth felly.'

Cadw'n dawel oedd yr unig beth i'w wneud ar ôl clywed
stori felly.

Ochneidiodd Mary. Roedd gan Dafydd Thomas ddigon ar
ei blât. Ond byddai'n rhaid iddi ddweud wrtho. Roedd yn rhaid
iddi ei rybuddio.

'Dydw i fy hun ddim wedi bod rhy dda y dyddia dwytha
'ma... ges i wayw neithiwr fel mae'n digwydd bod...'

Cododd David Thomas ei ben mewn syndod. Ni fyddai
Mary byth yn sôn am ei hiechyd.

'Bydd yn rhaid i chi gael cyngor gan y doctor.'

'Mi ffoniais i, a daeth i'm gweld bore 'ma...'

Edrychodd arni'n llawn consyrn. 'Be ddeudodd o?'

'Bod fy nghalon yn gwanio ... ac wedyn mi ddeudodd o y
basa'n well i mi ddechrau ystyried symud i Gartref.'

Roedd o'n swnio'n syniad hurt o'i roi felly, ac roedd David
Thomas yn deall yn iawn. Bod oddi cartref oedd y peth
gwaethaf un.

'Mae hyn am fod yn anodd.' Dyna'r cwbl ddeudodd ei
chyfaill. Ond doedd dim angen deud mwy.

Roedd y ddau yn sylweddoli cymaint o rwyg fyddai o.

'Y peth sydd, dydw i ddim yn barod i gymryd y fath gam.
Dydw i ddim wedi gorffen y clirio... hwnnw sy'n fy mhoeni
fwyaf. Dydw i ddim wedi rhoi trefn ar bethau.'

'Faint o amser sydd gennych chi?'

'Tan syrthia i, beryg, 'te?' atebodd Mary efo chwarddiad chwerw. 'Dyna sy'n digwydd i hen bobl, 'te? 'Dan ni'n syrthio un diwrnod, ac mae ein bywydau'n dod i ben...'

Dyna'r hyn roedd o'n ei edmygu am Mrs Silyn. Doedd hi byth yn smalio.

'Gewch chi le ym Mangor?'

'Wn i ddim. Beryg y gwnaiff Rhiannon gymryd gofal o bethau... mae hi am ddod i fyny yn go fuan. Mae hi wedi deud y gwnaiff hi alw i'ch gweld.'

Arhosodd hi ddim yn hir wedyn, ac aeth am adref.

Bu David Thomas yn eistedd am amser maith yn cnoi cil ar yr wybodaeth a gafodd.

Rhiannon Silyn... roedd hi'n ferch annwyl iawn. Doedd o ddim wedi meddwl amdani hi ers tro, doedd o ddim wedi ei gweld ers amser maith, tase hi'n dod i hynny. Roedd Rhiannon wedi etifeddu natur radlon ei thad a harddwch ei mam. Cofiodd y tro diwethaf iddi ddod i'w weld. Siŵr bod rhyw wyth mlynedd wedi mynd heibio ers hynny. Safai yno ar garreg y drws, yn hardd odiaeth, a merch ifanc efo hi. Bu am ryw hanner munud cyn sylweddoli pwy ydoedd. Bera oedd enw ei merch, ac roedd David Thomas wedi troi ati i gael sgwrs efo hi.

'Mae'n ddrwg gen i Yncl Defi, dydi Bera ddim yn deall Cymraeg...' eglurodd Rhiannon yn drwsgl. Rhaid ei fod wedi methu cuddio'r sioc ar ei wyneb. 'Oherwydd Geoffrey...' prysurodd i egluro, 'a'r ffaith ein bod yn byw yn Lloegr...' Pesychodd. 'Mae'n ddrwg gen i... fel'na ddigwyddodd petha. Bera Angharad ydi ei henw llawn.'

'Angharad ydi enw un o fy wyresau i. Be ydi tarddiad "Bera"?'

'Enw o Wlad yr Iâ ydi o – mi deithiodd Geoffrey ar wyliau yno unwaith.'

Doedd David Thomas erioed wedi cwrdd â'r dyn, nac yn gwybod dim amdano, ar wahân i'r ffaith mai gweithio i'r GCHQ ydoedd, ac mai ar y ffordd i Rwsia y cyfarfu'r ddau.

Estynnodd ei lyfr oddi ar y silff a'i roi i Bera.

'I want you to have this, Bera,' meddai David Thomas, ac edrychodd y ferch yn ddwys arno. 'It's the story of your grandfather, Silyn. A man that I have the utmost respect for.' Nodiodd y ferch. 'It's written in Welsh... I wrote it. And I'm giving you this book on one condition... that you will learn Welsh so that you can read it. Can you promise me that?'

Edrychodd y ferch i fyw ei lygaid, a nodio eto. 'I will try,' meddai, gan droi at ei mam a dangos y llyfr iddi.

Gwenodd Rhiannon arno. 'Diolch, Yncl Defi. Gawn ni weld sut hwyl gawn ni, yntê, Bera?'

A'r peth nesaf a glywodd am Bera oedd ei bod wedi mynd i fyw i Seland Newydd. Yn fuan wedyn roedd Rhiannon wedi ailbriodi efo gŵr o dras Pwylaidd, ac roedd hi wedi troi yn Babydd.

Pennod 34

Swyddfa'r Land Army, Llanelli, 1917

Gosododd Mary y llythyr yn y ffeil a'i gosod ar y silff. Doedd ganddi ddim amser i roi trefn ar y swyddfa. Petai ond yn cael ysgrifenyddes lawn amser, gallai wneud cymaint mwy. Sut roedd disgwyl iddi drefnu'r cyfarfodydd, cyrraedd yno, annerch, a dal i fyny efo gwaith ysgrifenyddol? Daeth Elsie i mewn.

'Allwch chi wneud y cofnodion ar gyfer yr wythnos dwytha, Elsie? Dwi ar ei hôl hi braidd.'

'Ydyn nhw wedi eu sgwennu allan? Dim ond nodiadau ges i y tro diwetha, a doedd hi ddim yn hawdd...'

Chwarae teg, rhan amser oedd Elsie, a doedd gan Mary ddim hawl i fynnu gormod. O'u hysgrifennu yn gyntaf, fyddai waeth iddi eu teipio ddim.

'Mae'n iawn, mi wna i forol amdanynt.'

'Mi wna i baned 'te, mae hi bron yn amser cinio...'

Ni fyddai Mary yn trafferthu efo amser cinio. Moethusrwydd oedd hynny, ond cytunodd – er mwyn Elsie. Daeth y ferch drwodd efo'r hambwrdd a dwy fisged, a'i phecyn bwyd.

'Dda ein bod ni ferched sengl yn gallu bod o werth, ondife?' meddai gyda gwên. Roedd ganddi acen dlos, a hithau'n ferch o'r Tymbl.

'Bobl bach, nid merch sengl ydw i!' meddai Mary, 'dwi'n briod efo tri o blant.'

Cododd Elsie ei haeliau. 'Shwt yn y byd y'ch chi'n dala lan 'da pethe?' gofynnodd â diddordeb.

'Dydi o ddim yn syml, ddeuda i gymaint â hynny,' meddai Mary, gan eistedd ac estyn am ei phaned. 'Wnes i berswadio fy mam i ddod i warchod.'

'Yw hi'n byw'n agos?'

'Yn Llundain oedd hi.' Ceisiodd Mary egluro'i sefyllfa ddomestig, ond golwg go ddyrys oedd ar Elsie.

'Dyw hynny ddim yn od? Bod oddi wrth eich plant?'

Doedd Mary ddim wedi ystyried hynny. 'Nac ydi – dwi'n eu gweld yn ddigon aml, does 'na ddim peryg iddynt golli nabod arna i!'

'Faint yw eu hoedran?'

'Mae'r ddau hogyn yn naw ac unarddeg, a Rhiannon yn ddwyflwydd.'

'Rhiannon – 'na chi enw anghyffredin, ond tlws hefyd.' Penderfynodd Elsie ei bod wedi busnesu gormod. 'Doeddwn i ddim yn bwriadu busnesu...'

'Tydach chi ddim. Deddf wirion ydi'r un sy'n gwahardd merched priod rhag gweithio, ond mi ddown at eu coed pan fydd y Rhyfel 'ma ar ben.'

'Shwt gychwynnoch chi 'da'r Land Army?'

'Nhw ofynnodd i mi ymgeisio ar gyfer y swydd. Roedd gen i ddiddordeb mewn merched, ac yn siarad Cymraeg...'

'Cymerwch fishgîen – 'wy wedi'u cadw o'r *rations*.'

'Diolch.' Gwenodd Mary. Roedd Elsie yn ferch annwyl iawn. 'Roedd 'na gymhelliad arall hefyd. Dwi'n cymryd diddordeb mawr yn Nenmarc – mae'r gwaith maen nhw'n ei wneud yn y maes amaethyddol yn arloesol, o ran ffermydd cydweithredol a ballu... Chithau, Elsie, sut ddaru chi ddechrau?'

'Fy mrawd yn Ffrainc, ac ishe helpu...'

'Gen innau frawd yn Ffrainc...' meddai Mary, fel petai'n adrodd litani. Toedd gan bawb, bron? Aeth yn ei blaen. 'Dwi'n mawr obeithio, os daw un peth da o'r rhyfel 'ma, yna newid agwedd dynion tuag at ferched fydd hynny. Er, dwi'n anobeithio weithiau efo ambell ffermwr – maen nhw'n dal yn gyndyn o gael merched i weithio iddynt.'

'So fi'n credu y bydden nhw'n eu cymryd o gwbl oni bai bod yn rhaid iddynt.'

' "Peidiwch anfon unrhyw syffrajéts inni" – dyna ydi'r apêl fwyaf cyffredin,' meddai Mary gan godi a dechrau rhoi trefn ar y post. 'Ac "mae'n loes calon 'mod i wedi colli'r gweision da oedd gen i, a dydw i ddim eisiau merched o ffwrdd"! Dwi'n deud wrthoch chi, Elsie, dwi'n tynnu gwallt fy mhen weithiau. Ac mae hyn gan ffermwyr sydd heb neb i odro'u gwartheg – fel tasen nhw'n gallu fforddio gwrthod help!'

Cytunodd Elsie.

'Dydi hi ddim mor hawdd cael gafael ar y merched chwaith...' ychwanegodd Mary.

'Cyfloge gwell sy'n cael eu cynnig mewn ffatrïoedd, yntife?'

'Digon gwir. Er nad ydi deunaw swllt yr wythnos yn swm i droi eich trwyn arno.'

'Yr orie sy'n drwm, ddywedwn i.'

'Wel, *mae* hi'n gyfnod rhyfel tydi?' atebodd Mary.

Doedd Elsie ddim wedi dod ar draws neb oedd cweit yr un fath â Mary Silyn. Doedd hi ddim wedi cyfarfod rhywun oedd â chymaint o hyder yn ei barn a'i safbwyntiau chwaith. A helpo'r swyddogion rhyfel ddeuai i'r swyddfa i'w rhoi yn ei lle! Byddent yn gadael â'u cynffonnau rhwng eu coesau.

'Oeddech chi'n hir 'da'r swyddog 'na neithiwr?' holodd Elsie.

'Oeddwn, ac roedd eisiau mynadd Job efo hwnnw. Rhyw inspector oedd o, wedi cael ei anfon i'n harchwilio ni. Wnes i ei atgoffa fo nad rhyw swyddfa yng nghefn gwlad Cymru oedd hon, a 'mod i'n Drefnydd Cenedlaethol dros Gymru wedi'r cwbl. Ei ddadl o oedd nad oedden ni'n glynu at gynllun y Llywodraeth ar gyfer y Land Army.'

Roedd ganddo bwynt, meddyliodd Elsie. Doedd Mary Silyn Roberts ddim yn cadw at unrhyw fath o gynllun, ar wahân i'w hagenda hi ei hun.

'Mi gafodd bryd o dafod,' meddai Mary. 'Ddeudais i wrtho fod gan Gymru ei hanghenion arbennig ei hun. Fi oedd yn mynd o amgylch y gwahanol siroedd i weld sut oedd y drefn yn gweithio, a'r peth pwysig oedd bod yna drefn effeithiol, p'un ai oedd hi'n cadw at reolau canolog y Labour Exchange neu beidio! Creadur... wnaeth o gyfaddef yn y diwedd mai dim ond inspector dros dro oedd yntau, a falle mai fi oedd yn iawn wedi'r cwbl. Ddaru ni wahanu'n ffrindiau...'

Dyna Mrs Roberts, meddyliodd Elsie. Tafod llym, ond calon gynnes. A gan nad oedd hi'n arbed ei hun, roedd hi'n cael maddeuant gan sawl un. Roedd swyn arbennig o'i chwmpas.

'Elsie, cyn i chi fynd... fydde gennych chi ddiddordeb mewn teithio i Ddenmarc? Nid tra mae'r Rhyfel 'ma 'mlaen, wrth reswm, ond wedyn...'

'Pam fydde rhywun fel fi yn mynd i Ddenmarc? 'Wy ddim wedi bod dramor yn fy mywyd.'

'Wedi'r rhyfel, mae gen i gynlluniau i gael nifer o ferched y Land Army, y rhai sydd â diddordeb, i fynd ar daith i Ddenmarc fel ein bod yn gallu cyfnewid profiad.'

Ysgwyd ei phen wnaeth Elsie. ''Wy ddim yn meddwl mai rhywun fel fi ddylie fynd. Mi fydden i'n cymryd lle rhywun mwy galluog...'

'Elsie!' cododd Mary ei llais, a dychryn y ferch. 'Pam fod gan ferched cyn lleied o hyder? Dyna dwi'n ei gael yn gyson: "dydw i ddim digon da, Mrs Roberts... mae 'na bobl well na mi...". Does 'na ddim, Elsie. Merched fel chi mae'r wlad yma ei eisiau, dach chi'n fwy nag abl, a dwi'n meddwl y byddech chi'n cael budd garw yn Nenmarc, ac y byddent wrth eu bodd yn eich cael yno.'

'Iawn, Mrs Roberts, feddyliaf i am y peth,' meddai Elsie, gan ddiflannu drwy'r drws. Ew, roedd gan y ddynes ffordd anffodus weithiau.

Gwyliodd Mary hi'n mynd, a thuchan. Roedd hi wedi gorymateb unwaith eto.

Wrth iddi gamu i lawr y grisiau, bu bron i Mary faglu efo'r cês llawn ffeiliau. Mwya'r brys, mwya'r rhwystr... Roedd yn rhaid iddi fod yn 'garcus' fel dywedai pobl Llanelli. Câi gyfle i fynd drwy'r papurau ar y trên bump i'r Barri. Roedd wedi anfon telegram at Silyn i ddweud y byddai ar ei ffordd adref. Nid ei bod yn gwybod a fyddai Silyn adref. Roedd o'n cadw oriau mwy afreolaidd na hi, hyd yn oed. Mi fyddai'n hoffi bod adref erbyn cyfarfod y Gymdeithas Alawon Gwerin – yr hyn oedd yn weddill ohoni. Roedd cael mynychu'r nosweithiau hynny yn fodd o aildanio'r batri. Rhoddai ryw bictiwr iddi o sut fyddai pethau wedi'r Lladdfa ddychrynllyd hon.

Daliodd y trên, canfod ei sedd ac eistedd yn ôl. Byddai'n ddwy awr o daith cyn cyrraedd y Barri. Cyn gynted ag yr oedd wedi cael ei gwynt ati, syrthiodd i gysgu, a cael a chael oedd hi i ddeffro mewn pryd.

Wrth iddi ddod oddi ar y trên a cherdded at y swyddfa docynnau, gwelodd Silyn yn brasgamu tuag ati. Dyna ryfedd. Fydde fo byth yn cael cyfle i'w chyfarfod oddi ar y trên fel rheol. Er, roedd golwg bryderus ar ei wyneb... Daeth ati a'i chusanu.

'Be sy'n bod, Silyn?'

'Mi ddyweda i 'rôl cyrraedd adref... gad i mi gymryd dy fag. 'Randros, sawl bag sydd gen ti?'

Safodd Mary lle yr oedd. 'Deud rŵan, Silyn, mae'n well 'mod i'n gwybod, wna i 'mond hel meddylia.'

'Ellis sydd wedi ei ladd... Ellis Evans, Traws.'

'Hedd Wyn?' meddai Mary, yn methu credu.

Nodiodd Silyn, ac yn sydyn gafaelodd amdani. Gafaelodd Mary amdano yntau. Hedd Wyn, o bawb? Ond...ond... ac eto, pam ddim? Beth a wnâi beirdd yn llai tebygol o gael eu lladd? Onid oedd yr anghenfil yn dal pawb yn y pen draw?

'Pryd gest ti wybod?'

'Telegram ges i... Fe'm sigwyd i'n llwyr. Wyddwn i ddim beth i'w wneud. Ro'n i eisiau dy gwmni di... eisiau rhannu'r newyddion efo ti, achos mi wyddwn y byddet yn deall. Ellis... Ellis o bawb.'

Rhyfedd ydi clywed am farw, meddyliodd Mary. Roedd y syniad o Ellis Evans ddim yn bod yn hurt bost. Roedd pob marwolaeth sydyn yn anodd dygymod â hi. Golygai symud y person o dir y byw i dir tragwyddoldeb, a hwnnw oedd y peth anodd. 'Run peth efo Evan ei brawd...

Law yn llaw y cerddasant o'r orsaf, a ddywedodd yr un o'r

ddau fawr. Roedd eu meddyliau ar y bardd a laddwyd yn llawer rhy ifanc, bardd a ddangosodd y fath addewid.

Dros y dyddiau nesaf, roedd Silyn fel gŵr wedi'i lorio, ac ni allai yn ei fyw ddygymod â'r newydd.

'Hogyn oedd o, Mary. Dyna sut byddwn yn meddwl amdano.'

'Roeddech chi'ch dau ar yr un donfedd. Doedd y gwahaniaeth oed ddim yn cyfrif.'

'Dwi'n meddwl am yr adegau hynny y buom yn 'sgota efo'n gilydd. Ac er ei fod o'n ifanc, roedd aeddfedrwydd yn ei gylch. Roedd o'n un o'r hogia anwylaf i mi eu nabod erioed. Ac mi fyddai wedi ennill yn y Genedlaethol ryw dro, dwi'n sicr o hynny. Roedd o'n fardd mor dda.'

'Bydd y newyddion wedi ysgwyd Traws.'

'Rydw i wedi sgwennu at ei rieni. Roedd yn rhaid i mi anfon gair, ond mi fydd cymaint yn cysylltu â nhw...'

'Mae ei farw o fel tase fo'n crynhoi holl drychineb y rhyfel 'ma mewn un person.'

'Dyna'n union sut 'dw innau'n teimlo hefyd.'

Y bore wedyn, wrth i Mary roi trefn ar bethau yn y stydi, gwelodd gerdd wedi ei gadael ar ddesg ei gŵr,

Ystryw galanastr gelynion – gwympodd
    Brif gampwr y ceinion;
Dan y llaid mae'r llygaid llon,
A marw yw prydydd Meirion.

O fewn deufis roedd yr englyn hwnnw'n cael ei ddarllen o lwyfan yr Eisteddfod Genedlaethol ym Mhenbedw pan ddatganwyd mai Hedd Wyn oedd wedi ennill y Gadair. Ceisio dygymod â'r golled wnaeth Silyn drwy wneud popeth o fewn ei allu i gadw'r bardd mewn cof, ond roedd y genedl i gyd am ei gofio. Cyhoeddodd Silyn gerddi Hedd Wyn dan y teitl *Cerddi'r Bugail* ac aeth yr elw wnaed o werthu'r pedair mil o gopïau i'r Gronfa Goffa. Ef oedd ysgrifennydd y Pwyllgor Coffa a threfnwyd bod cerflun o Hedd Wyn yn cael ei godi yn Nhrawsfynydd. Trefnodd hefyd fod y geiriau 'Y Prifardd Hedd Wyn' yn cael eu gosod ar ei fedd yn Fflandrys.

Meddwl am chwiorydd Hedd Wyn wnâi Mary. Doedd dim profedigaeth debyg i'r un o golli brawd.

Pennod 35

Y Barri, 1918

Blwyddyn o newid fu blwyddyn olaf y Rhyfel Mawr i Mary a Silyn. Daeth hen swydd Silyn i ben a chafodd ei gyflogi i drefnu gwaith i filwyr a glwyfwyd yn y Rhyfel. Golygai hyn sefydlu ffatrïoedd drwy Gymru i wneud pob math o bethau. Gan na wasanaethodd yn y Rhyfel, swydd y Dirpwy Gyfarwyddwr a gafodd. Gŵr militaraidd oedd y Cyfarwyddwr, ac ni allai Silyn dynnu 'mlaen ag o o gwbl. O ganlyniad, gwrthodai roi tasgau o unrhyw gyfrifoldeb iddo a theimlai Silyn i'r byw. Doedd o ddim yn hapus yn y gwaith.

Roeddent yn dal i fyw rhwng Llanrhychwyn a'r Barri – a doedd fawr o drefn ar eu bywyd teuluol. Mynychai'r hogiau Ysgol Ramadeg Llanrwst, ond roedd y ddau yn teimlo fod y plant lleol yn eu trin fel estroniaid. Roedd hi'n hwyr glas i'r rhyfel ddod i ben – roedd wedi troi popeth â'i ben i waered.

Daeth Silyn at Mary un diwrnod, wedi ei gynhyrfu.

'Dwi wedi bod yn darllen mwy am y Chwyldro yn Rwsia,' meddai, a'r papur newydd dan ei fraich. Roedd Silyn wedi mwydro'i ben yn llwyr efo Chwyldro Rwsia. Oedd, roedd o'n newyddion ddaru siglo'r byd, ond teimlai Mary weithiau ei bod bron yn fwy cyfarwydd â digwyddiadau Rwsia nag yr oedd hi efo'r hyn ddigwyddai yn y Barri. Roedd hi ei hun wedi ymddiddori yn y wlad ar ôl dod yn ffrindiau efo Annie Gwen, a byddai wrth ei bodd yn cael mynd yno.

'Mae'n ymddangos fod Lenin yn gwneud camau breision ymlaen... a wyddost ti beth sy'n anhygoel? Dwi'n meddwl 'mod i wedi cwrdd ag o...'

Edrychodd Mary yn ddiamynedd arno. 'Pa freuddwyd oedd hon?' gofynnodd, gan ochneidio.

'Go iawn, Mary! Dwyt ti ddim yn fy nghredu, nag wyt?'

'Nac ydw, Mr Roberts, dydw i ddim! Profa 'mod i'n anghywir. Pryd wnest ti sleifio i Rwsia heb imi sylwi?'

Eisteddodd Silyn, yn amlwg yn mwynhau'r stori. 'Pan o'n i yn Llundain, ro'n i'n treulio llawer o'm hamser yn y Llyfrgell Brydeinig yn ymchwilio i'r Chwedlau Arthuraidd...'

'Ia...' meddai Mary, heb ddeall sut roedd Rwsia'n dod i mewn i'r stori.

'Roedd tramorwr yn eistedd dros y ffordd i'r ddesg ro'n i'n gweithio arni, Dr Jacob Richter...'

'Felly...?'

'Fo oedd Lenin, dwi bron yn sicr!'

Doedd Mary ddim yn gweld pa sail oedd i'r dybiaeth, ond dangosodd Silyn ei lun, ac roedd yn taeru mai'r un dyn ydoedd.

'Vladimir Ilyich Ulyanov ydi ei enw iawn o,' meddai wrth ddarllen y papur, ac rydan ni yr un oed, ond 'mond fel Lenin y caiff ei nabod bellach. Ond roedd o yn Llundain ym 1901.'

'A pam roedd o'n galw ei hun yn "Dr Richter"?'

'Ffoadur oedd o. Ddeudodd o rioed wrtha i o le roedd o'n dod.'

'Ond petaet ar ffo, fyddet ti ddim yn mynychu'r Llyfrgell, na fyddet?'

'Dan ffugenw roedd o'n go saff, ac roedd rhaid cael caniatâd i fynd yno – doedd o 'mo'r lle mwya cyhoeddus dan haul. Mae'n *rhaid* i mi gael gwybod!'

'Pam na ffoni di o? Deud wrtho mai Silyn wyt ti – hen ffrind o ddyddiau Llundain gynt?'

Doedd Mary ddim yn ei gymryd o ddifri.

'Mi sgwenna i at Lysgennad Rwsia. Siawns na fedran nhw setlo'r ddadl.'

Gwenu ddaru Mary. Roedd rhyw dynfa at bobl enwog yn perthyn i'w gŵr. Roedd o'n beth bachgennaidd, bron â bod, ond annwyl serch hynny...

Ymhen amser, daeth ateb o'r Llysgennad i ddweud fod Silyn yn llygad ei le. Dr Jacob Richter oedd ffugenw Lenin tra oedd yn Llundain.

Rhyfedd fel y gall un llythyr chwalu blwyddyn. Wrth y bwrdd brecwast roedd Silyn a Mary pan ddaeth y post, ac roedd Mary'n falch pan adnabu lawysgrifen Lora. Roedd wedi cadw cysylltiad â'i ffrind o Hendre Cennin ar hyd y blynyddoedd.

'O, na...!' ebychodd, fel petai i atal gwaedd, ac edrychodd Silyn yn sydyn arni.

'Mary...?'

Edrychodd Mary ar ei gŵr a chiliodd y gwaed o'i gruddiau.

'Robat Einion... wedi ei ladd yn Ffrainc...' Gwasgodd yr amlen mewn ymdrech i reoli ei theimladau.

Fferrodd Silyn, a theimlodd y sioc yn hydreiddio drwy ei gorff. Un arall, eto fyth... ond Robat Einion, o bawb. Roedd mor falch fod Robat Williams Caer Engan, ei hen athro, wedi ailbriodi efo Dori Hendre Cennin, a phan aned Robat Einion roedd eu hapusrwydd yn gyflawn.

Darllenodd Mary y llythyr drachefn.

'Bythefnos yn ôl y digwyddodd o yn ôl Lora... ym mis Medi.'

'Oes unrhyw fanylion?'

Ysgydwodd Mary ei phen. '*Killed in Action* ydi'r unig beth mae o'n ei ddeud.'

'*Killed in Action*, wir... roedd Robat yn wrthwynebydd. Efo'r Medicals oedd o.'

'Yn Arras... ond mae'r Corfflu Meddygol mewn mwy o berygl na neb, tydi?'

'Ydi – mi wnaeth yn dda i bara cyhyd, 'machgen gwyn i. Dwi'n ei gofio'n cael ei eni.'

Edrychodd Mary ar ei gŵr. 'Wyddost ti lle gwelais i o gyntaf? Y noson honno yng Nghaer Engan, pan welais i ti gyntaf. Ro'n i wedi ymweld â Lora, ac mi alwaist heibio ar dy ffordd o bregeth.'

'Dwi'n cofio'r noson yn iawn.'

'Mi ddaeth Robat i lawr y grisiau, creadur, ar ôl cael ei

ddeffro, a sefyll yn syn yn edrych ar yr oedolion 'ma... Doedd o ddim mwy na phedair oed.'

Ochneidiodd Silyn. 'Plant ydyn nhw – y milwyr gaiff eu lladd. Ac mae John, ei frawd o, yn y Fyddin hefyd. Ar y môr mae o.'

Sylwodd Mary fod dalen arall efo'r llythyr. 'Mae Williams Parry wedi sgwennu cerdd iddo, clyw,

Wrth glwyfus ddinerth gleifion, – wrth y dewr
    Aeth i daith y dewrion,
  Wrth ysig, friwedig fron,
  Tyner fu Robert Einion.'

Dyna fo wedi ei gwneud hi eto, meddyliodd Silyn, wedi ei fynegi yn dwt ac yn gryno. Sut roedd Bob yn llwyddo, dro ar ôl tro? Ac eto, faint gostiai iddo fynegi'r colledion hyn? Roedd wedi sgwennu cymaint bellach.

'Mae Bob yn perthyn i'r teulu, tydi? Ei fam o yn g'neither i Dori...'

'Ydi. Dori druan.'

Bu cwmwl colli Robert Einion dros y ddau am wythnosau. Saith ar hugain oed oedd y creadur.

Pennod 36

Y Betws, 2 Prince's Road, Bangor, 1947

Malu bywydau yn rhacs, dyna wnâi rhyfeloedd, meddyliodd David Thomas wrth ddal llythyr ei fab yn ei law. Prin y gallai gredu'r hanes. Roedd Arial wedi ei anfon o wlad Groeg i Balestina, a dyna lle roedd yn goruchwylio sefydlu'r Wladwriaeth Iddewig. Pwy feddyliai, ddwy flynedd wedi diwedd y Rhyfel, y byddai ei fab yn dal ym mhen arall y byd, a fynta ond yn ddwy ar hugain? Yn y coleg i lawr y lôn y dylai fod, yn cwblhau ei radd. Yn lle hynny roedd yn mentro'i fywyd yn ddyddiol, dim ond oherwydd polisi tramor Prydain Fawr. Doedd dim synnwyr yn y peth. Hen driciau gwael oedd gan Ffawd. Dyna fo, David Thomas, wedi sefyll yn erbyn yr ymladd yn y Rhyfel Mawr – ac i be? Dim ond i boeni am ei hogyn ei hun yn ymladd yn yr Ail Ryfel Byd. Roedd troeon bywyd yn abswrd.

Y Stern Gang oedd y bygythiad ym Mhalesteina. Yn ôl Arial, roedd trên a gludai ei ffrindiau wedi cael ei chwythu gan derfysgwyr, a phetai ar y trên byddai yntau wedi ei ladd efo nhw. Mater o lwc oedd hi mor aml, pryd oedd rhywun ar *leave*, pa daith fyddai'n ei chymryd, dan ba gerbyd y byddai bom benodol – gwyrth oedd bod rhywun yn dod adre'n fyw neu heb anaf. Tan y byddai'n ôl adre'n ddiogel ym Mangor, ni fyddai David Thomas yn rhoi'r gorau i boeni. O leia roedd Ffion yn sefydlog: yn briod â Herman, gweinidog Annibynwyr o Ddeiniolen, yn byw ym Mhorthmadog ac yn disgwyl ei phlentyn cyntaf. Byddai wedyn yn daid.

Dim ond mewn enw ddaeth y Rhyfel i ben ym 1945. Tra oedd gan rywun fab yn y lluoedd, byddai'r Fyddin yn dal yn rhan go fawr o'i fywyd – mewn ffordd na feddyliodd ym 1916. Roedd byd o wahaniaeth rhwng bod yn llanc 36 oed, a bod yn dad.

Yn y Rhyfel Mawr, dim ond amdano'i hun roedd o'n gyfrifol.

Roedd ganddo frawd yn Ffrainc, ond roedd ei dad yn rhy hen i fynd yn filwr. Am y ddwy flynedd gyntaf, peth pell i ffwrdd oedd y cyfan, ond pan ddaeth gorfodaeth, newidiodd popeth.

Dim ond cychwyn yr hunllef oedd y Tribiwnlys. Roedd wedi trafod y peth gymaint mewn llythyrau i'r Wasg, ac am fisoedd, deuai pobl i'w gartref yn Nhalysarn i ddeall sut roedd gwrthwynebu listio. Yn y diwedd cafodd wŷs i ymddangos yn y llys, ac aeth popeth o'i reolaeth wedi hynny. Fe'i cofrestrwyd fel gwrthwynebydd cydwybodol, ond roedd yn rhaid iddo ganfod gwaith hanner can milltir o ble roedd yn byw. Cymerodd hynny fisoedd, ac yn y diwedd, cafodd waith fel gwas fferm tu allan i Wrecsam. Ond drylliwyd ei holl waith trefnu. Rhoddodd y Rhyfel y farwol i holl ganghennau'r ILP y gweithiodd mor galed er eu mwyn. Daeth diwedd ar y Gyngres Undebau Llafur yn Sir Gaernarfon a Chynhadledd Undebau Llafur Gogledd Cymru. Fel eliffant mawr, sarnodd y Rhyfel bopeth y bu'n ymlafnio drwy ei oes i'w sefydlu. Yn was fferm yn Wrecsam, heblaw am wneud peth gwaith efo'r gweision ffermydd, ni allai wneud dim yn wleidyddol. Roedd y gwaith ar y tir yn llyncu ei holl amser hamdden. Weithiau, âi i drafferth fawr i drefnu cyfarfod, dim ond i orfod tynnu allan y munud olaf am fod angen hel gwair ar y noson benodol honno.

Roedd ganddo hiraeth am blant yr ysgol a'r gymdeithas yn Nhalysarn. Teimlai fod y rhyfel fel rhyw bla oedd wedi meddiannu pobl, ac wedi rhwygo cyfeillgarwch. Hiraethai am bethau fel yr oeddent ers talwm, ac eto, gwyddai fod y byd a adwaenai cyn y Rhyfel wedi diflannu ac na ddeuai byth yn ôl. Gwynfyd coll ydoedd. Doedd dim modd dychwelyd i Dalysarn ac ailgodi'r gangen. Roedd popeth wedi newid.

Tybed beth oedd teimladau Silyn am hyn? Rhyfel go wahanol gafodd o. Mi gawson nhw i gyd yn yr ILP ryfel gwahanol i'w gilydd. Thomas Rees druan, yn Brifathro Bala Bangor yn cael ei esgymuno gan y gymdeithas ym Mangor am fod yn 'gonshi', Ithel Davies a Percy Ogwen yn cael amser chwerw iawn yn y carchar, a Silyn yn troi mewn cylchoedd breintiedig yn y Barri... Oedd o, David, yn genfigennus ohono? Oedd, i raddau, doedd dim gwadu. Doedd David erioed wedi sôn wrth neb am ei brofiadau yn ystod y Rhyfel, ond doedd dim dwywaith fod y cyfan wedi bod yn 'sgytwad. Parodd iddo deimlo'n esgymun, fel petai wedi bod yr ochr arall i'r ffens i brofiadau pawb arall. Hanner dyn oedd o, ac roedd rhai wedi gwneud yn siŵr ei fod yn teimlo hynny. Parodd y teimlad hwnnw ymhell wedi i'r Rhyfel orffen. Doedd neb eisiau cyflogi conshi.

Ond oni bai am Wrecsam, fydde fo byth wedi cyfarfod Bet, ac roedd hynny rywsut yn cydbwyso'r profiad. O golli popeth bron, yn y frwydr wleidyddol, enillodd gymaint yn bersonol. Roedd pawb wedi cymryd mai hen lanc fyddai David Thomas, gan gynnwys ef ei hun. Fu ganddo erioed fawr o ddiddordeb mewn merched: llyfrau oedd ei ddiléit. Ac yna, daeth Bet o rywle, a holi gweinidog y capel fydda fo'n ei chyflwyno i'r "conscientious objector 'na sydd yn fferm y Bers". Roedd o wedi sylwi arni pan fu'n darlithio i Gymdeithas Lenyddol y capel – roedd hi'n hardd, roedd rhywbeth Sbaenaidd yn ei phryd a'i gwedd, yn y gwallt du a'r llygaid tywyll. Roedd hithau'n tynnu at ei deugain, ac yn hen gariad i Tegla, fel y deallodd wedyn. Ond yr hyn a'i denodd ati oedd ei natur abl, ei hannibyniaeth, a'i bywiogrwydd. Daeth ag ysgafnder i'w fywyd, gwelodd y byd drwy lygaid newydd. Daethant yn gariadon ac o fewn y flwyddyn, roeddent yn briod. Roedd hi'n ei ddeall i'r dim. Ac roedd o'n dal i ryfeddu fod y fath gyfoeth wedi dod i'w ran. Teimlai yn annheilwng o'r fath gariad a dedwyddwch, ac fe'u bendithiwyd â Ffion ac Arial. Doedd o erioed wedi gweld ei hun fel tad ychwaith, ond dotiodd atynt. Roedd Ffion Mai yn ei atgoffa'n fawr o Bet, daliai ambell edrychiad neu osgo, a gallai daeru mai Bet oedd o'i flaen. Doedd hi'n fendith nad oedd hi'n ymwybodol fod Arial yn y Fyddin? Byddai'n cael ei brifo i'r byw, a byddai'r pryder yn ei llethu. Pan âi i'w gweld, ni fyddai enwau Ffion nac Arial yn golygu dim iddi. Cragen o Bet oedd hi mewn gwirionedd. Roedd enaid y Bet roedd o wedi ei hadnabod wedi hen fynd. Ond ambell waith, ar adegau prin, byddai'n edrych arno ac fe daerai ei bod yn chwilio ym mhlygiadau ei chof, i geisio canfod pam roedd y dyn o'i blaen yn ei hatgoffa o rywun. Chydig eiliadau roedd hynny'n bara, ac roedd yn mynd yn ôl i fod yn glaf mewn ysbyty.

Deffrodd David Thomas o'i synfyfyrio. Beth yn y byd ddaeth drosto? Roedd o wedi crwydro i dir dieithr iawn. Fydde fo byth yn torri'r rheol euraidd o gamu i dir gwaharddedig atgofion. Roedd o'n brifo ei hun i'r byw, ac yn boenus am oriau wedyn.

Pennod 37

Tŷ Newydd, Llanrhychwyn, 1921

Agorodd Mary y drws a gweld Silyn yn dod tuag at y tŷ, a chododd ei llaw. Roedd golwg luddedig iawn arno, ac fe'i trawodd am y tro cyntaf ei fod yn dechrau mynd yn hen. Cododd yntau ei ben a daeth gwên dros ei wyneb, a'i oleuo. Cyflymodd calon Mary: yr un hen wên oedd mor annwyl iddi ydoedd. Prysurodd ato.

'Be sy'n bod arnat ti? Ti'n cerdded fel hen ddyn!'

'Yr allt 'na oedd bron â 'nhrechu i – mae rhywun yn anghofio pa mor serth ydi hi ar ôl strydoedd gwastad y Barri.' Edrychodd ar Mary. 'Pam y wên 'na?'

'Meddwl sut mae'r rhod wedi troi... pan gerddon ni i fyny i Gwm Silyn y tro cyntaf inni gwrdd, fi oedd yn brin fy ngwynt, a tithau'n edliw i mi strydoedd gwastad Llundain...'

'Ia, rêl hogan y ddinas oeddet ti – smart gynddeiriog, ond heb arfer efo gelltydd...' meddai gan roi ei fraich am ei chanol a'i chusanu. 'Ew, rydw i wedi dy golli di,' meddai, a gafael yn ei llaw wrth fynd tua'r tŷ.

'Pa newydd o'r Barri?' gofynnodd Mary wrth helpu Silyn i dynnu ei gôt.

'Pawb yn cofio atat,' meddai, gan roi mwythau i Mot, oedd wedi cynhyrfu'n lân o weld ei feistr. Mot oedd y ci a gawsant gan dad Hedd Wyn.

'Rho'r cês yn fanna...' meddai mam Mary, 'cei fynd ag o i'r siambr wedyn.'

Gwenodd Silyn o glywed y gair 'siambr' – doedd neb yn dweud hynny bellach. Sylwodd fod natur crymu yn ei fam yng nghyfraith bellach, a'i symudiadau yn arafach.

'A sut ydach chi, Nain?'

'Fel gweli di... Rhaid i ti weld be mae Mary wedi'i wneud i de... edrych.'

Ar y bwrdd, gwelodd Silyn darten lus fendigedig. Cododd ei aeliau. 'Randros, beth ddoth drosot ti?'

'Y plant aeth i hel llus neithiwr, a dyma finnau'n meddwl, siawns na fedra i wneud tarten fel roedd Mam yn ei gwneud, a 'ngŵr yn cyrraedd adre fory. Llus y Grinllwm ydi'r rhain.'

Eisteddodd Silyn a Mary wrth y bwrdd, ond roedd Jane Parry yn dal i stwna o gwmpas y grât. Roedd Silyn wedi anghofio pa mor fach oedd Tŷ Newydd.

'Oes newyddion o'r pen yma?' holodd.

'Rhiannon wedi colli dant,' meddai Mary, 'dyna oedd y cynnwrf mawr yma yn Llanrhychwyn neithiwr...'

'A sut mae'r hogia?'

'Fel petha gwyllt... dwi wedi blino cadw trefn arnyn nhw,' atebodd Mary.

Mynnodd Jane Parry gadw'u hochr. 'Mae'r hogiau yn iawn, gadwch iddyn nhw. Hogia ydi hogia. Mary sydd wedi anghofio sut betha ydyn nhw.'

Edrychodd Mary ar ei gŵr a rowlio'i llygaid. Roedd Glynn yn bymtheg erbyn hyn ac yntau a Meilir yn ddisgyblion yn Llanrwst. Doedd yr un ohonynt wrth eu boddau efo gwaith ysgol.

'Wel, mi fedra i rannu'r baich am gyfnod byr,' meddai Silyn. Ymestynnodd gyhyrau ei gefn a gwneud ei hun yn gyfforddus yn y gadair. 'Dowch i eistedd yn fan hyn, da chi, Nain, does dim angen tendian ar neb ar hyn o bryd...'

Am unwaith, ufuddhaodd y wraig hŷn, ac ymlwybrodd at ei chadair. 'Sut mae pethau yn y Sowth, Silyn?'

'Dwi 'di cael digon ar fywyd yng Nghaerdydd erbyn hyn,' atebodd yntau gydag arddeliad.

'Mae'n hen bryd i ti ganfod swydd yn y pen yma,' meddai Mary, gan deimlo'i bod yn rhoi'r un bregeth bob tro y gwelai ei gŵr.

Gwenodd Silyn. 'Dwyt ti ddim wedi clywed hanes y swydd, naddo, Mary?'

'Pwy swydd oedd hon?' holodd Jane Parry.

'Silyn oedd wedi ceisio am swydd Cofrestrydd y Brifysgol yng Nghaerdydd, Mam.' Trodd at ei gŵr. 'Dwi'n cymryd na chefaist ti hi, neu byddwn wedi cael gwybod,' meddai Mary.

Ysgydwodd Silyn ei ben. 'Ro'n i'n wirion yn meddwl fod gen i obaith. Fedri di feddwl bod John Rowlands â'i fys yn y cawl...'

Dyn dialgar oedd John Rowlands, ond dyn pwerus. Roedd Silyn wedi ei gyhuddo o gadw Tom Jones o swydd Prifathro Coleg Aberystwyth, ac wedi gwrthod ymddiheuro yn gyhoeddus am ddweud hynny.

'Y noson yr es i Aberystwyth, roedd yna ginio mewn gwesty, a dyma fi'n dechrau siarad efo'r dyn oedd gyferbyn â mi. Wyddwn i ddim pwy oedd o, a doedd ganddo yntau ddim syniad pwy o'n i. Doedd o ddim yn dod i bwyllgorau Llys y Brifysgol yn aml, ond y tro hwn roedd John Rowlands wedi anfon llythyr at bob aelod yn gofyn iddynt wneud ymdrech arbennig i ddod i'r Llys. I be? I bleidleisio yn erbyn "y dyn ofnadwy 'na – Silyn Roberts, oedd nid yn unig yn Sosialydd a Bolshefydd, ond doedd o chwaith ddim yn byw efo'i wraig"!'

'Ddeudodd o 'mo'r fath beth!' meddai Jane Parry, 'Pwy ydi o pan mae o adre?' Roedd Mrs Parry wedi hen arfer efo pobl yn gweld trefn deulol ei merch yn anghyffredin, ond wyddai hi ddim pa hawl oedd gan rywun hollol ddieithr i wneud y fath sylwadau.

'Cadeirydd Dirprwywyr Yswiriant Iechyd Cymru, a rhoi iddo'i deitl llawn,' meddai Mary, 'ond mae ei gyllell yn Silyn ers talwm.'

'Cyllell? Mae ganddo fo waywffon fawr ynof, ac mae wedi'i gwthio reit i mewn!' meddai Silyn efo gwên. 'Felly os ydi'r si yna'n wir, dydi o'n syndod yn y byd na ches i 'mo 'mhenodi.'

'Mi fyddet wedi mwynhau'r swydd yna, yn byddet?' meddai Mary, gan ochneidio. Roedd wedi gweithio mor galed yn ystod y Rhyfel, roedd yn awyddus iawn i weld ei gŵr yn hapus yn ei waith.

'Byddwn, Mary. Yn un peth, byddwn wedi cael gwneud dipyn mwy efo llenyddiaeth os oedden nhw eisiau datblygu'r adran gyhoeddi...'

Edrychodd Jane Parry ar ei mab yng nghyfraith. Doedd hi ddim wedi gweld neb tebyg iddo. Ar y naill law, welodd hi neb yn fwy ymroddedig i'w waith, ond ar y llaw arall, roedd rhywbeth cwbl afrealistig ynddo, a heblaw am Mary, doedd wybod beth fyddai wedi dod ohono.

'Beth aeth o'i le efo'r swydd arall roeddet yn dra gobeithiol o'i chael?' gofynnodd Jane. 'Chawson ni 'mo'r hanes yn llawn yn dy lythyr.'

Ysgwyd ei ben yn swil wnaeth Silyn. 'Roedd hi'n stori druenus. Mi fyddwn wedi cael honna, siŵr i chi– er 'mod i'n Sosialydd a ddim yn byw efo 'ngwraig! Dyna lle roedden ni fel ymgeiswyr yn eistedd yn y stafell fach 'ma, yn disgwyl cael ein galw...' Roedd Silyn yn ei elfen, ac yn un da am adrodd stori. 'Y peth nesa, dyma'r dyn arall 'ma'n troi ataf a deud ei fod yn gwybod yn iawn nad oedd ganddo siawns mul o gael y swydd... ond pryderai fod ganddo wraig a phlant ac na wyddai ble i droi..'

'Mae gen tithau hefyd...' meddai Mary fel bwled o wn.

'Dwi'n gwybod! Ond roedd o'n erfyn arnaf, bu bron iddo fynd ar ei liniau... roedd dagrau yn ei lygaid pan ofynnodd i mi fyddwn i'n sefyll o'r neilltu.'

'Ac mi wnest?'

'Mary, taset ti wedi ei weld, roedd o'n druenus. Mi sgwennais i at y Cadeirydd wedyn i egluro'r hyn oedd wedi digwydd...'

Anghredadwy, meddyliodd Mary, ond eto mor gwbl nodweddiadol ohono.

'Wel, dyna egluro i ti sut dy fod yn dal yn dy swydd bresennol. Bydd raid i ti feddwl mwy amdanat dy hun os wyt ti o ddifrif eisiau swydd arall,' meddai Mary.

'Fedr y swydd bresennol ddim para yn llawer hwy – mae'r gwaith wedi ei wneud. Does dim rhagor o gyn-filwyr i ganfod gwaith iddynt.'

Roedd canfod swyddi addas i'r dynion wedi bod yn fwy o her nag a feddyliodd Silyn. Cafodd wared o unrhyw syniad o pa mor rhamantus oedd bywyd milwr – roedd gweld cynifer o ddynion wedi eu clwyfo'n ddifrifol o ganlyniad i'r Rhyfel wedi bod yn agoriad llygad iddo.

Clywsant sŵn y tu allan.

'Mae'r hogiau wedi cyrraedd!' Aeth Mary allan tuag atynt. 'Mae eich tad wedi dod!' gwaeddodd, a rhedodd y ddau fachgen tuag ati. Roeddent wedi tyfu yn hogiau tal, cydnerth, ond byddai'n dda gan Mary petaent yn cymryd gwell gofal o'u gwisg. Roeddent fel dau dramp, ac yn siarad yn brysur efo'i gilydd.

'Helô, Dad,' meddai'r ddau, a gollwng eu bagiau ysgol ar y llawr. Edrychodd Silyn arnynt.

Be ddigwyddodd i'w blant? Mwya sydyn, troesant yn ddau lanc ifanc.

'Sut aeth hi heddiw?'

'Iawn,' meddai Glynn, a dywedodd Melir rywbeth dan ei wynt. 'Be sydd 'na i de? Ydan ni'n cael y darten?'

'Ydan, ydan – mae 'na hanner awr arall cyn amser bwyd,' atebodd Mary.

'Lle mae Rhiannon?' holodd Silyn. Roedd Rhiannon yn dal yn blentyn bach a hoff beth Silyn wrth gyrraedd Tŷ Newydd oedd gweld y diléit ar wyneb ei ferch a chael coflaid fawr.

'Mi fydd yma mewn dipyn. Roedd mam Eirian wedi deud y câi fynd yno i chwarae.'

'Mae gan Rhiannon well bywyd cymdeithasol na ni,' meddai Meilir yn swta.

'Mae hon yn hen gŵyn,' eglurodd Mary, 'maen nhw'n cwyno nad oes neb i chwarae efo nhw ar ôl yr ysgol.'

Cofiodd Silyn yn sydyn ei bod yn nos Iau, a'i fod yntau'n colli dosbarth Ffrangeg Annie Foulkes. Hen dro – byddai'n cael blas ar y dosbarthiadau hynny. Edrychodd ar ei feibion, gan geisio meddwl am destun sgwrs.

'Oes gennych chi waith cartref?' Doedd o ddim yn gwestiwn gwreiddiol iawn, roedd yn rhaid iddo gyfaddef.

'Rhowch siawns i ni, Dad, newydd ddringo i fyny o Drefriw ydan ni, ac rydan ni wedi blino. Mi fedr aros tan ar ôl te.'

'Dim ond eich bod chi'n gwneud yn siŵr eich bod yn ei wneud.'

'Wel, does dim byd arall i'w wneud yma!' meddai Meilir gan fynd i'r stafell wely.

Roeddent mor swta, meddyliodd Silyn. Gresynai nad oedd Rhiannon adref. Byddai hi wedi gwneud ffwdan mawr ohono. Biti bod plant yn gorfod tyfu.

Pennod 38

Ffordd y Coleg, Bangor, 1922

'Silyn, fy hen gyfaill annwyl,' meddai David Thomas wrth agor y drws iddo. Newydd symud i fyw dros y ffordd iddo oedd Silyn, ac roedd wedi pwyso arno i ddod draw am sgwrs. Swydd ym Mangor gafodd Silyn yn y diwedd, a swydd wrth fodd ei galon, sef Athro Dosbarthiadau Allanol yn y Brifysgol.

Hen noson fudr oedd hi, y gwynt yn ochneidio a'r glaw yn curo. Gosododd Silyn ei ambarél wrth y drws.

Gallai fod wedi bod yn gyfarfyddiad anodd. Gallai hynt y blynyddoedd fod wedi arwain at ddieithrwch. Gallai'r Rhyfel fod wedi gadael ei ôl. Anaml fu'r cysylltu yn ystod yr wyth mlynedd diwethaf, er bod y naill wedi dilyn hynt y llall. Ond roedd y cyfeillgarwch yn ddigon mawr, a'u hargyhoeddiadau yn ddigon dwfn, a beth bynnag, roedd Silyn yn bencampwr ar drin pobl. Roedd David Thomas yn hen, hen gyfaill, hyd yn oed os oedd o mor styfnig â mul.

'Ydi pethau'n dechrau dod i drefn, Silyn?'

'Ydyn, fyddwn ni fawr o dro rŵan... ew, drysu bob dim mae mudo, 'te?'

'Mi fydd rhaid i mi ei wneud yn fuan,' meddai David Thomas. 'Wedi cael menthyg fan hyn gan Shankland ydw i, ond mae gobaith y bydd y tŷ ar y gornel yn mynd yn wag.'

Eisteddodd Silyn wrth y tân. 'Ro'n i'n gyndyn o adael Llanrhychwyn, ond roedd hi'n ormod o daith. Mae o'n lle bendigedig, a byddwn yn ddigon hapus yn gofalu am y lle, ond fedr rhywun ddim byw ar y gwynt. Ac roedd cerdded i fyny o Stesion Trefriw yn ormod i ddyn dros ei hanner cant!'

Agorodd y drws, ac ymddangosodd Bet. Cododd Silyn i'w chyfarch.

'Newydd roi Ffion Mai yn ei gwely ydw i... mae'n gallu bod yn ddefod faith!'

'Ydach chi am ymuno efo ni?'

'Na, gen i ddigon i'w wneud yn y gegin – dwi'n gwybod eich bod chi eisiau amser i roi'r byd yn ei le,' meddai, a diflannodd.

Gwnaeth David yn siŵr fod y drws wedi cau cyn iddo siarad. 'Mae hi wedi bod yn flwyddyn anodd,' meddai yn dawel. 'Mi anwyd merch inni yn gynharach eleni, ond roedd wedi marw ar yr enedigaeth.'

'Mae'n ddrwg calon gen i, Dafydd.'

'Ym Mhenygroes roedden ni ar y pryd – yn lojio efo John Evan Thomas, ond mi aeth ei wraig o'n wael. Wedyn cafodd mam Bet strôc, ac wedyn cafodd Ffion diptheria...'

'Wyddwn i ddim o gwbl. Rydach chi i gyd wedi bod drwy'r drin. Ac roedd Thomas Jones yn deud bod y gwaith efo Undeb y Gweithwyr wedi dod i ben...'

Ysgydwodd David ei ben a chwerthin yn chwerw. 'Dydi o ddim yn amser da i weithio i Undeb, nac ydi? Roedd y Cyngor wedi gostwng y cyflog i weithwyr ffordd o saith swllt yn barod, ac wedyn mi gafwyd toriad arall o bedwar swllt. Yn y diwedd, fedren nhw ddim fforddio talu 'nghyflog i fel trefnydd!'

Cofiodd Silyn am ei ddyddiau yn weinidog yn Nhanygrisiau, a'r aelodau yn methu fforddio cyflog gweinidog.

'Chwarae teg i Thomas Jones, roddodd o waith ymchwil i mi am dipyn – ac mi gafodd Bob Richards waith darlithio yn y Coleg i mi,' meddai David Thomas.

'Mae Thomas Jones wedi f'achub innau fwy nag unwaith.'

'Ti ddaru 'nghyflwyno fi iddo, cofio?'

'Yn yr Ŵyl Lafur yng Ngh'narfon ym 1909 – cofio'n iawn. Dros ddegawd yn ôl, meddylia...'

Rhyfedd faint allai ddigwydd mewn degawd, ystyriodd David, gan godi ei olygon ac edrych o amgylch yr ystafell. Ddegawd yn ôl, doedd y Rhyfel ddim wedi dechrau, doedd o ddim yn ŵr nac yn dad... doedd o fawr hŷn na deg ar hugain. Sefydlu'r Blaid Lafur Annibynnol oedd yr unig nod oedd ganddo... ac i feddwl sut roedd Llafur wedi dod yn ei blaen.

'Rois i'n enw i fod yn ymgeisydd Llafur yn yr etholiad, wsti,' meddai David, 'ond ches i 'mo 'newis. John Jones Roberts ddewiswyd yn y Blaenau. Wnes ti ystyried rhoi dy enw?'

Gwenodd Silyn. 'Gwrthod dwi wedi ei wneud yn y gorffennol,' meddai. 'Doedd gen i ddim awydd mynd i San Steffan. Ond wedi i'r ddeddf newid, a bod hawl gan Brifysgol Cymru i gael sedd, ro'n i'n fodlon rhoi f'enw ymlaen. Ond roedd 'na rai gwell wedi cyflwyno'u henwau – Herbert Lewis oedd un, ac mi dynnais fy enw yn ôl.'

'Sut aelodau seneddol fydden ni wedi eu gwneud?' holodd David yn fyfyrgar.

Gwenu wnaeth Silyn, 'Mi fyddent yn ddigon dirmygus ohonom debyg – hen hogia'r ILP! Ond dwi'n teimlo y gallem fod wedi gwneud gwahaniaeth...'

'Dwi wedi crefu ar y Blaid Lafur i'm cyflogi fel Trefnydd,' meddai David, 'hwnna ydi nghryfder i. Dwi wedi cael gwaith ganddyn nhw am gyfnod – di-dâl, wrth gwrs – i fod yn asiant i R.T. Jones.'

'Do, mi glywais hynny – a bod gan R.T. siawns go dda yn yr etholiad. Un o'm hen griw yn y Blaenau, gwyn eu byd nhw.'

'Hmm... creadur digon anodd gwneud efo fo ydi o...'

Roedd Silyn wedi amau sut y byddai'r ddau yn cyd-dynnu. Roedd R.T. wedi bod yn Ysgrifennydd Undeb y Chwarelwyr ers rhai blynyddoedd, undeb y bu'n anodd torri gafael Rhyddfrydiaeth arno.

'Mae R.T. yn iawn yn y bôn, wyddost ti. Ond dydi o 'mo'r hawsaf o blant dynion. Mi wnest waith da efo'r gyfres o erthyglau yn Y *Dinesydd*, Dafydd. Roedden nhw'n rhai ymarferol iawn.'

'Wela i 'run ffordd arall o fynd o'i chwmpas hi. Mae'n rhaid sefydlu'r canghennau. Ddim rhyw sioe bropaganda i ennill lecsiwn wyt ti eisiau. Mae rhaid mynd nôl i sefydlu'r canghennau. Ac mae'n rhaid cael trefniadaeth Gymreig – yr un hen dôn.'

Cofiodd Silyn fel roedd David Thomas wedi galw cyfarfod yn 'Steddfod 1911 i geisio cael Plaid Lafur i Gymru, ond ddaeth dim ohono. Roedd o wedi mynychu'r cyfarfod hwnnw.

'Mi falodd y Rhyfel gymaint, do?' meddai Silyn. 'Mae gweithio efo'r cyn-filwyr wedi bod yn agoriad llygad. Roedd eu hanafiadau'n ddychrynllyd. Heb sôn am sut y cafodd milwyr Cymru eu trin...'

Gwasgodd David Thomas ei wefusau. 'Ia... wel, mi wyddost fy safbwynt ar y Rhyfel...'

'Gwn.'

'Dyna pam y sefais fel gwrthwynebydd.'

'Siŵr iawn,' atebodd Silyn, ac edrych i fyw llygaid ei gyfaill, 'a dwi'n dy barchu am hynny.'

Nid gofyn am barch Silyn roedd David, a bu'n rhaid iddo gael dweud beth oedd ar ei feddwl.

'Nid lle gweithwyr y ddaear oedd ymladd rhyfeloedd imperialaidd.'

Dim ond yr ochenaid leiaf roddodd Silyn. 'Ond o ganfod ein hunain yng nghanol rhyfel, mi benderfynais faeddu 'nwylo i wneud rhywbeth ymarferol.'

Roedd y grachen yn dal yno, ac yn hir yn mendio. Penderfynodd y ddau adael llonydd iddi.

'Mi ddarllenais dy lythyr yn y *Welsh Outlook*,' meddai David ymhen dipyn, 'am y Mesur Ymreolaeth i Gymru – y dylai Senedd Cymru gael yr awdurdod dros ei lluoedd arfog... er y byddwn yn anghytuno, wrth gwrs.'

'Na ddylai Cymru gael lluoedd arfog, debyg gen i?'

'Ia. Dwi'n teimlo hynny'n gryfach nag erioed wedi'r Rhyfel,' meddai David Thomas. 'Popeth arall, rydw i am gael yr hawl i Gymru redeg ei materion ei hunan, ond mi fyddwn yn tynnu llinell efo cael ein lluoedd arfog.'

'Digon teg, gyfaill.'

'Mi ges i ffrae efo'r Swyddfa Ryfel yn ddiweddar, yn digwydd bod. Roedden nhw wedi cymryd y *railings* o flaen y tŷ 'ma yn ystod y prinder haearn adeg y rhyfel...'

'A be wnest ti?' gofynnodd Silyn, yn amau i lle roedd y stori'n mynd.

'Gofyn amdanynt yn ôl, siŵr iawn, ar ddiwedd y Rhyfel. Ond doedd hynny ddim yn bosib – wedi mynd yn aberth i'r *War Effort*...'

Ia, yr un hen Dafydd oedd o – yn gwbl ddigyfaddawd, ac yn ddu a gwyn, hyd yn oed ar gownt ei *railings*.

'Oes gen ti waith dyddia hyn, 'ta, Dafydd?'

'Wn i ddim be ddaw wedi'r etholiad. Trefnydd i'r Blaid Lafur garwn i fod, ond ddaw hynny byth. Y swydd garwn i fod wedi ei chael fyddai Trefnydd y WEA yng Nghymru. Mae Mudiad Addysg y Gweithwyr yn mynd o nerth i nerth fel gwyddost, ac ro'n i eisiau gwneud fy rhan. Mi ddois yn go agos. Ro'n i ymhlith y tri gorau, allan o dros gant o ymgeiswyr.'

'John Davies benodwyd...'

'Ia, doedd *o* ddim yn gonshi. Roedd peidio cael y swydd yn siom wironeddol. Mi fyddwn wedi bod wrth fy modd ei chael. A does gen i ddim gradd. Gadael ysgol yn bedair ar ddeg oedd hanes ein cenhedlaeth ni, 'te?'

Ystyriodd Silyn eto pa mor lwcus y bu yn cael yr ysgoloriaeth honno i fynd i Brifysgol Bangor.

'Mi fyddwn wrth fy modd yn darlithio mewn dosbarthiadau WEA, ond rhaid cael gradd.'

'Pam nad ei amdani?' gofynnodd Silyn, 'dydi hi ddim rhy hwyr.'

'Rydw i wedi gwneud. Mae Prifysgol Lerpwl yn fodlon derbyn rhai na chafodd addysg wedi 14 oed. Mae J. Glyn Davies am fy helpu.'

'Go dda,' meddai Silyn yn frwd, 'mae hynny'n newyddion gwych. Mi wnei athro tan gamp. Dwi'n credu mai maes addysg oedolion ydi'r ffordd ymlaen. Mi wna i be fedra i yn y swydd newydd 'ma i gael y WEA ar ei draed yng ngogledd Cymru.'

'Addysg ar y naill law, a'r Blaid Lafur ar y llall,' meddai David. 'Mae'n debyg mai mynd yn ôl i ddysgu plant wna i yn y cyfamser... Wnei di fy helpu efo'r Gangen Lafur yma ym Mangor, Silyn? Gallem wneud efo gwaed newydd.'

'Wrth gwrs y gwnaf,' meddai ei gyfaill, gan godi a gwisgo'i gôt.

'Pethau'n go danllyd yn Iwerddon dyddia hyn hefyd, tydyn?' meddai David.

'Senedd i Ogledd Iwerddon, wir. Tydi hynny ddim yn argoeli'n dda. Ddaeth yr un daioni drwy roi ffin ar draws gwledydd. Wn i ddim pam na allant ddysgu'r egwyddor honno...' Caeodd Silyn fotymau ei gôt, ac agor y drws. Roedd hi'n dal i fwrw. Estynnodd David ei ambarél i'w gyfaill. 'Wel, diolch am y sgwrs, Dafydd – i'w pharhau. Dwi'n falch o fod yn ôl ym Mangor, wyddost ti. Wedi meddwl llawer o Fangor erioed. Dafliad carreg i ffwrdd ro'n i'n lojio – 'nôl yn y ganrif ddwytha... Dwi'n falchach byth ein bod ni'n gymdogion. Hei lwc y cei di a Bet y tŷ ar y gongl. Mi fyddai Mary hithau'n falch. A hei lwc efo'r Etholiad ymhen yr wythnos, 'te?'

Wrth fynd adref, roedd Silyn yn llawn cynlluniau, a gwyliodd David Thomas ef yn mynd i lawr y stryd dan ei ambarél. Roedd hi'n dda cael Silyn yn gyfaill drachefn.

Ar y 18fed o Dachwedd, ar ôl i Lloyd George ymddiswyddo fel Prif Weinidog, enillodd R.T. Jones sedd Sir Gaernarfon i'r Blaid Lafur yn yr Etholiad Cyffredinol gyda 1,500 o fwyafrif. Aeth ei asiant i'w wely yn ddyn bodlon.

Pennod 39

Sgwâr y Farchnad, Penygroes, Mai 1926

Rhoddodd Mary eiliad iddi ei hun i edmygu'r olygfa. Ni allai gredu ei llygaid.

Roedden nhw'n dod, yn eu cannoedd. Oedd, roedd pob munud o'r ymgyrchu wedi bod werth yr ymdrech. Edrychent yn urddasol – y merched yn cerdded o wahanol bentrefi, a'u baneri yn cyhwfan yn yr awyr. Ac roedd pob criw wedi gwneud cymaint o ymdrech, wedi gwisgo rhubanau, wedi cludo baneri neu gynfas a'r un oedd y neges: 'Hedd Nid Cledd'. Roedd hi'n slogan dda.

Ceisiodd ddwyn i gof sut y dechreuodd y cyfan. Diau mai Mrs Price White ddaru alw'r cyfarfod cyntaf – hi a Gwladys Thoday, mae'n siŵr, gweddillion y criw fu'n ymgyrchu dros y bleidlais i ferched. A dweud y gwir, roedd yr holl syniad yn atgoffa rhywun o'r frwydr dros y bleidlais. Dacw griw Talysarn yn dod tuag atynt yn awr, a sawl wyneb cyfarwydd yn eu mysg. Roedd y criw o Lanllyfni a Nebo beth ar y blaen. Yn y pellter, yn dod i lawr Clogwyn Melyn, roedd merched Carmel a Rhosgadfan...

Roedd yn syniad mor syml – y merched i gasglu enwau ar ddeiseb a cherdded efo hi i Lundain i'w chyflwyno i'r Llywodraeth. I arbed cyflafan fel y Rhyfel Mawr rhag digwydd eto, roedd merched Prydain yn mynnu dulliau rhagorach nag ymladd. Unrhyw adeg y byddai heddwch yn y fantol yn y dyfodol, roeddent am i arweinwyr byd ddod o amgylch bwrdd i drafod y mater. Doedd o'n ddim mwy na synnwyr cyffredin.

Sylwodd fod criw Penygroes wedi gadael i'r plant a'r bobl ifanc fod yn rhan o'r orymdaith, a theimlodd yn euog ei bod wedi gwrthod ceisiadau taer Rhiannon i ddod gyda hi. Ond roedd ganddi ormod ar ei meddwl i ofalu am Rhiannon, a doedd dim lle iddi beth bynnag yng ngherbyd Mrs Price White. Ond y gobaith oedd y byddai'r plant yn cofio'r dydd hwn am byth. Daeth Gladys Thoday ati.

'Wel, Mary, chi oedd yn iawn wedi'r cyfan. Wnes i gam â Dyffryn Nantlle wrth amau a fyddai'n addas fel man cychwyn.' Nid hi oedd yr unig un i ddadlau yn go chwyrn yn erbyn Penygroes fel lle i ymgynnull ar ddiwrnod cyntaf yr orymdaith. Roedd direidi yn llygaid tywyll Mary.

'Roeddech yn meddwl fod y lle yng nghanol y wlad – dwi'n credu mai dyna oedd eich pryder...'

'Hmm,' meddai Gladys, yn teimlo braidd yn wirion, 'Do'n i ddim yn eich coelio pan ddeudsoch chi mai ardal ddiwydiannol oedd hi, efo cannoedd o chwarelwyr. Ac ro'n i'n meddwl mai rhyw natur wladaidd fyddai i'r bobl... ddim yn siŵr fyddai ganddynt ddiddordeb yn yr ymgyrch a bod yn berffaith onest...'

'Chewch chi ddim gwragedd gwell,' meddai Mary, yn reit hiraethus.

'Yma y'ch magwyd chi, felly?'

'Bobl bach, naci, hogan o Lundain ydw i. Ond fan hyn ydi cartref Silyn, 'te?'

'Dysgu Cymraeg ydach chi wedi ei wneud?'

'Naci – Cymry glân gloyw oedd fy rhieni, a'n magu ninnau'n Gymry, a mynd i gapel Cymraeg.'

'Ond Saesneg oedd eich addysg chi i gyd?'

'Ia, ia.'

'Wel, wel. Mae rhywun yn dysgu rhywbeth bob dydd.'

Edrychodd Mary yn bryderus ar ei horiawr. Roedd amryw o'r merched wedi bod yn sefyllian ers tro.

'Dydi hi ddim yn amser inni gychwyn, deudwch?' gofynnodd. Doedd Mary Silyn ddim yn enwog am ei hamynedd.

'Ond maen nhw'n dal i gyrraedd...'

'Dau o'r gloch ddywedon ni ein bod yn dechrau, ac mae'n bum munud wedi...'

'Ond er eu mwyn nhw rydan ni'n siarad, ac os nad ydynt wedi cyrraedd, byddant yn colli'r areithiau.'

'Os na chychwynnwn ni rŵan, bydd yr holl raglen yn mynd yn flêr, a byddwn yn hwyr yn gadael Penygroes – ac mi wnaiff hynny ni'n hwyr yng Nghaernarfon. Mae Pathé News yn ffilmio yng Ngh'narfon, fedrwn ni ddim eu cadw nhw'n disgwyl. Er mwyn y cyhoeddusrwydd rydan ni wedi trefnu'r cyfan. Dewch...'

A gyda hynny o eiriau, aeth Mary Silyn yn ei blaen i annerch y dorf.

Cododd Mrs Thoday ei hysgwyddau. Roedd hyn mor nodweddiadol o Mary. Os oedd hi eisiau gwneud rhywbeth, roedd hi'n ei wneud, doed a ddelo. Dyna oedd ei chryfder, debyg, ond roedd hi'n pechu llawer yn y broses...

Mentrodd Mary ar ben y gadair, ac oddi yno rhyfeddodd at y dorf oedd yn ymestyn hyd y gallai weld. Roedd rhai dynion yn eu mysg, ond merched oedd y rhelyw ohonynt. Roedd y cyfan ymhell tu hwnt i'w disgwyliadau.

'Chwiorydd!' meddai, gan glirio ei gwddw. 'Diolch i chi am ddod.' Yn sydyn, tawelodd y sgwrsio ymysg y gwragedd a gwelodd lygaid pawb yn troi tuag ati. 'Mae hi'n wych gweld cynifer ohonoch wedi dod ynghyd o bob pentref yn Nyffryn Nantlle. Rydyn ni wedi ymgasglu wrth y gofeb ryfel, cofeb ryfel go nodedig, gan mai ar gyfer hon y lluniodd Williams Parry ei englyn enwog,

O gofadail gofidiau tad a mam!
   Tydi mwy drwy'r oesau
Ddysgi ffordd i ddwys goffáu
Y rhwyg o golli'r hogiau.

Ac onid dyna sydd yng nghefn meddwl pob un ohonom? "Y rhwyg o golli'r hogia"... Prin bod unrhyw un yma heb nabod rhywun a gollwyd yn y Rhyfel Mawr. Gadewch i ni gael rhai munudau i gofio amdanynt...'

Gallech fod wedi clywed pìn yn disgyn. Meddwl am Robert Einion wnâi Mary.

257

'Diolch i chi. Felly, mewn ymdrech i arbed y fath aberth, i arbed y fath loes rhag digwydd eto, rydan ni yma heddiw yn cyhoeddi Gorymdaith Heddwch y Merched. Bydd y cerddwyr yn cychwyn yma, o Ddyffryn Nantlle, ac yn cerdded yn eu blaenau i Gaernarfon, i Fangor, yn eu blaen ar hyd yr arfordir nes y down i Gaer ymhen pum niwrnod. Oddi yno, byddwn yn ymuno efo gorymdeithiau o'r Alban a gogledd Lloegr, ac yn cerdded yn ein blaenau i Lundain. Gobeithiwn gyrraedd Hyde Park erbyn Mehefin 19eg, ac yno bydd anerchiadau cyn cyflwyno'r holl enwau a gasglwyd i Lywodraeth Prydain Fawr. Mae croeso i chi ymuno efo ni am ran o'r daith.'

Bu cymeradwyaeth frwd cyn i Mary gyflwyno'r siaradwraig nesaf. Dim ond am hanner awr y bu'r anerchiadau. Canodd pawb emyn bwerus Elfed, 'Cofia'n Gwlad', ac roedd yn wych clywed lleisiau'r dorf.

'Yma mae beddrodau'n tadau
Yma mae ein plant yn byw'

Roedd hynny'n wir yn achos Silyn. Yn y fan hyn roedd beddrodau ei dad a'i fam, i fyny'r lôn, ym mynwent Macpelah. Ni allai Mary ddweud yr un peth. Cerrig beddi ymhlith cannoedd ymysg ymadawedig Llundain oedd ei beddrodau hi, ac anodd oedd teimlo yr un fath tuag atynt. Dim ond gobeithio y gallai wireddu 'Yma mae ein plant yn byw'.

'Rhag pob brad, nefol Dad
Cadw Di gartrefi'n gwlad.'

Dyblwyd y gytgan, a throdd Mrs Thoday at Mary.
'Wonderful singing, there's nothing like it.'
Yna, roeddent yn barod i gychwyn cerdded. Daeth gohebydd yr *Herald Cymraeg* at Mary.
'Ein hamcangyfrif ni yw bod 2,000 o bobl wedi dod ynghyd ym Mhenygroes heddiw.'

'Tyrfa haeddiannol,' meddai Mary, 'mae'n dangos bod cefnogaeth y bobl tu cefn inni.'

'Allwch chi ddweud pa fudiadau sydd wedi bod yn rhan o'r trefniadau, Mrs Roberts?'

'Wel, mae'n anodd eu rhestru i gyd – roedd y Pwyllgor ym Mangor yn dod â phob math o ferched ynghyd: y WI, Cymdeithasau Dirwest, y capeli a'r eglwysi, pleidiau gwleidyddol. Dyna oedd yn wych – roedd merched o bob math o bleidiau gwleidyddol gwahanol yn cyd-ymgyrchu, a dylai hyn fod yn wers i wladweinwyr y dyfodol. Os ydach chi'n ddigon awyddus i wneud rhywbeth, mi allwch ei wireddu, doed a ddelo. Penderfyniad ac ewyllys sydd ei angen...'

'Diolch yn fawr,' meddai'r gohebydd, gan gadw'i bensil.

'O, un cwestiwn arall, 'mond i gadarnhau. Mi fyddwch chi'n un o'r rhai fydd yn Llundain, yn y Rali, yn Hyde Park?'

'Dwi'n un o'r siaradwyr yno,' atebodd Mary, 'bydd sawl llwyfan yno. Ac mi fyddaf yn annerch yn Gymraeg...'

'Diolch.' Randros, am wraig, meddyliodd y gohebydd. A doedd ganddi ddim pall am air. Petai pawb mor huawdl â hi, byddai ei waith yn hawdd.

'Mary!'

Trodd Mary i weld wyneb caredig ei chwaer yng nghyfraith. 'Nel!'

'Oes gennych chi funud?'

'Oes, yn tad. Mae'n chwith dod i Benygroes heb alw ym Mrynllidiart. Sut mae Mathonwy?'

'Gweithio gormod, fedrwch chi fentro... mae'n wych gweld tyrfa mor dda yma.'

Edrychodd Mary ar Nel, a sylweddolodd pa mor anaml y gwelai hi yn ei dillad parch. Bob tro y'i gwelai ym Mrynllidiart, byddai'n gwisgo'i barclod.

'Dwi mor falch ein bod wedi penderfynu cychwyn y daith yma,' meddai Mary, 'mi dalodd ar ei ganfed.'

'Do. A ddaru chi siarad yn dda. Ydi Silyn yn iawn?'

'Mae o'n gorweithio, ond dydi hynny ddim yn beth newydd.

Mae'r holl waith efo'r WEA – neu Gymdeithas Addysg y Gweithwyr ddylwn i ei ddeud – wedi cydio yn y ddau ohonom. Wel, nid swydd mohoni ond cenhadaeth.'

'Mae Mathonwy wrthi efo criw yn fan hyn.'

'Tydi o wedi cydio fel tân gwyllt ym mhawb?' meddai Mary efo gwên.

'Ydi, ond dyna fu pethau Mathonwy erioed. Mi fyddai wedi gwneud sgolor da petai amgylchiadau wedi caniatáu... Dydi ei galon o ddim yn y gwaith o gadw tyddyn. A deud y gwir, wn i ddim pa mor hir fedrwn ni bara yno...'

Edrychodd Mary tu hwnt i'w chwaer yng nghyfraith, tuag at Gwm Silyn. Roedd hi'n meddwl y byd o'r lle. Wyddai hi ddim yn iawn beth i'w ddweud wrth Nel.

'Ond mae o'n prifio fel bardd...' meddai o'r diwedd.

'Be arall fasa fo, 'te?' atebodd Nel, 'wedi ei fagu ym Mrynllidiart.'

Ffarweliodd y ddwy yn y man, ac edrychodd Nel ar Mary yn cychwyn ar ei thaith faith i Lundain. Roedd hi'n ferch ryfeddol, roedd yn rhaid cydnabod hynny. Wedi torri ei chŵys ei hun erioed. Roedd Nel yn eiddigeddus ohoni weithiau – doedd hi ddim fel merched eraill, nac erioed wedi bod. Roedd Silyn wedi ceisio prynu Brynllidiart dro yn ôl, ond wedi methu. A dweud y gwir, bendith oedd hynny. Fyddai Mary ddim wedi para'n hir yn gofalu am dyddyn felly. Byddai'r gwaith wedi ei llethu. Un peth oedd ymddiddori yn y tir mewn tŷ bach yn Llanrhychwyn. Roedd wynebu'r elfennau mewn lle mor uchel a gwyllt â Brynllidiart yn gwbl wahanol.

Cychwynnodd hithau ar ei thaith serth yn ôl adref, gan feddwl am daith Mary i Lundain.

Pennod 40

'Roeddech yn feddylgar iawn yn dod â chacen, Mrs Silyn.'

Roedd y gacen ar y bwrdd o'u blaenau. Peth anarferol oedd i Mary gael paned yn Y Betws.

'Y peth lleiaf fedrwn i ei wneud. Dyna mae rhywun yn ei wneud wrth gydymdeimlo, 'te? Ddrwg gen i mai cacen siop ydi hi. Torth frith gartref ddylia fod gen i.'

Cymerodd David Thomas ddarn arall ohoni. 'Yn Siop Jarman gawsoch chi hi? Mae fanno mor agos, fedrwch chi ei galw hi'n gacan gartre.'

'Mae hi ganwaith gwell na be allwn i ei bobi fy hun... nid 'mod i'n un arw am bethau melys.'

Roedd David Thomas yn amlwg yn ei mwynhau. Sychodd ei wefusau gyda'i hances.

'Mi rydw i, ond anaml ydw i'n eu cael. Achlysur oedd cael cacen pan o'n i'n blentyn. Mae gan Arial ddant melys ddychrynllyd!'

'Wnaiff o goginio?'

'Gwnaiff, mae o'n dda iawn, chwarae teg. Ond tydi o rioed wedi mentro gwneud cacen! Fydd o ddim yn hir yn dod o'r ysgol rŵan.'

'Ydi o'n gwneud yn iawn efo'i waith ysgol?' Roedd Mary wedi dilyn gyrfa Ffion ac Arial yn ddyfal iawn. Doedd ganddi fawr o ddiddordeb mewn unrhyw agwedd arall o'u bywydau, ond roedd eu haddysg wastad o'r pwys mwyaf.

'Ydi, er mor ifanc ydi o yn ei flwyddyn. Ond radios ydi ei betha fo y dyddia hyn – wedi mopio'i ben efo nhw. Mae o wrthi'n gwneud *battery set* yn ei stafell.'

'Radios yn bethau pwysig iawn. Aiff o i'r Coleg?'

'Os llwyddith yn yr arholiadau. Mathamateg a Ffiseg ydi'r bwgan mawr.'

'Mi wnaiff yn iawn, er nad oedd gan fy meibion i fawr i ddeud wrth Friars. Y ddisgyblaeth yn llym.'

'Prifathro sâl iawn sydd yna, rhaid deud.'

Bu'r ddau yn dawel am dipyn.

'Glywsoch chi'r syniad ges i a Ben Bowen?'

Câi Mrs Silyn gymaint o syniadau fel mai anodd oedd cadw i fyny efo'r cyfan. 'Pa un ydi hwn rŵan?'

'Y syniad o gynnal Ysgol Haf Harlech yn rhywle 'blaw Harlech...'

'Hmm... gwahanol. Lle oedd gennych chi dan sylw?'

'Llŷn. Mae Caradog Jones yn gwneud gwaith mor dda yno. Mae rhai yn gweld Llŷn yn ddiarffordd, ond i bobl Llŷn, mae o'n ddelfrydol, tydi? A pham mae'n rhaid iddyn nhw deithio bob tro, 'te? Dyna oedd gen i mewn golwg.'

'Ydi Caradog o blaid?'

'Caradog wrth ei fodd efo'r syniad. Ar gyfer y flwyddyn nesa rydan ni'n sôn rŵan...'

Dim ymateb. Na, doedd dim chwant gan David Thomas i drafod rhyw syniadau newydd heddiw, hyd yn oed ynglŷn â'r WEA. Fel arfer, byddai syniad felly wedi tanio ei ddychymyg. Oni threuliodd haf cyfan yn Edern yn hel atgofion hen longwyr? Ond nid heddiw.

'Pryd mae'r cynhebrwng?'

'Dydyn nhw ddim wedi cael dyddiad eto. Yn 'Syswallt fuo fo farw, ac mae'n siŵr mai yn yr Amlosgfa yno y bydd yr angladd. Mi fydd yn fwy cyfleus i Mam...'

'Dim claddu felly?'

'Gas gen i feddau. A dychmygwch gael carreg fedd efo "David Thomas" arni. Bydd yn ddigon gweld yr enw hwnnw yn y papur ac ar y daflen angladd.'

'Ddaru mi ddim meddwl hynny. Robert Roberts oedd Silyn, a Robert Roberts oedd ei dad. Robert oedd enw 'nhad innau... Fel tase 'na rasiwns ar enwau 'radeg hynny... Chi oedd y plentyn hynaf?'

'Mewn ffordd o siarad. Mi gafodd Mam fabi o'm blaen i, ond

mi fuo hwnnw farw pan oedd yn wythnos oed.'

'Bechod. Be oedd ei enw o?'

'David Thomas.'

Cododd Mary ei phen. 'Ac mi gawsoch chithau'r union 'run enw?'

'Do. Fel 'taswn i'n cymryd lle y llall.'

Meddyliodd Mary fod hynny'n od iawn. Tybed a oedd carreg fedd i'r babi bach? Roedd yn well iddi beidio gofyn.

'Yn rhyfedd ddigon, dyna ro'n i'n ei wneud pan ddaru chi alw. Diweddaru'r llyfr yma. Bob tro mae 'na farwolaeth – neu enedigaeth – dwi'n ei nodi yn y Llyfr Achau. A dyma sgwennais i gynnau...'

Dan y ddalen efo 'David Thomas' yn bennawd a dydd ei eni, roedd ei chyfaill wedi ysgrifennu 'Bu farw Mawrth 11eg, 1941'. Edrychodd Mary ar y llyfr di-nod ar y bwrdd, ac edrychodd ar y clawr. 'Exercise Book' oedd y sgrifen arno, ac oddi tano mewn llawysgrif, 'Llyfr Achau Arial Myfyr a Ffion Mai'.

'Oes rhestr o bawb o'r dechrau?'

Trodd David Thomas i'r dalennau cyntaf a dangos chwe cholofn.

'Fan hyn.'

Syllodd Mary ar y ddalen. Ar y dde, dan y teitl 'Tad', yn ei lawysgrifen gain, roedd wedi sgwennu 'David Thomas'. Dan yr ail golofn, 'Taid', roedd wedi rhoi 'David Thomas', yna roedd 'Hendeidiau a Heneiniau', 'Gorhendeidiau a Gorheneiniau' a 'Gor-orhendeidiau'.

'Bobl bach, welais i ddim byd tebyg. Chi feddyliodd am y ffordd yma?'

'Ia,' meddai David, yn methu cuddio'r balchder yn ei lais. 'Ond beth sy'n dda ydi 'mod i wedi rhifo bob un. Fi ydi rhif un, a fy nhad ydi rhif 3...'

'Pwy ydi rhif dau?' meddai Mary, yn ddigon siarp.

Trodd David y ddalen. 'Bet. Ac mae ei hachau hi i gyd yn fan hyn. Ac wedyn, os ydach chi eisiau gwybod mwy am unrhyw un, rydach chi'n mynd yn eich blaen... ac mae tudalen i bob enw.'

Darllenodd Mary un ddalen. Oedd, roedd o wedi nodi'r manylion: enw, dyddiad geni a lle, dyddiad marw a'r lleoliad eto, a phwt am yr ymadawedig.

'Dwi wedi fy syfrdanu. Ac eto, mae hyn mor nodweddiadol ohonoch chi... hynod o drefnus a hylaw. Dach chi mewn byd efo'r achau 'ma, tydach?'

'Cadw trefn, 'te?' atebodd yn ddwys, 'cadw trefn...' Onid dyna oedd ei arwyddair? 'Ei weld yn bwysig ydw i. A chywreinrwydd... eisiau gweld i bwy ydw i'n perthyn, o le dwi'n dod...'

'Unrhyw ddarganfyddiadau cynhyrfus?'

Ysgydwodd ei ben. 'Cymry cefn gwlad Sir Drefaldwyn... ond dim ots. Ac mae 'na drefn arno rŵan... 'mond gobeithio bydd Ffion ac Arial yn ei werthfawrogi.'

'Mi fyddan ymhen amser. Mae hi'n gymwynas werthfawr i'ch plant. Rhwng hyn a ffotograffau, fydd dim rheswm iddynt fod yn anwybodus o'u hach.'

'Yn y gobaith y bydd ganddynt ddiddordeb,' meddai David Thomas, heb fod yn rhy sicr.

'A gobeithio bydd eu disgynyddion yn siarad Cymraeg... Saeson mae pob un o'm plant i wedi eu priodi.'

'Well i chi wneud yn siŵr eu bod yn trosglwyddo'r Gymraeg i'w plant.'

Ochneidiodd Mary. 'Efo pob un yn byw yn Lloegr, mae hynny'n mynd i fod yn gryn wyrth. Mae'n rhy hwyr efo Sion, hogyn Glynn. Mae o'n chwech oed a Saesneg dwi'n gorfod ei siarad efo fo. Mae Glynn wedi gwneud yn dda iawn efo'i swydd, ond fydda i'n pitïo na fasa un, o leiaf, ohonynt yn byw yn nes...'

Edrychodd David Thomas ar Mary. Anaml iawn y byddai'n hunandosturiol.

'Eu dadl nhw ydi y byddai'n well i mi symud i fyw yn nes atyn nhw,' meddai Mary.

'A dach chi'n gyndyn o wneud hynny?'

'Wel, beth fyddai'n digwydd i waith y WEA wedyn?'

'Mi fyddai'n anodd gweld rhywun arall yn gwneud y gwaith trefnu.'

'Dwi'n dal i gredu mai cenhadaeth ydi hi.'

Cytunodd David Thomas. Nid pawb oedd yn deall pwysigrwydd y genhadaeth.

'Rydach yn cael hwyl garw ar y sgyrsiau ar y radio,' meddai Mary ymhen dipyn. 'Tydi o'n gyfrwng hwylus? Mi fydda i'n cael diddanwch mawr ohono.'

'Mi fyddai'n braf cael mwy o Gymraeg... ond dwi'n cael difyrrwch mawr yn llunio'r sgyrsiau.'

'Dwi'n eich cofio chi unwaith yn trafod Keir Hardie – dach chi'n cofio? A wna i ddim anghofio'r gyffelybiaeth... rhoswch chi, "Rhyw gyfuniad diddorol ydoedd o Ioan Fedyddiwr a Ioan y Disgybl Annwyl" – mi sgwennais hwnnw i lawr yn fy llyfr bach pan glywais o.'

Gwenodd David, '... a chyfuniad o John Knox a Joseph Mazzini.'

'Ia, dyna fo ar ei ben. Toedden ni'n freintiedig yn cael cwrdd ag o?'

' "David" fyddwn i bob amser ganddo. Dwi'n cofio cyfarfod lle roedd o'n siarad, chydig fisoedd cyn y Rhyfel Mawr. Yma ym Mangor roedd y cyfarfod, achos Thomas Rees oedd yn y gadair. A phan gawsom ni baned o de wedi'r cyfarfod, dyna ddifyr oedd gwrando ar Thomas Rees a Keir Hardie yn trafod eu profiadau yn y pwll glo – y ddau ohonynt wedi bod yn lowyr...'

'Dwi'n siŵr. Roedd Hardie yn ŵr arbennig iawn. Fuo fo'n aros efo ni yn Afallon pan ddaeth i'r Blaenau i siarad.'

'Ro'n i yno. Mi fyddwn wedi cerdded yno'n droednoeth tase raid. Chollwn i 'mo'r cyfle i wrando arno'n siarad yn unman.'

'Dyn gafodd gam, 'te? Roedden nhw'n deud pethau mawr amdano. "Deled dy Deyrnas" oedd un o'i destunau... cofio honno?'

'Cofio honno'n iawn.'

Llithrodd y ddau i dawelwch digon cyffordus.

'Faint oedd oed eich tad?' gofynnodd Mary ymhen sbel.

'Mi gafodd oes dda – 87 oedd o. Bydd raid gwneud rhyw

drefniadau efo Mam rŵan. Nhad oedd yn gofalu amdani. Mae hi'n ddall, wyddoch chi.'

Ni wyddai Mary.

'Cael damwain ar y tyddyn wnaeth hi – plygu i mewn i gwt y moch, ac roedd hoelen yn ei ffordd.'

'Bobl bach,' meddai Mary. Doedd hi'n nabod fawr ar rieni David Thomas, fydda fo ddim yn siarad fawr amdanynt. 'Yng nghyffiniau Sir Drefaldwyn maen nhw, ia?'

'Yn Llynclys oedden nhw, reit ar y ffin â Lloegr. Ond ers tro rŵan, maen nhw'n byw efo un ohonon ni blant, gan newid aelwyd... Pryd golloch chi eich tad?'

'Roedd o'n dipyn iau... 65 oedd o, creadur. Iau na be ydw i rŵan.'

'Ac un o le oedd o? Nid Llanrhychwyn?'

'Mam oedd o fanno, Nhad o Gilcain. Wedi i 'nhad farw, mi chwalodd petha wedyn, a fuo Mam ddim 'run fath. Ond y peth gwaethaf oedd fy mrawd Evan yn marw yn gwbl annisgwyl – fis yn ddiweddarach.'

'Yn lle roedd o'n byw?'

'Roedd o wedi mudo i Awstralia.'

Doedd David Thomas erioed wedi clywed bod gan Mary deulu yn Awstralia. Rhyfedd eu bod nhw eu dau mor agos, ac yn dal i ganfod pethau newydd am y naill a'r llall.

'Beth oedd o'n ei wneud yno?'

'Meddyg yn Brisbane. Mi wyddai nad oedd ganddo lawer i fyw, ond eto, roedd o'n sioc...'

'Ac mor bell o gartref.'

'Erchyll. Ac roedd ei ddarpar wraig o ar fin mynd allan i gwrdd ag o, ac mi ddaeth y telegram... Wn i ddim sut aethon ni drwy'r cyfnod.'

'Faint oedd eich oed chi ar y pryd?'

'Dim ond tua deg ar hugain. Bach iawn oedd yr hogiau, ac roedd hi'n anodd i mi fynd i Lundain i fod yn gwmni i Mam... Petha sobr sy'n digwydd, 'te?'

Bu'r ddau yn dawel am ennyd.

'Well i mi ei throi hi,' meddai Mary ymhen dipyn, ac ar ei ffordd allan sylwodd fod gan David Thomas bapur yn y teipiadur.

'Be ydach chi wrthi yn ei sgwennu?'

Cododd David Thomas. 'Sgwrs radio ydi hi, digwydd bod. Ac wrth hel meddylia yn ddiweddar, a thrio mynegi sut mae'n teimlo, mi ddaeth 'na frawddeg i 'mhen...'

Arhosodd Mary yn amyneddgar.

'Sut oedd hi'n mynd, deudwch? Ia, dyna hi... "Cariad ydyw'r peth melysaf a'r peth drutaf yn y byd; hiraeth ydyw'r pris y mae'n rhaid inni ei dalu amdano".'

Deffrodd ei eiriau rywbeth dwfn yng nghalon Mary.

'Chi feddyliodd hynny?'

'Ia – ia, mi ddaeth i mi ryw gyda'r nos... neu yng nghanol nos falle.'

'Mae 'na gymaint o wir yn hynny. Mae'n disgrifio fy meddyliau i'r dim. Deudwch o eto... "Cariad ydi'r peth drutaf yn y byd"...'

Edrychodd David Thomas ar y teipiadur. 'Hiraeth ydyw'r pris y mae'n rhaid inni ei dalu amdano.'

Amneidiodd Mary yn dawel, ac meddai, 'mae hwnna'n taro'r hoelen ar ei phen. Mi gofiaf hwnna am hir.'

'Ro'n i'n meddwl y byddech chi'n deall, Mrs Silyn.'

Pennod 41

Coleg y Brifysgol Bangor, 1926

'Bydd yn ofalus efo'r grisiau, Mary,' meddai Silyn wrth edrych i fyny arni a chynnig ei law.

Chwarddodd Mary. 'Dwi'n iau na chdi,' meddai'n smala, 'tydw i ddim yn hanner cant eto, cofia.'

Codi ei lygaid wnaeth Silyn. 'Deud ydw i 'mod i'n dipyn mwy cyfarwydd efo'r grisiau – tydw i wedi'u troedio nhw ganwaith yn ystod y ddwy flynedd ddwytha.'

Yn ei law cariai Silyn stôl, sef y dodrefnyn cyntaf ar gyfer Swyddfa y WEA.

I mewn â nhw i'r ystafell yng ngwaelod y Coleg. Rhyw ffurf ar amgueddfa oedd hon. Tua dwy flynedd ynghynt roedd y Prifathro wedi gofyn fyddai Silyn yn fodlon, yn ei oriau hamdden, i roi trefn ar hen greiriau'r Coleg oedd wedi bod yn hel llwch. Roedd Silyn wedi llwyddo i'w trefnu ar ffurf hen gegin fawr Gymreig, a phan lwyddodd i gael arian i gyflogi teipydd i'r WEA, meddyliodd yn syth y byddai'r Amgueddfa yn ddigon mawr i fod yn swyddfa i'r mudiad. Trefnydd Dosbarthiadau Allanol y Coleg oedd Silyn, ond canfu fod gwaith y WEA yn cymryd mwy a mwy o'i amser. Lwc bod y ddwy fenter yn cyd-dynnu. Doedd o ddim am i Mary ddod i weld y lle tan y byddai wedi cael trefn ar bethau. Bu'n gryn gamp i'w thynnu oddi wrth drefniadau'r daith heddwch a'r ddeiseb i ddod draw, er mai dau funud o'r coleg oedd eu cartref.

Edrychodd Mary o'i chwmpas. Roedd hi'n stafell enfawr, efo bwrdd mawr yn y canol, cloc wyth niwrnod yn y gornel, a lluniau amrywiol yn crogi ar y muriau.

'Dyma lafur cariad os bu un erioed,' meddai Mary, gan gerdded o gwmpas y stafell yn sylwi ar y peth hwn a'r peth arall. 'Wyddwn i ddim fod cymaint o greiriau yma...'

Â'i ddwylo yn ei bocedi, ceisiodd Silyn edrych ar y lle o'r newydd. 'Taset ti'n gweld y lle fel y gwelais i o gyntaf... roedd fel bazaar yn Cairo! Byrddau a chadeiriau wedi eu stacio driphlith draphlith, a deunydd gwerthfawr yn eu mysg, wedi eu cludo o'r Hen Goleg a'u claddu yma.'

Edmygodd Mary yr hen gadair freichiau – byddai wrth ei bodd yn ei chael yn ei chegin ei hun.

'Tydw i ddim yn meddwl fod Reichel yn sylweddoli maint y gwaith pan ofynnodd i mi roi trefn ar y cyfan.'

'Roedd o'n gwybod yn iawn,' meddai Mary. 'Gweld ei gyfle wnaeth o – Silyn Roberts, dyma ddyn wnaiff ddiwrnod da o waith, a dydi o ddim eisiau cael ei dalu hyd yn oed. Jest y boi!'

Gwenodd Silyn. Un sobr am bryfocio oedd ei wraig.

'A beth ddeudaist ti unwaith?' meddai, gan glosio ato, ' "Bellach, daeth yr awr i'r werin feddiannu'r Brifysgol..."'? Doeddwn i ddim yn meddwl y byddet yn gwneud hynny mor llythrennol, chwaith!'

'Chwarae teg, mae gen i ddiddordeb yn y gwaith. Ac mae digon o le i stwff y Coleg a swyddfa'r WEA. Be garwn i ei wneud yn y pen draw fyddai cael amgueddfa i Fangor ei hun, nid i'r Coleg yn unig...'

Daeth dyn y fan ddodrefn i lawr efo stôl arall.

'Tasech chi'n ei gosod yn fan hyn wrth y ffenest. Diolch o galon i chi.'

'Fydd raid i mi gael help efo'r cwpwrdd...' meddai'r dyn.

'Ddo' i efo chi rŵan,' meddai Silyn gan dynnu ei gôt a thorchi'i lewys. 'Mi rof y stôl yn fan hyn – i wynebu'r drws.'

Tra oeddent allan, edmygodd Mary y ddresel dderw sylweddol, a cheisiodd ddyfalu beth oedd ei hanes. Roedd wrth ei bodd efo'r stafell. Roedd elfennau ohoni yn ei hatgoffa o gegin ei nain yn Llanrhychwyn, a siŵr bod hynny yn meddwl Silyn hefyd, ond ei fod wedi cael cyfle i gynnwys cymaint mwy. Roedd cist dderw sylweddol yn y gornel, a sawl celficyn derw arall. Gobeithio y byddai'r Coleg yn fodlon gadael i'r cyhoedd ddod i weld y cyfan. Ofer fyddai llafur ei gŵr oni bai fod cymaint â phosib o bobl yn cael gweld y lle.

Pan ddaeth at y stôl swyddfa, symudodd hi fel ei bod yn wynebu'r ffenest. Petai hi yn ysgrifenyddes, yr olygfa fyddai'n ei denu hi. Eisteddodd ar y stôl a dychmygu mai hi oedd yr un a gyflogid gan y WEA. Roedd yn methu credu eu bod yn cael gweithiwr, wedi'r holl amser. Meddyliodd am gynhadledd undebau llafur y WEA yn Rhyl ym 1923 i gael trefn ar bethau gyntaf, yna'r gynhadledd ym Mae Colwyn ym 1925 i gytuno i ofyn i Lundain gâi gogledd Cymru ffurfio yn Rhanbarth – roedd wedi bod fel taith crwban i gyrraedd y pwynt hwn. Oni bai eu bod wedi cael cefnogaeth yr undebau ni fyddai pethau wedi gweithio o gwbl, a byddent yn dioddef y ffraeo parhaol rhwng yr undebau a'r WEA fel a gafwyd yn ne Cymru a'r Alban. Unwaith y sefydlwyd y Central Labour College yn Llundain, i fanno yr âi glowyr a Sosialwyr y de, ac edrychid ar y WEA fel opsiwn dosbarth canol. Roedd Silyn a hithau yn bendant na châi hyn ddigwydd yn y gogledd: Mudiad Addysg y *Gweithwyr* ydoedd, wedi'r cwbl. Gallai Mary gofio'r adeg y daeth Jim Larkin o'r TGWU i siarad yn y Blaenau. I Silyn, ers ei ddyddiau yn y chwarel, roedd cynnwys yr undebau mor naturiol ag anadlu...

Trodd wrth glywed sŵn, a gwelodd y ddau ddyn yn gwegian dan bwysau cwpwrdd.

'Rown ni o yn fan hyn am rŵan, diolch i chi,' meddai Silyn.

'Fasa rhywun yn meddwl fod gennych chi ddigon o ddodrefn yma fel y mae hi,' meddai'r dyn.

'Ond nid dodrefn swyddfa...' meddai Silyn.

'Be dach chi am wneud efo'r lle felly?'

'Amgueddfa'r Coleg yn y diwedd, pan fydda i wedi gorffen, ond swyddfa i'r WEA dros dro.'

'Ia wir? Rydw i'n mynd i'r dosbarth ym Methesda – mae criw da yno, Mr Williams Parry ydi'n tiwtor ni. Un da ydi o.'

'Mae yntau wrth ei fodd efo Dosbarth Bethesda,' meddai Mary.

'Bechod am y crac yn y gwydr 'ma – fasa dim gwell i hon fod yn rhan o'r amgueddfa?'

Chwarddodd Silyn. 'Chwarae teg, chwe swllt dalon ni amdano.'

'A swllt am y stôl, cofia,' meddai Mary. 'Ac rydan ni wedi cael gafael ar deipiadur!' Edrychodd Mary o'i chwmpas. 'Dwi 'di meddwl am ddau beth arall fydd ei eisiau: cloc a chalendr.'

'Petha i fesur amser.'

'Gan fod hwnnw mor brin. Fydd gan y greadures ddim papur chwaith – mae eisiau inni gael deunydd swyddfa...'

'Doeddwn i ddim yn bwriadu iddi sgwennu ar lechen. Dwi 'di archebu peth deunydd gan Siop Stalton.'

'Fasa fo fawr o golled i'r Coleg tasen nhw'n ein cyflenwi efo papur, tase hi'n dod i hynny,' meddai Mary.

'Mae cadw cydbwysedd efo'r cyllid yn un delicet a dweud y lleiaf.'

O'r cychwyn cyntaf, roedd ariannu'r WEA yn gur pen. Dibynnent yn llwyr ar gyfraniadau ar y dechrau, ac roedd rhai fel David Davies Llandinam wastad wedi bod yn barod i roi. Onid dyna ran o'r ddadl yn erbyn y mudiad – ei fod yn ddibynnol ar bobl gyfoethog am ei fodolaeth? Ond ers rhyw ddwy flynedd bellach, roedd y WEA yn derbyn grantiau gan y Bwrdd Addysg, felly gallent gynnal rhai dosbarthiadau eu hunain. Y Brifysgol fyddai'n talu am y dosbarthiadau tiwtorial, a'r WEA am y cyrsiau byrrach. Cyndyn iawn fyddai Colegau Caerdydd ac Aberystwyth i ymestyn cortynnau eu pebyll, ond roedd Bangor – diolch i Reichel – ar delerau da iawn efo'r WEA. Roedd rhai fel Silyn a Mary Rathbone wedi mynnu mai undebwyr fyddai hanner y Pwyllgor er mwyn cadw'r ddelfryd. Onid dyna gryfder Silyn yn wastadol – cynnwys cynifer â phosib o bobl, a'u cael i gydweithio. Golygai beth wmbredd mwy o waith, ond roedd yn gas ganddo rhyw elît academaidd yn cadw'u gafael yn dynn ar y rhaffau...

'Chwarae teg i hogia Blaenau – maen nhw wastad yn fodlon gwneud pethau pan mae'r coffrau'n brin,' meddai Silyn. 'Mae'r Cyngor Cerddoriaeth wedi cynnig cymorth, ac maent am ei dderbyn.'

'I drefnu cyngerdd?' holodd Mary. Rhai da am drefnu cyngherddau oedd criw Blaenau.

'Ia, mae'r Bangor Varsity Instrumental Trio am fynd yno i roi perfformiad. Mi godith hyn arian i'r gangen. Dwi'n trio cael Rheolwr yr Oakley i gadeirio'r noson, ond mae'n well ganddo fo ddod yno i wrando...'

Cododd Mary ei llygaid.

'... ac wedyn mae'n f'atgoffa fod chwarelwyr ers talwm yn gweithio oriau meithion a bod gormod o oriau hamdden gan ddynion y dyddiau hyn, a bod hynny'n lladd yr awydd am ddiwylliant!'

'Twt lol!'

Daeth Silyn ati, a chydio am ei chanol.

'Dwi eisiau i ddosbarth y Blaenau fod yn llwyddiant. Dwi eisiau aildanio'r hyn oedd ganddon ni yn Nhanygrisiau. Ti'n cofio'r brwdfrydedd a'r sêl roedden ni'n ei weld? A'u llygaid yn goleuo a gweld cymeriadau'n datblygu...?'

'Wrth gwrs 'mod i... ddaru ni feddwl y byddem yn dod mor bell â hyn, Silyn?'

'Wn i ddim. Mi ddeudodd Dafydd Thomas o mewn ffordd gofiadwy. Rydw i wedi ei sgwennu yn fy llyfr...' Chwiliodd drwy ddalennau ei lyfr bach. 'Dyma ni:

Na ddywed neb fod y delfryd hwn yn rhy uchel...Nid oes dim yn rhy dda i fod yn wir...Pob gweledigaeth aruchel a roddir i ni, addewid ydyw fod posibirwydd ei sylweddoliad eisoes yn y golwg... Boed i ni fod yn ffyddlon i'r weledigaeth a gawsom, ac fe ddenwn y byd ar ein holau i geisio ei sylweddoli...'

'Da iawn, mae eisiau cadw hynny mewn cof... Dwi'n synnu weithiau mor fentrus oedden ni yn Nhanygrisiau. Does ryfedd fod pobl y pentref yn codi eu haeliau mor aml. Siŵr eu bod nhw'n meddwl ein bod yn wallgof!'

'Bosib ein bod ni,' atebodd Silyn, 'ond roedd 'na ddigon o

bobl wallgof i'n helpu ni. Ti'n cofio ffrwydro'r graig yng nghefn Bethel i osod sylfeini'r Festri?'

Nodiodd Mary. 'A dwi'n cofio'r holl gyfarfodydd efo Coleg Bangor, yr adeg ro'n i'n magu Meilir, a thithau'n dod adre i sôn am y datblygiadau diweddaraf. Roedd fel pennod newydd o nofel. Ti'n cofio'r chwarelwyr yn cyfarfod Llys y Coleg... a John Morris-Jones yn gweld y golau yn y diwedd?'

'Un dda oedd honna. Roedd Morris-Jones wedi deall yn gynt na'r lleill a deud y gwir. "Dwi'n deall be sydd arnoch chi ei eisiau" meddai, "eisiau magu arweinwyr rydach chi, 'te?" Ac mae llawer o'r rheiny wedi dod yn eu blaenau – R.T. yn un ohonynt. Ew, roedd o'n ddosbarth da.'

Daeth Mary ato a'i gusanu'n ysgafn ar ei foch. ''Runig ddiffyg oedd mai dynion oedd pob un wan jac ohonynt. Yr her yn awr ydi ceisio denu'r merched hefyd. Maen nhw wedi cael eu hesgeuluso am yn llawer rhy hir. Ro'n i'n trio bryd hynny, ond doedd yr hyder ddim ganddynt. Un peth ydi'r bleidlais, ond rhaid eu cael nhw i fod yn rhan o'r holl drefn, eu cael yn allweddol i bob datblygiad...'

'Ol-reit, fy Mrs Pankhurst... mi ddaw...'

'Mi ddaw, wir...' Roedd Mary yn paratoi i fynd – roedd ganddi waith i'w wneud. 'Ac mae'r problemau ariannol yn ein cadw ar ddi-hun yn y nos. Be wnawn ni efo hynny?'

'Mi ddaw hynny hefyd,' meddai Silyn efo gwên, a gafaelodd yn ei llaw. 'Roedden ni'n poeni am yr ochr ariannol efo'r dosbarth cyntaf, ond mi ges i Undeb y Chwarelwyr i gyfrannu. Fydd yn rhaid inni jest mynd ar ofyn rhagor.'

Problem ei gŵr oedd bod ganddo ormod o ffydd yn y natur ddynol.

'Fedrwn ni ddim mynd trwy'n hoes yn trio cael dodrefn rhad a theipiaduron ail-law...'

'Nid yr undebau llafur yn unig fedr helpu. Mi af ar ôl yr undebau athrawon, y pwyllgorau addyg a'r cymdeithasau cydweithredol... heb anghofio unigolion. Dyna'r unig ffordd – gofyn i bobl yn uniongyrchol am arian. Gofyn i bobl rannu eu cyfoeth ydan ni yn y bôn, 'te, er mwyn i eraill gael y manteision gawson nhw...'

Gofyn i bobl rannu... roedd o mor syml â hynny i Silyn. 'Gwerthwch yr oll sydd gennych...'

'Ol-reit, mi rown gynnig arni,' meddai Mary yn ei ffordd ymarferol, wrth ddringo'r grisiau.

Falle y byddai ei ffydd a'i garisma yn llwyddo. Byddai'n golygu gwaith caled iawn. Ond gwyddai Mary un peth o brofiad: os mai Silyn oedd yn gofyn, roedd pobl yn ymateb.

Pennod 42

Ffordd y Coleg, 1945

Estynnodd David Thomas am ei bìn ysgrifennu ar ôl swper a nodi yn ei ddyddiadur dan y dyddiad, Gorffennaf 16eg: 'Dathlu fy mhen blwydd yn 65 oed. Cyfarfod llawen iawn o'r Blaid Lafur.'

Doedd dim lle i sgwennu rhagor yn y dyddiadur bach, ond roedd o'n ddigon. Doedd o ddim yn debyg o anghofio'r diwrnod. Eisteddodd yn ôl yn ei gadair, yn ceisio dygymod â'r ysgafnder annisgwyl hwn. Teimlai fel dyn newydd. Y gwir amdani oedd ei fod wedi cyrraedd oed ymddeol, ac na fyddai'n rhaid iddo bellach wneud y daith ddyddiol i Ysgol Central yng nghanol Bangor i ennill ei fywoliaeth. Yno y bu ers ugain mlynedd, ac ni fu'n hapus yn y swydd. Ond bu'n fodd i gadw corff ac enaid ynghyd, ac roedd sawl un llai ffodus nag ef. Bellach, roedd 'y baglau wedi torri', a'i 'draed yn gwbl rydd'. Roedd yn ddechrau newydd yn ei fywyd – ac yn gyfnod newydd yn hanes Ewrop gan i'r Ail Ryfel Byd ddod i ben rhyw fis ynghynt. Yn hufen ar y gacen, roedd y Blaid Lafur wedi ennill yr etholiad ym Mhrydain ac roedd honno'n fuddugoliaeth felys, felys. Roedd hwyliau da ar aelodau'r gangen ym Mangor. Da iawn, iawn.

Gwyddai beth roedd eisiau ei wneud. Roedd am ymroi i'w swydd newydd fel golygydd *Lleufer*. Roedd llwyddo i'w sefydlu yn gamp go fawr, yn enwedig mewn cyfnod o ryfel. Ceisiodd sawl un gyhoeddi cylchgrawn o'r fath, ond wedi i ryw dri rhifyn weld golau dydd, byddai diffyg arian yn eu llethu. Doedd o ddim am i hyn ddigwydd i *Lleufer*. Roedd y ddau gopi cyntaf o'i flaen ar y ddesg, ac roedd wrthi'n llunio'r trydydd. Diolch byth, o leiaf byddai modd ei gyhoeddi bob chwarter o hynny 'mlaen. Roedd hynny yn gwneud cynllun yn bosibl.

Roedd cryn dipyn o'i amser yn mynd i Gymdeithas Addysg y Gweithwyr eisoes. Ers iddo gwblhau ei radd roedd wedi gweithio'n brysur fel tiwtor. Cofiodd ei ddosbarth cyntaf yn y Felinheli... beth oedd y pwnc? Hanes Cymdeithasol a Diwydiannol Cymru – roedd o mor ddibrofiad yn meddwl y byddai'n llwyddo i wneud hynny mewn tymor! Yn raddol, esblygodd hwnnw'n llu o gyrsiau difyr ar ddatblygiad amaethyddiaeth, Cau'r Tiroedd Comin, Deddf y Tlodion, a'i hoff un – Effaith y Chwyldro Ffrengig ar Gymru. Roedd hi'n werth gwneud yr holl waith paratoi gan fod y myfyrwyr yn rhoi cymaint yn ôl. Y wobr oedd gweld wynebau'r bobl yn goleuo wrth iddynt agor eu meddyliau... rhoddai gymaint mwy o foddhad iddo na dysgu plant; roedd y rhai hŷn *eisiau* dysgu. Roedd yn well ganddo'r gwaith darlithio na'r ochr weinyddol, ond doedd dim osgoi hwnnw os oedd y mudiad am lwyddo. Bu'n Archwiliwr y Cyfrifon yn gyntaf cyn dod yn aelod o Bwyllgor y WEA, ac roeddent wedi gofyn iddo ystyried bod yn is-Gadeirydd ymhen blwyddyn. Gallai'r teithio fynd yn fwrn weithiau, rhwng yr holl bwyllgorau a'r dosbarthiadau, ond doedd dim ots ganddo deithio os câi gwmni. Doedd o erioed wedi meistroli'r grefft o yrru modur.

Roedd ganddo syniad go glir sut gylchgrawn roedd o eisiau iddo fod: un difyr, darllenadwy, addysgiadol. Rhywbeth â gafael ynddo. I sicrhau hynny byddai'n rhaid iddo gael criw o gyfranwyr rheolaidd, a digon fyddai'n barod i adolygu llyfrau... Chwarae teg, roedd pawb o'i gydnabod am ei weld yn llwyddo, ac roedd Tec Lloyd yn llawn syniadau. Peth da oedd cael pwyllgor dibynadwy, ond arno fo, David, roedd y baich mwyaf fel Golygydd. Ond y peth mawr oedd cael gwared o gyfrifoldebau ysgol. Bellach, gallai ymroi yn llwyr i olygu *Lleufer* a'i waith gyda changen leol y Blaid Lafur.

Bodiodd drwy ei lyfr bach o ddywediadau bachog. Un peth roedd o wedi'i benderfynu o'r dechrau oedd y byddai casgliad o'r rhain ar waelod tudalennau. Roedd pobl wedi ymateb yn dda iddynt, ac un wedi ei ddefnyddio yn sail i bregeth, hyd yn oed!

Cafodd un da i'r rhifyn dwytha – 'Chwarter myfyrwyr Rhydychen gafodd eu haddysg mewn ysgolion elfennol tra oedd naw o bob deg o fyfyrwyr Prifysgol Cymru wedi cael eu haddysg mewn ysgolion o'r fath'. Roedd sylw felly yn aros yng nghof pobl. Wrth gwrs, roedd wedi bod yn casglu'r rhain ers pan oedd yn ugain oed. Rhoddodd ei ffefryn yn y rhifyn cynt – yr un gan Voltaire: 'Rwy'n anghytuno yn llwyr â'ch syniadau, ond mi ymladdaf hyd farw i ddiogelu eich hawl i'w traethu'.

Cadwodd y llyfr bach, a rhoi ei feddwl ar y rhifyn nesaf. Roedd ganddo rai colofnau rheolaidd, megis 'Pa Beth i'w Ddarllen ar Bynciau'r Dydd'. Daeth honno i law eisoes. Cafodd ddwy delyneg, ysgrif gan Wallis Evans, ac roedd wedi cychwyn 'Mae Mwy Nag Un'. Y syniad efo hon oedd dewis pobl efo'r un enw, a nodi beth oedd y gwahaniaeth rhyngddynt. Gofynnodd i R.T. Jenkins sgwennu erthygl am Mary Silyn, er na fyddai Mary ei hun wedi ei phlesio. Ond holl ddiben y gyfres oedd cofnodi hanesion yr hoelion wyth, a phrin y gellid hepgor ei henw hi. Llun ohoni – hmm, falle bydde hwnnw'n anos i'w gael... Byddai'n rhaid gwasgu'r cyfan i mewn i ddeugain dalen, yn cynnwys yr hysbysebion. Nid tasg hawdd mohoni. Ond dyna fo, eler ati o ddifri...

Bedwar drws i lawr y stryd, roedd Mary Silyn wrth ei desg, ac wedi gorffen sgwennu ei llythyrau. Chwithig iawn oedd dygymod â'r amser oedd ar ei dwylo wedi iddi ollwng gafael ar y gwaith o fod yn Ysgrifennydd Cymdeithas Addysg y Gweithwyr. Ni wyddai am ffordd arall o fyw. Gweithio, gweithio, gweithio oedd yr unig beth a gofiai. Pan oedd amser ar ei dwylo, canfyddai ei hun yn estyn am y gyfrol *Trystan ac Esyllt* a bodio drwyddi. Camgymeriad oedd hyn bob tro gan y byddai'n sicr o agor llifddorau hiraeth. Ond doedd dim gwahaniaeth. Dyma'r ffordd fwyaf effeithiol o ganfod y ffordd at ochr ei chymar. Y peth mwyaf rhyfeddol oedd y modd roeddent yn siarad â hi yn awr. 'Hiraeth am Olwen' oedd un o'i ffefrynnau.

Fe rua'r wendon heno
  Rhwng Olwen deg a mi;
Ond myn fy meddwl grwydro
  I chwilio am dani hi

Anfonaf awel esmwyth
  Tros donnau'r eigion hallt,
I wylio hun ei hemrynt, –
  I orffwys yn ei gwallt;

Bron na allai deimlo pwysau ei ben ar ei gwallt, a theimlodd yr
'awel esmwyth' ganwaith wedi iddo fynd.

A suo cwyn felysddwys
  Unigedd prydydd prudd,
A'r hiraeth draetha'i hanes
  Mewn dagrau ar ei rudd.

Dyna ei hofn mwyaf, ei fod yn y nefoedd, ac yn hiraethu amdani.
Dyna'r tristwch eithaf, fod y dagrau ar ei rudd ers y pymtheng
mlynedd y'u gwahanwyd.

Yr amser diofal dreuliwyd
  Mewn llawer melys hynt
Ar lwybrau grug y mynydd
  Yn nwyf y dyddiau gynt.

Ac yn y pennill olaf oedd y brathiad,

Aeth heibio'r oriau hynny,
  A'r bedd-rod ddaeth yn nes;
Ond nis gall serch heneiddio
  Na chariad golli'i wres.

Roedd cymaint o wir yn hynny. Roedd yn ei charu yn awr gymaint ag a'i carodd erioed. Gafodd merch arall ei charu i'r fath raddau? Ac nid yn unig cael ei charu, ond cael mynegiant mor rhyfeddol i'r cariad hwnnw. Doedd hi ddim yn sylweddoli ar y pryd, ond o edrych yn ôl, rhyfeddai fwyfwy. Roedd fel tonnau enfawr o gariad yn dygyfor ei henaid, a doedd yna neb, neb tebyg iddo. Pan ddarfu ei fywyd, distawodd y geiriau, peidiodd yr anwesu, diflannodd y cusanau... ond o leiaf roedd cerddi fel hyn yn adlais o'r profiad...

Caeodd y llyfr, a chodi. Aeth at yr hen Polyphon Fictoraidd a gosod hen ddisg yn ei le. Anrheg priodas oedd hwn gan ei rhieni, ac roedd yn meddwl y byd ohono. Eisteddodd yn ôl, a gwylio'r disg yn troelli. Syllodd ar y llun o'r ceriwbiaid bach noeth yn dawnsio ac yn chwarae efo'i gilydd ar du mewn caead bocs y gramoffon. Roedd yn llun mor gyfarwydd, yn un y treuliodd oriau yn syllu arno. Ac fel petai drwy hud, llifodd y dôn allan o'r peiriant ac arllwys drosti...

'The Last Rose of Summer' oedd y disg, ac wrth i nodau dolefus y gân ddod i'w chlyw, teimlodd Mary'r dagrau yn dod. Doedd dim pwynt eu hatal, doedd neb i'w gweld. A'r rhyddhad! Treuliai ei hoes yn ceisio atal y dagrau – roedd yn fendith gadael iddynt lifo'n rhydd a golchi ei hwyneb. Mwya sydyn, roedd ganddi hiraeth am bopeth: am ei rhieni, am ers talwm, am gyffyrddiad dwylo Silyn. Pam, pam mai felly y bu pethau? Ceisiodd ddod ati ei hun. Beth ddywedai Silyn pe gwelai hi yn awr, yn ymdrybaeddu mewn hunandosturi... Oedd o yn ei gweld?

O, Silyn, Silyn, Silyn...

Pennod 43

Ysbyty yn Llundain, Mehefin 1927

Mwythodd Silyn ei llaw, a deffrodd Mary. Roedd ei gwefusau'n sych, a daeth y nyrs heibio i godi ei phen oddi ar y gobennydd a'i helpu i yfed llymaid o ddŵr. Trodd i edrych ar ei gŵr.

'Es i ddim i gysgu eto?'

Gwenodd Silyn, 'Do, 'nghariad i, ond dydi'm ots.'

Edrychodd Mary ar y to. 'Ond tydw i'n cysgu drwy'r amser? Ddo i byth yn well fel hyn.'

Profiad dieithr i gorff Mary Silyn oedd bod yn llonydd. Roedd y cyfan wedi bod yn ysgytwad iddi. Ni fyddai byth yn meddwl am ei chorff, a llai byth am ei hiechyd. Merch gref oedd hi wedi bod erioed, a chymerodd ei hiechyd yn gwbl ganiataol. Byddai'n gwthio'i hun i'r eithaf yn fynych – a doedd ei chorff erioed wedi ei siomi, tan rŵan. Roedd hyn yn drysu popeth.

Wrth edrych ar ei hwyneb ar y gobennydd gwyn, tosturiai Silyn wrthi. Roedd yn beth hollol ddieithr i Mary dreulio amser mewn ysbyty. Roedd y driniaeth a gafodd yn un eithaf cyffredin i ferched hanner cant, ond aeth pethau o chwith yn achos Mary a chollodd lawer iawn o waed. Ar un adeg, pryderai'r meddygon am ei bywyd, ond nid oedd Mary yn ymwybodol o hyn. Gwell oedd peidio dweud wrthi.

'Mary, rwyt ti wedi bod drwy'r drin. Mi gymeri amser i wella. Ildia iddo, a derbyn y byddi'n gaeth am gyfnod.'

Un da i ddweud, meddyliodd Mary. Roedd hi wedi treulio hanner ei bywyd yn ceisio ei gael yntau i ofalu am ei iechyd.

'Ond mae cymaint i'w wneud...' Trodd Mary ei phen. 'Pwy sydd efo Rhiannon?'

'Mae bob dim yn iawn. Mae Nellie Williams yn gofalu amdani tra dwi yma.'

'Dwi wedi bod yma am amser hir...' Edrychodd i fyw llygaid

Silyn yn sydyn. 'Deud wrtha i, Silyn, fûm i'n wael iawn?'

Amneidiodd ei gŵr a gwelodd yr olwg yn ei lygaid.

'Yn ddifrifol wael?'

Nodiodd.

'Fûm i yn agos at farw?'

Brathodd Silyn ei wefus a gostwng ei ben. Dychrynodd Mary.

Dyna pam y teimlai mor wan, doedd ryfedd... Wrth i effaith yr anasthetig bylu roedd y poenau a deimlai yn erchyll. Nid oedd ganddi nerth o gwbl i dynnu arno. Doedd ryfedd fod golwg mor bryderus ar ei gŵr.

'Silyn, mae o drosodd rŵan...'

Cododd Silyn ei lygaid, a gwelodd Mary y dagrau ynddynt.

'Paid, Silyn, dwi'n iawn...'

Cusanodd ei thalcen. 'Wyddwn i ddim beth i'w wneud. Ro'n i fel dyn ar erchwyn gwallgofrwydd. Fedrwn i feddwl am ddim arall, fedrwn i wneud dim, dydw i erioed wedi teimlo mor gwbl, gwbl ddi-werth...'

Adwaenai Mary y Silyn hwn. 'Silyn...'

'Does gen i 'mo'r help... Byddwn yn deffro yng nghanol nos, a'r un freuddwyd oedd hi bob tro. Roedd y gors yn fy llyncu, a fedrwn i wneud dim. Roeddet ti'n gweiddi arnaf yn y pellter, yn sgrechian yn orffwyll, a cheisiwn afael yn y brwyn, ond yn ofer...' Gwasgodd ei llaw.

'Ond mae'r hunllef drosodd rŵan. Mi fydda i'n cryfhau...'

'Yn y bore mae hi waethaf. Dwi'n deffro, ac yn dychryn nad wyt wrth fy ochr. Yna mae'n rhaid i mi atgoffa fy hun dy fod yn yr ysbyty yn gwella... ond dim ond pan dwi efo ti rydw i'n gallu ymlacio yn llwyr.' Roedd Mary yn mwytho'i law. 'Edrych Mary, ti sy'n gorfod fy nghysuro i...'

Perthynas felly oedd hi wedi bod erioed, meddyliodd Silyn. Fo'n siglo ar donnau bywyd, a Mary yno yn ganol llonydd iddo.

'Y cwbl fedra i ei wneud ydi mwytho dy law. Dydi o ddim yn lot.'

'Mae o'n golygu'r cyfan i mi,' meddai Mary yn dawel.

Buont yn fodlon yn nyth eu cariad am dipyn, heb fod angen geiriau.

'Mae hi wedi bod yn flwyddyn a hanner, Silyn.'

'Do, rydan ni'n ddau hen groc...'

Ddeufis yn ôl, iechyd Silyn oedd yn achosi pryder. Doedd o ddim yn un cryf ar y gorau, ond roedd ei iechyd wedi torri'n llwyr ac ni allai wneud dim gan ei fod mor wan. Crefai'r meddyg arno i wneud llai, ond roedd yna bethau roedd yn rhaid eu gwneud, a dim ond fo allai ymdrin â nhw.

'Falle mai peth fel hyn ydi heneiddio,' meddai Silyn.

'Falle wir. Diflas, 'te? Mae'n siŵr mai dyma mae'r meddygon yn trio ein cael i ddeall... ond pan ydw i'n iawn, mi fedra i wneud cymaint ag y gallwn chwarter canrif yn ôl!'

'Dyna'r agwedd dwi wedi ei gymryd... gweithio cyhyd ag y gallaf, ildio i wendid pan ddaw, ac ailgodi 'mhac pan dwi'n well. Does dim byd arall fedra i ei wneud.'

'Dim ond os gallwn drefnu nad ydan ni'n dau yn wael neu yn yr ysbyty yr un pryd... mi fydde hynny'n hwyluso pethau.'

Gwenodd Silyn arni. 'Mi gaf air â'r Bod Mawr a gofyn iddo be fedr ei wneud...' Cofiodd yn sydyn am rywbeth. 'Ro'n i eisiau rhannu un newydd da...'

'Sef?'

'Mae Glynn wedi graddio.'

Gwelodd Silyn y wên ar ei hwyneb. 'Mae hynny'n newyddion da iawn, 'mabi fi. Meddylia ei fod yn ddigon hen i hynny! Tydi o ddim yn gwneud synnwyr. Roedd o uwchben ei ddigon, oedd?'

'Oedd, mae o wedi mynd i ffwrdd at ei ffrindiau i ddathlu.'

'Do, debyg.'

'Ac mae llythyr wedi dod o Ddenmarc – mae criw mawr ohonyn nhw'n trefnu i ddod drosodd...'

'Silyn, be wna i?'

Cusanodd hi eto. 'Gadael y cyfan i mi. Dydyn nhw ddim yn aros efo ni, ac maen nhw'n ddigon 'tebol. Dwi wedi egluro sut mae hi arnat ti... mi fydd hyn yn dy siomi, ond dwi'n meddwl y byddan nhw'n llwyddo i gael taith lwyddiannus er nad wyt yng nghanol pethau!'

'Falle. Falle fod gwers yn hyn...'

'Bosib iawn...'

'Gwers yr wyt ti eto i'w dysgu, Mr Roberts.'

'Bosib iawn. Tra wyt ti'n wan, dwi 'di penderfynu mai'r tacteg gorau ydi cytuno efo popeth rwyt ti'n ei ddweud!'

Edrychodd arno, yn llawn cariad. 'Mae'n dda dy gael di yma, tonig llwyr. Dwi'n ysu am gael dod adre i Fangor.'

'Ddylien ni gael rhywbeth i edrych ymlaen ato, Mary – i ti gael gwneud hynny yn lle pryderu am waith yn pentyrru...'

'Dim ond un lle ydw i eisiau mynd iddo – ar wahân i Ddenmarc, wrth gwrs.'

'Deuda di'r lle, ac mi wna i o'n bosibl, hyd yn oed os bydd rhaid i mi dy gario ar fy nghefn.'

'Na, mi wnaiff cerbyd yn iawn. Ysgol Haf Harlech.'

Nodiodd Silyn. Dylai fod wedi dyfalu honna.

'O'r gorau, Mary, mi fyddi di yno, hyd yn oed os fydda i'n dy wthio o gwmpas mewn gwely!'

Serch y boen, yr ofn, a hunllef y cyfan, bu'n bennod werthfawr yn eu perthynas. Am unwaith yn eu bywydau, stopiodd Olwyn Fawr bywyd yn stond. Oedodd, a daliwyd y ddau fry yn yr awyr, yn siglo mewn gwagle a'r byd yn mynd rhagddo ymhell oddi tanynt. Diflannodd sgaffaldiau saff bob dydd, peidiodd y pwyllgorau, tawelodd y teithio di-baid, y ffarwelio a'r dychwelyd. Golchwyd y ddau yn lân o hualau cynnal tŷ a theulu, doedd dim yn cyfrif heblaw'r bywyd yn y gwely gwyn. Esgeuluswyd y dyddiadur, peidiodd y cloc, a darganfu eraill fod modd iddynt wneud pethau heb Silyn a Mary wedi'r cwbl.

Ni pharodd y cyfnod yn hir, a'r munud y gallai Mary roi un droed o flaen y llall, fe'u lluchiwyd yn ôl i ferw pethau yn ddilol. Ond am bythefnos fer, ym mherfeddion Llundain, cafodd y ddau egwyl brin i ganolbwyntio'n llwyr ar ei gilydd, fel y dylai dau gariad gael gwneud.

Pennod 44

Coleg Harlech, 1927

Roeddent yn edrych drwy'r ffenestri mawr ar yr olygfa fendigedig o'r môr.

'Wel, chaech chi ddim golygfa well yn unrhyw goleg, na chaech?'

'Ac o ble ydach chi'n dod?'

'Sir Aberteifi... pentre o'r enw Cribyn. A chithau?'

'Pen Llŷn... ond rioed wedi bod mor bell â Harlech.' Trodd at y merched, 'Beth amdanoch chi?'

'Genod Stiniog ydan ni – a 'dan ni wedi bod yn Harlech o'r blaen, ond nid i fan hyn!'

'Dwi'n meddwl ein bod am gael penwythnos i'w chofio.' Cytunodd y gweddill.

Roedd yn achlysur hanesyddol – Ysgol Haf gyntaf y WEA yn y Coleg newydd, ac roedd pawb fel petaent yn ymwybodol fod carreg filltir wedi ei chyrraedd. Mawr oedd y disgwyliadau, a gwyddai ambell un fod mwy nag un beirniad yn cadw llygad ar y datblygiadau, pobl na fyddai'n enbyd o drist petai'r fenter yn methu...

Wrth y drws, roedd Thomas Jones yn cyfarfod y rhai oedd wedi dod i ddarlithio.

'Silyn a Mary... falch iawn eich bod wedi dod. Gawsoch chi siwrne iawn?'

'Do, diolch, daethom efo car John Evan Thomas, chwarae teg iddo.'

'Ac ry'ch chi'n well, Mary?'

'Ydw, ydw, wedi cryfhau yn arw, diolch i chi. Wel, mae'n dda 'mod i, gan 'mod i'n darlithio ar y diwrnod cyntaf!'

'Wrth gwrs. Mae Williams Parry druan yn gorfod cystadlu 'da chi am gynulleidfa.'

'Dydw i ddim yn meddwl fod angen i Bob boeni am gynulleidfa,' chwarddodd Mary. 'Mae gan Robert Richards un ddifyr fore Sadwrn: Sut y daeth Ffiwdaliaeth i Gymru.'

'Mae Williams Parry yn cystadlu efo fynta hefyd,' meddai Silyn. 'Mynd i wrando arno fo wna i yn darlithio ar Y Delyneg a'r Englyn.'

'Ry'n ni'n uno i gael taith yn y pnawn,' meddai Thomas Jones, gan edrych ar ei raglen, 'i fynd i weld cartref Edmwnd Prys. Mae'n rhaglen arbennig iawn.'

Mawr oedd yr ysgwyd llaw a'r tynnu cotiau a'r cyfarch. Bron nad oedd hi fel 'Steddfod.

'Ydi'r rhan fwyaf wedi cyrraedd? Ro'n i'n poeni ein bod yn hwyr,' meddai Mary.

'Rydych ymhlith yr olaf, ond mae un neu ddau eto i ddod. Ewch i lawr i'r gegin, cawn damaid i fwyta cyn gweithgareddau'r nos.'

Wrth ei hochr safai Ben Bowen Thomas, Warden newydd y Coleg, a doedd Mary ddim wedi ei weld ers y cyfweliadau. Yn wyth ar hugain oed, roedd yn ifanc iawn yn y swydd, ond roedd wedi bod yn darlithio yn yr Adran Allanol yn Aberystwyth ar ôl dod o Rydychen, ac yn llanc hynod alluog. Byddai Thomas Jones wedi caru gweld Silyn yn y swydd, ond doedd hi ddim i fod.

'Eich cynhadledd gyntaf, Ben Bowen!' meddai Mary wrtho, gyda gwên.

'Ie, dyna pam 'wy'n edrych mor nerfus,' atebodd yntau.

'Gobeithio y byddwch yn hapus yn eich swydd,' meddai Silyn, gan ysgwyd ei law.

Rhyfedd iddo gael yr un enw â'i ewythr, meddyliodd Silyn, gan ddwyn ei hen gyfaill i gof, y llanc anwylaf fyw.

''Wy'n edrych ymlaen at y ddarlith agored nos Sul, Mrs Roberts – Datblygiad Cenedl, testun diddorol. Mae sawl un o bobl Harlech wedi dangos diddordeb mewn dod.'

'Da iawn,' meddai Mary, 'mae cael pobl leol i ddod yn hollbwysig.'

Edrychodd Silyn ar Ben Bowen. 'Roedd gen i feddwl y byd o'ch ewythr – bardd arbennig iawn.'

'Does gen i ddim cof ohono, yn anffodus. Tair oed oeddwn i pan fu farw.'

Cofiodd Silyn y sioc o glywed am farwolaeth y bardd yn bump ar hugain oed,

Y fynwes a'm carai sy'n oer yn y gweryd,
A marw yw'r bysedd a wasgai fy llaw.

'Dwi'n edrych ymlaen at gydweithio efo chi,' meddai Silyn, gan weiddi ar ei gyfaill, 'Bob – tyrd i gyfarfod y Warden newydd. Bob, dyma Ben Bowen Thomas. Ben – dyma R. Williams Parry... un o'r Rhondda ydi Ben, a 'dan ni'n disgwyl petha mawr ganddo.'

'Ry'n ni wedi cwrdd yn barod,' eglurodd Ben Bowen, 'cyrhaeddodd Mr Williams Parry ddoe.'

'Ddoe?' gofynnodd Mary, 'doedd dim byd yn digwydd ddoe, oedd 'na?' Roedd yn bryderus ei bod wedi gwneud camgymeriad efo'r amserlen.

'Nag oedd, peidiwch poeni. Fi oedd yn methu aros. Ond golloch chi daith dda, Mary, aethon ni lawr at y traeth...'

'A daethoch chi â'ch ysbienddrych...' meddai Ben Bowen.

'Do, do,' meddai Williams Parry. 'Wel, fedrwn i ddim dod i ardal Ellis Wynne heb fy sbienddrych, na fedrwn... "i weld pell yn agos a phethau bychain yn fawr"!'

Cawsant eu tywys o amgylch yr adeilad ar ôl swper, ac roedd pawb yn frwd iawn ynglŷn â dyfodol y Coleg. Manteisiodd Bob a Silyn ar y cyfle i fynd at y ffenestri i edmygu'r môr.

'Wyt ti'n mynd i groesi'r môr yn fuan, Silyn?'

'Rydw i'n mynd i'r Swistir ar ôl y gynhadledd 'ma...'

'Ordors?'

'Ia, mae arna i ofn.'

Gan nad oedd Silyn yn mwynhau'r iechyd gorau, câi gyngor cyson gan ei feddyg i fynd dramor ar ei wyliau, ond ei anwybyddu fyddai Silyn oni bai fod yr 'ordors' yn dod. I un mor brysur, doedd dim digon o wythnosau yn y flwyddyn.

Edrychodd Williams Parry o'i gwmpas mewn rhyfeddod. 'Mae o'n lle dipyn crandiach nag oeddwn i wedi ei ddisgwyl, Silyn. Mae'r gerddi eu hunain yn helaeth... nid 'mod i'n gwybod fawr am bethau felly.'

'Na minnau, ond gwn fod pedair acer o dir, ac mae 'na waith i ddau arddwr profiadol. A'r hyn sydd yn dda ydi bod myfyrwyr y coleg yn helpu yn y gerddi – dim ond hanner dwsin o fyfyrwyr sydd 'na ar y dechrau fel hyn, felly maen nhw'n dysgu sgiliau ar wahân i'w hastudiaethau.'

'Syniad da...'

'Dyna i ti ddawn Thomas Jones i gael yr hyn mae o ei eisiau. Ei weledigaeth o ydi hyn. Dwi'n cofio bod yma pan oedd George Davison yn byw yma..'

'Y creadur rhyfedd 'na?' gofynnodd Bob.

'Roedd o'n graig o arian, toedd, miliwnydd. Fo gododd y lle – dyna pam mai 'G.D.' sydd ar y giatiau. Ia, dipyn o ecsentrig oedd o, yn disgrifio'i hun fel anarchydd ac un o ddilynwyr Trotsky, ond y creadur clenia fyw.'

Gwrandawai Williams Parry mewn rhyfeddod.

'Ei arian o oedd tu ôl i'r Tŷ Gwyn yn Rhydaman... beth bynnag, mi flinodd ar fan hyn ac mi berswadiodd T.J. o i'w werthu'n rhad, am ei fod o eisiau sefydlu coleg addysg i oedolion. Syml, 'te?' meddai Silyn efo gwên.

'Ond doedd gan T.J. hyd yn oed 'mo'r cyfalaf i brynu lle fel hyn...'

'Nag oedd... mi berswadiodd o Henry Gethin Lewis i dalu amdano, ar gyfer dibenion addysgol.'

'Rioed wedi clywed am y dyn.'

'Ffrind ysgol i T.J.'

'A sut mae o'n bwriadu cynnal y lle?'

'Wel, ia, stori arall ydi honna...' meddai Silyn.

Ar y teras o flaen y Coleg, roedd Mary yn cael sgwrs efo Mary arall: Mary Rathbone. Roedd Mary Rathbone hithau yn un o hoelion wyth y WEA yng ngogledd Cymru, yn ddisgynnydd i'r cyn aelod seneddol William Rathbone, ac yn un o bobl Bangor.

'Mary, dwi eisiau gair efo chi,' meddai Mary Silyn.

'Dwi'n glustiau i gyd,' meddai Mary Rathbone. 'Tydi'r lle 'ma'n fendigedig?'

'Dwi'n llawn cynlluniau.'

Ia, un felly oedd Mary Silyn, wastad â rhyw gynllun neu'i gilydd, a'r rheiny'n rhai difyr bob tro – er eu bod yn golygu gwaith, gallai rhywun fod yn sicr o hynny.

'Be ddeudith pobl am y lle 'ma, tybed?' holodd Mary Rathbone. 'Tydi o 'mo'r lle cyntaf fyddai'n dod i'ch meddwl wrth sôn am y WEA...'

'Mi fydd hi'n anodd ein cyhuddo o fod yn "ffrind y Bolsheficiaid" os mai mewn llefydd fel hyn rydan ni'n cwrdd.'

'Ffeindian nhw ryw ffordd o'n pardduo ni, ond ta waeth. Be ydi'r prosiect diweddaraf, Mary Silyn?'

'Mae eisiau gwthio achos merched yn ei flaen, dyna sydd gen i.'

'Wel mi wna i bopeth i hyrwyddo hynny, mi wyddoch.'

'Dwi wedi dechrau cynnal cyfarfodydd efo Urdd Gwragedd y Co-operative... a Chyngor Cenedlaethol y Merched, ac mae dau bwnc dwi eisiau iddyn nhw ganolbwyntio arnyn nhw...'

Amneidiodd Mary Rathbone. Gwrando oedd y peth gorau i'w wneud pan oedd rhywun yng nghwmni Mary Silyn.

'Diffyg gwaith ydi'r pwnc mwyaf ddylai fod yn ein pryderu y dyddiau hyn...'

'A'r ail?'

'Y bygythiad i heddwch byd.'

Nodiodd Mary Rathbone. Roedd hi'n amau mai hyn oedd gan ei chyfaill. Gwelodd ei sêl dros yr olaf wrth gydweithio â hi ar Orymdaith Heddwch y Gwragedd y flwyddyn flaenorol.

'Mae eisiau rhyw ddilyniant i'r Orymdaith, dwi'n cytuno.'

'Ac mae'r tiwtoriaid eraill sy'n ferched – y llond dwrn sydd yna – yn mynnu cynnal dosbarthiadau cerddoriaeth a chelfyddyd... sy'n iawn yn eu lle, ond mae'n rhaid cael y pynciau mwy sylweddol yn ogystal. 'Dan ni damaid haws â gadael pethau fel hyn i ddynion a gwleidyddion. Maen nhw wedi profi y fath lanast maen nhw'n gallu ei wneud eisoes. Mae'n rhaid cael merched i gyfrannu i'r drafodaeth, neu dyn a ŵyr lle byddwn ni!'

Edrychodd Mary Rathbone ar ei ffrind. O lle y câi Mary Silyn ei hegni rhyfeddol?

Mynnodd Mary Rathbone ei bod yn hwyr glas iddynt fynd draw i'r brif stafell i gael y ddarlith gyntaf. Wrth iddynt groesi'r fynedfa, gwelsant wynebau cyfarwydd o Fangor, David Thomas a Syr Harry Reichel, Prifathro Bangor.

'Hogia Bangor, dach chi'n hwyr,' meddai Mary Silyn efo gwên ddireidus. 'Dach chi wedi colli swper.'

'Dyna ddeudais i wrth David Thomas,' meddai Reichel. 'Mynnodd mai cyrraedd y *ddarlith* oedd y peth pwysig, yn do?'

Gwenu'n dawel ddaru David Thomas. Edrychai fel petai'n troedio tir cysegredig. 'Wel, wel,' meddai, gan edrych o'i gwmpas. 'Dwi wedi edrych ymlaen at gael gweld fan hyn.'

Roedd yn dda fod David Thomas wedi cyrraedd gan mai fo oedd yn rhoi'r adroddiad cyntaf am ddatblygiad y WEA yn y gogledd yn ystod y flwyddyn a fu. Fel popeth arall a ddeuai o'i law, roedd o'n fanwl, a chafodd wrandawiad astud.

'Ac rydw i'n gorffen ar nodyn diolchgar,' meddai, 'ac un gobeithiol. Pan ddaeth Rhanbarth Gogledd Cymru i fod ym 1925, roedden ni'n cyhoeddi fod 23 dosbarth wedi eu sefydlu. Dair blynedd yn ddiweddarach, mae'n dda rhoi gwybod i chi fod y ffigwr hwnnw bron wedi treblu, a bellach mae gennym ddosbarthiadau i fil a dau gant o oedolion yn 'studio hanes, daearyddiaeth, daeareg, llenyddiaeth a cherddoriaeth... Hir y parhao.'

Eisteddodd i sŵn bonllef o gymeradwyaeth.

Pennod 45

Ar y ffordd i Dywyn, 1951

'Rydw i'n teimlo fel brenhines weithiau, yn cael fy nghludo o un lle i'r llall,' meddai Mary, a gwenodd David Thomas. Yng nghwmni Mary roedd o wastad yn teimlo nad oedd hi cweit wedi dal i fyny efo'r byd modern. Mewn sawl achos roedd hi'n flaengar iawn, ond ar adegau eraill roedd hi'n adlais o Oes Fictoria. Roedd o'n lecio hynny amdani. Roedd rhan fawr ohono fo'i hun yn dal yn y ganrif ddiwethaf. Ar eu ffordd i bwyllgor yn Harlech oeddent, yng ngherbyd Alun Llywelyn Williams.

'Wel, dach chi'n ffrindiau reit dda efo'r Frenhines bellach, tydach?' meddai David Thomas yn bryfoclyd. 'Chi a'ch CBE...'

'Mi wyddoch yn iawn mai er mwyn y WEA y derbyniais o. Rydw i yn gymaint o weriniaethwr â chi.'

Gobeithiai Alun Llywelyn nad oedd y ddau am ffraeo. Byddai'n daith annifyr iawn wedyn. Fyddai o byth yn siŵr beth oedd y berthynas rhwng y ddau yma.

'A bosib mai eiddigeddus ydach chi am mai dim ond OBE gawsoch chi ei gynnig...'

O diar...

'Ond wnes i 'mo'i dderbyn, naddo? Dyna'r gwahaniaeth.'

'Falle byddech chi wedi gwneud tasech chi wedi cael cynnig CBE fatha fi!' chwarddodd Mary. Tro David Thomas oedd hi wedyn i bwdu, ac fe'i hanwybyddodd.

'Mae'n handi cael lifft fel hyn,' meddai David Thomas. 'Rydan ni'n ddyledus iawn i chi, Alun.'

Edmygodd Mary wneuthuriad y car. 'Roedd Silyn ar fin prynu car,' meddai Mary. 'Roedd o wedi cael clywed bod dau ar gael iddo gael dewis rhyngddynt, ond mi ohiriodd y pryniant am ei fod ar fin mynd i Rwsia. Mi fydda fo wedi bod yn newid byd inni.'

'Mae'r rhai ifanc yma i gyd efo ceir. Cafodd Arial Ford 8

llynedd – roedd yn rhaid iddo gael car efo'r gwaith, medda fo. Mae ei wraig o'n gallu gyrru hefyd.'

'Tase'r car wedi dod i'n teulu ni, falle y byddwn wedi dysgu ei yrru,' meddai Mary.

'Fyddwn i ddim yn gwybod lle i ddechrau taech chi'n fy rhoi fi tu ôl i lyw car! Mi o'n i'n gweld beic yn beth digon rhyfeddol pan o'n i'n ugain oed.'

'Mae Glynn wrth ei fodd efo ceir, a Meilir efo moto beics. Ond mi feistrolais feic yn ddigon rhwydd – mi fyddwn yn mwynhau mynd efo fo. Mi aeth Silyn â dosbarth WEA unwaith ar daith feics, i Benmon.'

'Un da oedd Silyn am fynd â dosbarthiadau allan. Ydach chi'n ei gofio'n mynd â dosbarth i weld Pistyll Aber?' gofynnodd David Thomas, a chwarddodd Mary yn harti.

Roedd Alun Llywelyn wrth ei fodd yn clywed y ddau yn adrodd straeon am yr oes a fu. Roeddent mor hen ffasiwn.

'Rhannwch y stori, da chi,' meddai wrth y ddau yn y cefn.

'Blwyddyn cyn iddo farw oedd hi,' meddai Mary, 'ac roedd o wedi addo mynd â'r dosbarth i weld y pistyll. Wn i ddim sut cododd y syniad. I ffwrdd â nhw – rhyw ddwsin i bymtheg ohonynt, a dyma nhw'n cael eu stopio gan ryw Sais boliog. Doedden nhw ddim am gael mynd gam ymhellach nes ei fod o'n cael gwybod pwy oedd eu harweinydd. Aeth Silyn ato, a dweud bod ganddo berffaith hawl i gerdded y llwybr, gan nad oedd neb berchen arno. A dyma'r frawddeg enwog yn dod... sut oedd hi'n mynd, Mr Thomas?'

'I own this land,' meddai David Thomas yn ei acen fwyaf ffroenuchel, 'and without written permission from myself, you are not entitled to set foot on it.'

'Chymerodd Silyn ddim sylw o gwbl ohono, gan ddweud wrth bawb am fynd ymlaen, a rhoddodd ddarlith fer ar hawliau tir comin i'r "perchennog" tir. Mynnai hwnnw fod rhaid talu toll am fynd ar y tir – yn union fel hen landlord. Roedd Silyn yn dal i ferwi am y peth wedi dod adre, ac yn y diwedd, mi gysylltodd â'r Cyngor Sir ac mi aeth hi'n ddadlau cyfreithiol mwya dychrynllyd – aeth y mater i'r llys. Silyn enillodd yn y diwedd, a dyma'r Brawdlys yng Nghaernarfon yn deud bod yr hen lwybr troed yn rhydd i bawb. Fuo 'na ddim lol wedyn...'

'Da iawn 'rhen Silyn.'

'A deud y gwir, dyna oedd un o'r buddugoliaethau olaf glywodd o amdani. Pan gyhoeddwyd dyfarniad y llys, roedd Silyn yn Moscow. Ond mi gadwodd rhywun y toriad papur – "Aber Falls Victory" – roedd y newyddion yn y *Daily Herald*.' Edrychodd Mary drwy'r ffenest. 'Rydan ni ym Mhenrhyndeudraeth yn barod, wel, wel. Dosbarth da iawn yma, 'toes, Alun?'

Alun Llywelyn a benodwyd yn Gyfarwyddwr i ofalu am Adran Allanol Coleg Bangor ryw dair blynedd ynghynt.

'Oes oes, Bob Owen yn difyrru pawb. Achlysur ydi darlithoedd Bob Owen – mae'r lle dan ei sang. Tydi o'n darlithio mor ddifyr, 'tydi?'

'Un da ydi Bob Owen,' cytunodd Mary, gan bwffian chwerthin wrthi ei hun. 'Dwi'n cofio cael llythyr ganddo tua diwedd cyfnod y Rhyfel yn cytuno i roi sgwrs i ddau fataliwn o'r Army Cadets yng Nghricieth, ac yna'n cynnig mynd â nhw i hela llwynogod!'

'Mi fydda hynny wedi bod yn agoriad llygad i'r Cadets,' meddai David Thomas.

'Mae safon yr adeiladau wedi gwella, rhaid deud,' meddai Mary, a thinc diolchgar yn ei llais. 'Un o'r rhai gwaethaf oedd un o rai cyntaf Silyn yn Nolwyddelan... rydan ni'n mynd yn ôl reit bell, cofiwch...'

'Roedd Dolwyddelan yn chwedlonol, chwarae teg...'

'Oer oedd o?' gofynnodd Alun Llywelyn.

'Oer a gwlyb. Roedd 'na ddwy droedfedd o ddŵr yn y lle! Rhyw dân truenus yn y gornel, ac roedd hanner y dosbarth wedi cael annwyd, creaduriaid. Roedd pobl yn cario lampau yno. Yn y diwedd, ddaru nhw roi'r gorau i'r lle a mynd i westy gerllaw. Gostiodd hynny bron i bum swllt y tro... roedd yn ddosbarth drud i'w redeg.'

'O leiaf roeddent yn sych.'

'Gwarafun gwario cymaint ar stafell oedd Silyn... teimlo y byddai'n rheitiach gwario'r arian ar lyfrau.'

Cofiodd David Thomas sut roedd dynion yn cario canhwyllau i ddosbarth Penygroes ers talwm am nad oedd y golau'n ddigonol.

'Mi ddylech sgwennu'r hanesion hyn i lawr, Mrs Roberts,' meddai Alun Llywelyn, 'neu mynd yn angof wnân nhw.'

'Bobl bach, lle faswn i'n cael amser? Dwi'n brysurach rŵan nag o'n i cyn i mi ymddeol. Ond mae eisiau i rywun sgwennu hanes Silyn, yn bendant, ond nid fi ydi'r un i wneud. Mi sgwennodd Ffion, merch David Thomas, draethawd da am Silyn yn y *Traethodydd*, yn do?'

'Pryd oedd hynny?' gofynnodd Alun Llywelyn.

'Adeg y Rhyfel rywbryd. Ydach chi'n cofio?'

'Ebrill 1942,' atebodd David Thomas. 'Mi roesoch lawer iawn o help iddi.'

'Ro'n i'n falch o gael gwneud. Hwnna ydi'r peth mwyaf manwl sydd wedi ei ysgrifennu amdano. Roedd hi'n trafod ei farddoniaeth a'i lenyddiaeth yn gelfydd iawn. Dwi'n cofio peth o'r diwedd: "Hoffodd brydferthwch a chyfoethogodd y byd â'r trysorau o brydferthwch sydd yn ei ganiadau ei hun..." – tlws, 'te? Mi fyddai'r traethawd hwnnw'n sail go lew i rywun roi cychwyn ar gofiant.' Dechreuodd feddwl. 'Wrth gwrs, os oes *rhywun* am ei sgwennu, Dafydd Thomas fyddai hwnnw...' Trodd at ei chyfaill, 'Heblaw'r ffaith eich bod yn brysurach na fi!'

'Rydan ni i gyd wrthi, tydan?' meddai David Thomas, 'fel roedd Silyn ei hun. Wn i ddim sut roedd o'n ei dal hi ym mhob man.'

'Heb sôn am gael amser i farddoni,' ychwanegodd Alun.

'Nid barddoniaeth yn unig sgwennodd o. Roedd o'n ymddiddori yn y ddrama hefyd...'

'Wyddwn i ddim fod Silyn yn awdur drama...' meddai Alun Llywelyn. Roedd yn dysgu rhywbeth newydd amdano yn gyson.

'Cyfieithu'r ddrama wnaeth o,' eglurodd Mary, '*Gwyntoedd*

Croesion gan J.O. Francis – dach chi'n ei chofio?' gofynnodd i David Thomas.

'Wrth gwrs 'mod i. Dewis difyr, a dylanwadol ar y pryd.'

'Beth oedd y thema?'

'Drama gyfoes oedd hi am wleidyddiaeth y dydd,' meddai Mary, 'yn ymdrin â'r gwrthdaro rhwng bywyd gwledig Cymru ac effaith syniadau newydd arni o'r de diwydiannol... rhwng mudiad cenedlaethol a'r mudiad sosialaidd cydwladol.'

'Testun wrth fodd Silyn,' meddai David Thomas, yn gwenu wrth ddwyn y ddrama i gof.

'Ac mi gawson ni glywed gweithwyr Moscow yn siarad Cymraeg glân gloyw ar lwyfannau Cymru.'

'Os cofiaf, roedd y fersiwn Gymraeg yn cael ei llwyfannu'n gynnar iawn ar ôl y ddrama Saesneg. Rhaid bod Silyn wedi ei chyfieithu'n sydyn.'

'Mi gyfieithodd *Bugail Geifr Lorraine* hefyd, 'run pryd.'

'Mae copi o honno yn y swyddfa,' meddai Alun Llywelyn, 'ond dydw i ddim wedi ei ddarllen.'

'Hanes Sian D'Arc ydyw,' meddai Mary. 'Mi gymerodd Silyn yn ei ben y carai drio'i law ar gyfieithu o'r Ffrangeg. Fuo fo'n cael gwersi Ffrangeg gan Annie Foulkes.'

'Fyddai Silyn byth yn gadael i ddim ei drechu...'

'Wel, lwyddodd o ddim i orffen cofiant Arglwydd Davies. Hwnnw ydi'r unig beth, am wn i. David Davies Llandinam ofynnodd i Silyn sgwennu hanes ei daid. Mi wnaeth o gryn dipyn o'r gwaith, ond dwi'n meddwl iddo golli diddordeb yn y testun. Roedd hi'n dipyn o stori, ond doedd hi ddim wrth ddant Silyn. Rhywun arall ddaru ei gyhoeddi yn y diwedd.'

Roedd ganddo gymaint i'w ddysgu, meddyliodd Alun Llywelyn, ond roedd y cyfan yn eithriadol o ddifyr. Bechod na fyddai modd recordio'r ddau hyn yn sgwrsio – byddai'n gwneud rhaglen radio arbennig. Welod o ddim dau oedd mor ymroddedig i Gymdeithas Addysg y Gweithwyr. Ar ôl iddi symud o Rhoslas, rhif 33, Ffordd y Coleg, i dŷ arall yn y stryd, roedd Mary hyd yn oed wedi gwerthu'r lle i'r WEA am bron i hanner pris y farchnad. Doedd wybod faint roedd y ddau hyn wedi ei arbed i'r mudiad, mewn cyfraniadau ac amser. A doedd yr un ohonynt yn graig o arian. Y WEA oedd yn dod o flaen dim arall – wastad. Roedd y to hwn bron â diflannu o'r tir bellach...

'Dyna i chi pwy oedd yn arwr i Silyn: John Roberts, Trawsfynydd,' meddai David Thomas.

'Oedd, mi roedd o. Roedd hi'n dipyn gwell stori nag un yr Arglwydd Davies hefyd. Doedd yr Arglwydd ddim yn ferthyr, nag oedd! Mi fwydrodd Silyn ei ben efo John Roberts am gyfnod, ac roedd ganddo theori ddigon difyr, wel theori Saunders Lewis oedd hi, ond bod Silyn yn cytuno ag o.'

'A beth oedd honno, Mrs Silyn?'

'Bod y Protestaniaid yma wedi etifeddu rhai o'r hen arferion Pabyddol. Dyna i chi seiadau y Methodistiaid cynnar – doedd dim byd newydd yn hynny. Cymryd lle'r gyffesgell wnaethon nhw. Wn i ddim ydw i'n cytuno, chwaith... Mae gŵr Rhiannon yn Babydd rŵan, a fues i'n ei holi fo. Mae'r gyffesgell gymaint mwy preifat na Seiat, tydi?'

A thrafod hynny fu'r tri nes cyrraedd Tywyn.

Pennod 46

Arfordir gogleddol Môn, 1929

Anaml y caent daith o'r fath, dim ond fo a hi, a byddai Rhiannon yn ei chofio am byth.

Roedd hi wastad wedi bod yn ffefryn gan ei thad – gan fod ei brodyr wyth a deng mlynedd yn hŷn na hi, fe'i magwyd fel unig blentyn i bob pwrpas. Roedd ei thad yn hen ŵr o'i gymharu â thadau ei ffrindiau. Roedd o'n hŷn na thad Ffion Mai hyd yn oed, ac roedd hwnnw'n hen ddyn. Roedd hi'n rhyw amau fod gan ei thad ryw bwyllgor arall eto fyth y diwrnod hwnnw, ond rhoddodd ei mam ei throed i lawr a dweud bod yn rhaid iddi hi fod yn Aberystwyth. Fel rheol, gwneid trefniadau iddi hi, Rhiannon, fynd at gyfeillion, ond y Sadwrn arbennig hwnnw, dywedodd ei thad y byddent yn mynd am drip, dim ond nhw ill dau. Efallai am ei bod bron yn bedair ar ddeg bellach, ac yn cael ei hystyried fel merch ifanc yn hytrach na phlentyn.

Peth cynhyrfus oedd cael dal y trên o Fangor – nid i'r dwyrain ar y daith arferol i Lanrhychwyn, ond tua Sir Fôn, i gyfeiriad Amlwch. Oddi yno cawsant daith fws, ac yna buont yn cerdded.

'I lle ydan ni'n mynd, Dad?'

'I rywle dwi 'di bod eisiau mynd iddo ers talwm iawn, ond 'mod i heb gael y cyfle.'

'Gweithio'n rhy galed ydach chi, mae pawb yn deud.'

'Lot i'w wneud sydd 'na, Nanw fach.'

'Ond mae'n braf cael dyddiau fel hyn, tydi? Diwrnod i'r brenin!'

Chwarddodd ei thad. Hoffai ei glywed yn chwerthin. Gallai fod yn un digri iawn weithiau, er ei fod yn rhiant llym.

Llynedd, ni fu unrhyw ddyddiau i'r brenin. Yr amser hwn llynedd, roedd ei thad yn darlithio yn ddyddiol i griw o wehyddwyr a nyddwyr, a chymerodd y cwrs hwnnw lawer o'i amser. Ond cafodd Rhiannon deithio efo Mary i Ddenmarc, felly bu hynny'n brofiad a hanner iddi. Teithio a chael profiadau newydd oedd rhai o hanfodion datblygu cymeriad meddai ei mam. Falle fod Glynn a Meilir wedi cymryd hynny braidd yn rhy llythrennol efo'r ddau wedi gwirioni ar hedfan, heb sôn am y moto beics.

Ni fu eleni yn flwyddyn hawdd, meddyliodd Silyn, yn enwedig efo'r Etholiad Cyffredinol. Etholwyd Ramsay MacDonald yn Brif Weinidog, ond roedd y Blaid Lafur wedi newid tu hwnt i adnabyddiaeth, bron. Colli wnaeth Llafur yn Sir Gaernarfon eto, efo'i chanran yn gostwng, ac roedd Lewis Valentine yn sefyll am y tro cyntaf yn enw Plaid Genedlaethol Cymru. Ni chredai Silyn y dylent fod yn blaid wleidyddol, doedd hynny ond yn drysu pethau...

'Dad...'

Doedd ei iechyd ddim mymryn gwell, a gwyddai mai gweithio gormod roedd o. Roedd Rhiannon yn llygad ei lle. Roedd y ffliw a gafodd o yn y gwanwyn yn ddigon drwg, ond roedd cael y ddannoedd ar ben hynny yn anlwc go iawn. Methodd helpu fawr efo'r etholiad. Yn y diwedd, cafodd *stiff jaw* a drodd yn septig. 'Ewch ar eich gwyliau, da chi,' meddai'r meddyg, ond doedd dim diben iddo fynd ac yntau yn y fath boen...

'Dad...'

'Ia, 'mechan i?' Roedd diwrnod efo Rhiannon yn well nag wythnos o wyliau.

'Pryd gawn ni'r picnic?'

'Fyddwn ni fawr o dro rŵan,' atebodd.

Un o'r pethau mwyaf cynhyrfus am y dydd oedd y fasged bicnic roedd ei thad yn ei chario, ac erbyn iddynt ddechrau cerdded peth o'r ffordd roedd Rhiannon yn llwglyd, ac yn edrych ymlaen at ei chinio. Roedd hi'n ddiwrnod gogoneddus o Orffennaf, y gwair yn cosi ei choesau noeth, ac roedd yr awel yn gynnes. Dyna oedd rhan o atyniad yr haf – cael diosg trymder côt a gwisgo ffrogiau ysgafn a sandalau. Roedd ieir bach yr haf yn dawnsio o gwmpas, a chyn hir daeth y môr glas, glas i'r golwg.

'Drychwch, Dad... rydan ni wedi dod at y môr!' Safodd ei thad, ac edrych tua'r gorwel. 'Ac mae 'na ynys yna, welwch chi, Dad? Fan'cw – ar y gorwel!'

Tu ôl i'r coed pin roedd ynys fechan, yn wir, gydag adeilad a thŵr arno.

'Dyna pam y daethom, Nanw.'

'Ond ddeudoch chi eich bod chi erioed wedi bod yma o'r blaen... sut gwyddech chi fod ynys yma?'

'Chwedl sydd 'na...' Ar eu ffordd tua'r traeth, adroddodd ei thad y chwedl am Riain Ynys Dulas. Gafaelodd Rhiannon yn ei law, a gwrando arno'n adrodd y stori. Hoffai glywed ei lais, a'r brwdfrydedd a'i nodweddai pan oedd yn adrodd chwedl neu gerdd. Fel y straeon gorau, doedd hi ddim yn un hapus: roedd merch wedi ffarwelio â'i chariad wrth i hwnnw fynd ar y môr ac ni ddaeth ei long yn ôl. Bu'r ferch yn crwydro'r traeth – erbyn hynny, roedd hi'n orffwyll. Roedd ei chariad yn gapten y leiffbot, ac wedi ei foddi ar noson dymhestlog.

Cyn hir, roeddent o fewn golwg i'r traeth, ond roedd yn rhaid canfod ffordd i lawr, rhwng y creigiau. Doedd dim enaid byw ar gyfyl y traeth.

'Dim ond ni sydd yma, Dad.'

Edrychodd ei thad o'i gwmpas. 'Rhyw le felly ydi o. Rhaid i ti fod yn reit ymroddedig i wneud taith cyn belled â fan hyn... yli, mi steddwn yn fan hyn i gael tamaid.'

'Fi sy'n gweini!'

'Faswn i ddim yn meiddio... drycha, mae 'na ogof yma...'

Gosododd Rhiannon y frechdan ar napcyn a'i phasio i'w thad. Tynnodd y fflasg allan a rhoi'r te mewn dwy gwpan. Meddyliodd Silyn mor handi fyddai fflasg wedi bod i chwarelwyr ers talwm. Bwytaodd y ddau eu cinio mewn tawelwch, gan wrando ar sŵn y tonnau'n torri ar y traeth. Roedd y bwyd yn blasu'n arbennig o dda yn yr awyr iach.

'Heno, daweled yw'r forlan,
    Iseled yw suon y don...'

Un felly oedd ei thad, meddyliodd Rhiannon, wastad yn adrodd
llinellau wrtho'i hun. Bardd oedd o, doedd dim syndod. Roedd
ganddo gadeiriau a choronau adref yr oedd wedi eu hennill
mewn 'steddfodau, ac un arbennig y bu iddo ei hennill yn yr
Eisteddfod Genedlaethol. Ond ar adegau fel hyn, pan sibrydai
linellau, cadw'n dawel wnâi Rhiannon. Roedd o yn ei fyd bach
ei hun, heb fod yn ymwybodol ohoni. Edrychai ar ei wallt gwyn,
a siâp cadarn ei ben. Pa ryfeddodau oedd ynddo? Sut roedd y
meddwl dynol yn creu barddoniaeth? Dychmygai'r holl
syniadau rhyfeddol yn troi a throsi yn ei ben, nes ffurfio'n
batrwm crand yr oedd modd ei gyfleu mewn geiriau. Roedd o'n
beth reit gyfriniol... yn ddim llai na hud.

Tra adroddai ef y geiriau, syllai Rhiannon hithau ar yr ynys,
a cheisio dyfalu pwy oedd byw mewn tŵr fel yna, ar ynys... Lle
gwych i gadw carcharor... lle gwych i ddianc rhag sŵn y byd.
Ond fyddai hi byth yn fodlon aros yno oni bai fod ganddi long.
A phetai ganddi long, byddai'n mentro yn dipyn pellach nag
Ynys Dulas. Byddai hi'n mynd ymlaen i Iwerddon, achos roedd
Rhiannon wastad eisiau antur.

Deffrodd Silyn o'i fyfyrdodau, a gweld Rhiannon yn edrych
tua'r môr.

'Awydd mynd yno sydd gen ti?'

'Mi faswn wrth fy modd yn cael gweld yr ynys. Dach chi'n
cofio ni'n trio mynd i Enlli unwaith, a'r môr yn rhy arw?'

'Mi ddaw cyfle eto. Ro'n i'n meddwl deud wrthat ti 'mod i'n
cynllunio taith hir iawn ar hyn o bryd – i Rwsia.'

'Ga' i ddod?'

Rhyfeddodd Silyn at ei brwdfrydedd. 'Na, mae arna i ofn ei
bod braidd yn rhy bell i ti, pwt. Er na fydde dim byd gwell gen
i na theithio yno efo ti. Na, mynd fy hun fydda i, ond mi
sgwenna i lythyrau atat a disgrifio popeth mor fyw nes y byddi'n

meddwl dy fod yn gwneud y daith hefo mi!'

Doedd Rhiannon ddim wedi ei hargyhoeddi.

'Pam ydach chi'n mynd i Rwsia?'

'Am 'mod i eisiau gweld trefn newydd o fyw: mae pobl yn rhannu eu cyfoeth yno, ac yn byw yn fwy cyfartal.' Cododd ar ei draed a dechrau casglu gweddillion y picnic a'u rhoi yn y fasged. 'Ac mae un peth garwn i ei weld... wyneb Lenin. Maen nhw'n dweud bod ei gorff wedi ei gadw yn ei arch a bod modd ei weld.'

'A fynta wedi marw? Ych, dwi'm yn meddwl y leciwn i hynny.'

'Rhyw chwilen fach gen i ydi honna. Reit, wyt ti'n barod i fynd yn ôl?'

'Ro'n i eisiau mynd i weld yr ogof.'

'Ffwrdd â thi, 'te.'

'Efo chi, siŵr iawn. Fydda i'n teimlo'n saff wedyn.'

Pan aethant yn nes at yr ogof gwelsant nad oedd hi mor ddwfn â hynny, ond o fentro i'r pen draw roedd modd gweld yr ynys o hyd, a roddai bersbectif gwahanol arni.

'Taswn i'n fôr-forwyn, mi fyddwn i'n gallu byw yn fan hyn,' meddai Rhiannon, a gwenodd ei thad.

Wrth gerdded yn ôl gallent deimlo'r haul ar eu gwarrau.

'Wyt ti wedi dechrau meddwl be garet ti fod ar ôl tyfu i fyny, Nanw – heblaw môr-forwyn, hynny ydi?'

'Hoffwn i deithio – fel Mam a chi. Dach chi'n meddwl y caf?'

'Wela i ddim pam na fedri di. I lle fasat ti'n mynd?'

'Garwn i weld yr holl bethau rydach chi'ch dau wedi'u gweld. Rydach chi wedi dotio efo Paris, do?'

'Dos i Baris ar bob cyfrif, ond roedd y lle yn ddigalon iawn ar ôl y Rhyfel...'

'Ydach chi'n meddwl y bydd rhyfel arall?'

'Gobeithio'n wir na fydd un.'

'Bydde'n gas gen i eich gweld yn mynd i'r Rhyfel...'

'Randros, dwi'n rhy hen i gael fy ngalw i unrhyw Ryfel bellach, Nanw.'

'Ond falle bydde Glynn a Meilir yn gorfod mynd...'

'Digon gwir.' Byddai Glynn wrth ei fodd mewn rhyfel, a fynta'n gwneud cymaint efo'r Awyrlu.

Edrychodd y ddau yn ôl ar y môr, a'r trwyn i'r dde.

'Lle ydi fanna, Dad?'

'Penmon... "Onid hoff yw cofio'n taith, mewn hoen i Benmon unwaith... Odidog ddiwrnod ydoedd, rhyw Sul uwch na'r Suliau oedd...". T. Gwynn bia'r geiriau yna – rhaid i ti eu dysgu, Nanw.'

'Sut ydach chi'n cofio'r holl gerddi 'ma?'

'Mae fy ymennydd yn eu sugno. Dwi wedi'u hadrodd gymaint o weithiau, dwi'm yn credu y byddaf byth yn eu hanghofio...'

'Gawn ni fynd i Benmon rywbryd, 'ta – dim ond ni'n dau, fatha heddiw?'

'Wrth gwrs. Mae cannoedd o ddyddiau braf o'n blaenau, Nanw fach.'

Rhedodd y ferch yn ei blaen ar hyd y llwybr. Roedd hi uwchben ei digon y diwrnod hwnnw.

'Dad, drychwch ar y blodau bach, bach 'ma...'

'Meillion ydi'r rheina. Siŵr eu bod yn llyfr dy fam. Tydyn nhw'n ddigon o ryfeddod? Meillion oedd yn tyfu yn ôl troed Olwen. Mi fu bron i ni dy fedyddio yn "Olwen"...'

'Well gen i'r enw "Rhiannon" – y ddynes ar geffyl nad oedd dynion yn gallu ei dal!'

Gwenodd ar ei thad, a gwyliodd Silyn y ferch benfelen yn casglu'r meillion.

'Mi fydda i'n teimlo weithiau, pam na allwn ni fyw dim ond yn edmygu natur ac yn creu barddoniaeth... mi fyddai'n fyd braf, byddai... heb broblemau trachwant a thlodi?' myfyriodd.

Edrychodd Rhiannon arno. 'Mi fyddai hwnnw'n fyd lle byddai llawer llai o bwysau arnoch, Dad. Fel'na maen nhw yn Rwsia, mae'n siŵr, ia?'

'Dwi'n meddwl bod ganddyn nhw eu siâr o broblemau yn dal i fod, ond eu bod nhw wrthi'n galetach yn trio'u datrys.'

Oedd, roedd hi'n daith arbennig iawn, ac ymhen y flwyddyn, cyhoeddwyd y gerdd 'Rhiain Ynys Dulas' yn *Y Llenor*.

Disgwyl o dymor i dymor, disgwyl o loer i loer,
A mynd bob nos Calangaeaf i rodio'r forlan oer.

Ond erbyn i'r gerdd weld golau dydd, roedd ei thad wedi ei gadael, am byth.

Pennod 47

22 Ffordd y Coleg, Awst 1956

Safodd David Thomas wrth y drws ar ôl canu'r gloch, gan obeithio y byddai adref. Roedd wedi bod ar bigau'r drain drwy'r bore, a ddim eisiau galw yn rhy fuan. Gwyddai fod Mrs Silyn yn codi'n gynnar, ond hyd yn oed wedyn, roedd rhaid cadw mewn cof fod gwraig oedd bron yn bedwar ugain eisiau amser i gael ei hun yn barod. Diolch byth, daeth i'r drws.

'Dafydd Thomas, dewch i mewn,' meddai, gan amddiffyn ei llygaid rhag golau'r haul. 'Tydi hi'n fore bendigedig? Mi ges i wledd arbennig heddiw – mi welais gnocell y coed ar y goeden yn y cefn...'

'Tewch â sôn...'

'Un o'm hoff bleserau ydi gwylio adar o'r ffenest gefn, ond roedd cael hwnna bore 'ma yn syndod.'

Dilynodd David Thomas hi i'r stafell fyw, ac ystyriodd Mary pwy ond fo fyddai'n galw mor fore.

'Dwi 'di deud wrthoch chi o'r blaen am gael bwrdd adar yng nghefn eich tŷ. Maen nhw yn gymaint o gwmni...' meddai Mary.

'Ar ôl iddyn nhw fwyta cymaint yn eich gardd chi, fasan nhw ddim yn trafferthu aros yng ngardd tŷ bedwar drws i lawr.'

'Pam na steddwch chi?'

'Gen i rywbeth i chi.'

'Da iawn,' meddai hithau, 'dau syrpréis mewn bore... be ydi o?'

'Llyfr.'

Wrth gwrs, meddyliodd Mary, be arall fasa fo, gan Dafydd Thomas?

'... Llyfr rydach chi wedi bod yn disgwyl amdano ers dipyn go lew...'

Fedrai Mary ddim dyfalu beth ydoedd. Dal i sefyll wnaeth

David Thomas, ac estyn y llyfr gan ei roi yn ei llaw.

Syllodd Mary arno, a'r peth cyntaf a'i trawodd oedd ei lun. Llun smart du a gwyn ohono, yr wyneb annwyl hwnnw a'r llygaid tanbaid. Yna, ei enw yn fawr uwchben y llun mewn llythrennau breision, *SILYN*. Oddi tano, ei enw'n llawn, Robert Silyn Roberts, 1871–1930 gan David Thomas. Roedd hi wedi rhyfeddu. Roedd o wedi ei orffen. Wrth edrych arni'n sefyll yno fel delw, roedd David Thomas yn sylweddoli o'r newydd beth a olygai'r gyfrol iddi. Roedd mor falch ei fod wedi cadw ei addewid iddi.

'Gewch chi ei agor o...' meddai David Thomas yn dyner ac yn hanner pryfoclyd wedi iddi fod yn ei 'studio am dipyn.

Ar y siaced lwch tu mewn, darllenodd Mary, 'Hanes un o Gymry mwyaf gwasanaethgar a mwyaf diddorol ein cyfnod.. Chwarelwr, Myfyriwr, Gweinidog, Bardd, Sosialydd, Teithiwr, Trefnydd, Athro... Arloesydd y Delyneg Gymraeg... Arloesydd y Mudiad Llafur... Arloesydd Mudiad Addysg Pobl Mewn Oed...'

Sythodd ei chefn. Oedd, roedd Silyn yn hyn i gyd. Felly nid ei dychymyg hi ydoedd... Roedd wedi ei gadw'n fyw yn ei chalon cyhyd, teimlai weithiau fod Silyn yn fwy o syniad na ffaith. Ond roedd hwn yn ei droi yn real drachefn. Od...

7/6 oedd ei bris... trodd at y dudalen gyntaf a darllen y geiriau, 'Cyflwynaf y Llyfr Hwn i Aelodau Cymdeithas Addysg y Gweithwyr yng Nghymru.'

Mwya sydyn, cafodd deimlad dieithr. Teimlodd ei gwddf yn cau a rhyw awydd crio yn dod drosti. Stopiodd ei hun mewn pryd. Cododd ei phen ac edrych ar ei ffrind.

'Be ddeuda i, Dafydd?'

'Does dim eisiau i chi ddeud dim byd, wrth gwrs...' meddai'n annwyl.

Byseddodd y dalennau. 'Ac mae 'na luniau ynddo.' 'Studiodd y llun o'i rieni, wedyn oedi uwchben y llun o Silyn yn nyddiau coleg. Edrychodd ar y llygaid rhamantaidd yn edrych i'r gorwel, dan y cnwd o wallt tonnog. 'Roedd o'n ddyn smart, toedd?' Y tei amlwg, cadwyn ei wats ar ei wasgod, y wisg Fictorianaidd.

Roedd hi'n ddelwedd mor hen ffasiwn. 'Fel hyn roedd o pan wnes i ei gyfarfod gyntaf,' meddai Mary gan edrych ar y flwyddyn. '1895, pwy sy'n cofio hynny nawr?'

'Chi a fi.'

'Wel, wir... be ddyweda i? Mae hon yn gyfrol arbennig iawn...' Edrychodd ar David Thomas. 'Mi wyddoch faint mae hon yn ei olygu i mi.'

'Ddaru chi ofyn yn ddigon taer amdani!'

'Wel, do... am gyfnod. Ond wedyn... gyda chi yn colli Bet llynedd, feddyliais i nad oedd o'n deg disgwyl i chi ei chwblhau.'

Bu tawelwch am dipyn.

'Credwch chi fi, Mrs Silyn, bu gwneud y gwaith yn gymorth i mi allu peidio suddo. Mi wyddoch cystal â mi fod gwaredigaeth mewn gwaith... gweithio i anghofio...'

'Gwn.'

Edrychodd Mary ar y bwrdd o'i blaen, a'r ffeiliau lu oedd yn dal i ddisgwyl am ei sylw.

Cofiodd David Thomas nad oedd wedi cyfeirio at y fuddugoliaeth – roedd wedi bod mor llawn o'r gyfrol.

'Dwi eisiau llongyfarch Mathonwy ar ei gamp – rhagorol. Dwi'n colli'r 'Steddfod pan mae hi yn y de, ac ro'n i'n disgwyl yn eiddgar am gael clywed am y Gadair. Da iawn, fo! Mae'n haeddu llwyddiant. Ydach chi wedi clywed ganddo?'

'Do, mi alwodd heibio i ddeud yr hanes. Doedd o'n brolio fawr ar yr awdl chwaith, deud ei fod wedi sgwennu llawer o bethau gwell, ond iddo ddod yn ail a thrydydd efo'r rheiny.'

'Mi fyddai Silyn wedi bod uwchben ei ddigon.'

'Byddai, tydi bywyd ddim wedi bod yn glên efo Mathonwy. Ac mi wyddoch fod Nel yn wael.'

Roedd hyn yn newyddion i David, er nad oedd mewn cysylltiad efo chwaer Silyn.

'Dyna pam na allai Mair fynd i lawr i'r Steddfod efo Mathonwy, mi arhosodd hi efo Nel...'

'Chwarae teg iddi. Ei hun bach aeth y bardd?'

'Nage,' medddai Mary, gan wenu. 'Toedd o eisiau trefnu bod

y Gadair yn dod adre, 'toedd? Mi aeth Mathonwy ar ofyn rhyw gymydog oedd â fan. Na, doedd hwnnw ddim yn mynd i'r 'Steddfod. Ymhen dipyn meddai Mathonwy, "Ewch chi ddim i Aberdâr felly?" Na, roedd o'n llawer rhy bell. Jest cyn gadael, mi roddodd Mathonwy un cynnig arall arni... ac mi gododd clustiau ei ffrind. "Diawch, 'ddyliet ti ei bod yn werth i mi fynd yr holl ffordd, dywed... rhag ofn?" Ac mi gytunodd Mathonwy efo gwên fawr ac mi waeddodd ei ffrind ar ei wraig, "'Dan ni'n mynd lawr i 'Steddfod Aberdâr!' Aethon nhw'u tri i lawr ac yn ôl mewn diwrnod – a'r Gadair yng nghefn y fan!'

Roedd yn dda ei gweld yn chwerthin.

'Mae Mathonwy yn enw da iawn i fardd.'

'Wyddech chi mai Silyn ddewisodd yr enw? Roedd Joseph a Nel eisiau ei alw yn Robert neu William neu rywbeth, ac mi ddeudodd Silyn, "Ylwch, mae'r babi yma'n berson newydd sbon, mae'n haeddu enw newydd", a fo awgrymodd "Mathonwy". Does yna yr un arall, i mi wybod.'

Na, dim ond un Mathonwy oedd.

'Ac mae gen innau newyddion da hefyd...' meddai David Thomas.

'Fedrwch chi ei rannu?'

'Dwi'n daid unwaith eto – ein wyres gyntaf. Arial wedi cael hogan bach wythnos yn ôl.'

'Arial! Dydi o'm yn ddigon hen i fod yn dad...'

'Mae o'n ddeg ar hugain, chwarae teg...'

'Ond mae hi fel ddoe pan oedd o'n hogyn ar ei feic yn dod fyny i fan hyn efo rhyw neges neu broflen neu rywbeth...'

'Wel, roedd o yn Ysbyty Dewi Sant echdoe yn croesawu Llio Haf i'r byd.'

'Dyna enw tlws. Yn eich atgoffa o "Llio Plas y Nos".'

'Dwi wrthi'n trio llunio englyn iddi. Dwi 'di cael y llinell olaf: "Llio wna'r Haf yn llawen".'

'Wyddwn i ddim eich bod chi'n cynganeddu...'

'Mi ddaru mi sgwennu llyfr ar y pwnc unwaith...' meddai David gyda gwên.

'Do, do, ond...'

'Na, dach chi'n iawn. Rhyw unwaith neu ddwy rydw i wedi llunio englyn erioed, ond mi garwn i lwyddo efo hwn. Hon yw fy wyres gyntaf – hogiau gafodd Ffion.'

'Rydw i'n llawenhau am bob genedigaeth eleni,' meddai Mary mewn llais hiraethus. 'Pan fu farw Williams Parry yn syth wedi'r Calan, ges i fy llorio, wyddoch chi. Mi ffeithiodd arna i.'

'Roedd hi'n golled enbyd, roedd o'n ffrind i gymaint...'

'Ond roedd Bob yn *special*. Tra oedd Bob yn fyw, ro'n i'n teimlo fod gen i ddarn bach o Silyn ar y byd o hyd, os ydach chi'n deall beth sydd gen i. Roeddan nhw'n gymaint o ffrindiau.'

Nodiodd David Thomas. 'Dwi'n deall yn iawn.'

Roedd hi'n ddwfn yn ei hatgofion, yn y Tir Neb hwnnw nad oedd fiw i neb sangu arno. Yna, daeth yn ymwybodol ohoni ei hun, a dechreuodd fyseddu dalennau'r gyfrol. Daliodd ei llygad ar un llun yn benodol.

'O, diar, i be oeddech chi eisiau cynnwys llun ohona i?'

'Mi wnes i ofyn am eich caniatâd. A beth bynnag, rydach chi'n hanner y stori... neu'r chwedl ddyliwn i ddeud.'

Cododd ei phen i edrych arno. 'Mae hi'n chwedl, tydi? Dwi'n meddwl hynny. Ambell dro mi fydda i'n hepian o flaen y tân ar fy mhen fy hun, ac yn deffro, ac yn meddwl: ai breuddwyd ydoedd? Wnes i freuddwydio fy mywyd efo Silyn, 'ta be? Dyna pam mae'r llyfr yma'n bwysig. Y tro nesa dwi'n amau ai ffrwyth fy nychymyg ydyw, mi estynnaf am y gyfrol hon.'

Trawyd David Thomas yn sydyn gan eiddilwch y weddw. Anaml y byddai'n siarad mor bersonol.

'Rydach chi wedi cynnwys ei farddoniaeth hefyd,' meddai, '... mae o i gyd yma, ar gof a chadw...'

'Ydi...'

'Ydach chi'n meddwl y bydd yn gwerthu?' gofynnodd Mary'n betrusgar.

'Ydw.' Bu bron iddo ychwanegu 'neu fyddwn i ddim wedi ei sgwennu' ond doedd hynny ddim yn wir. Er ei mwyn hi y'i sgwennodd, neu dyna pam y llwyddodd i'w gorffen. Roedd y gyfrol yn golygu cymaint iddi.

'Bydd mynd arni yng nghylchoedd y WEA i gychwyn, wedyn bydd y rhai oedd yn ei gofio yn Nyffryn Nantlle a Thanygrisiau eisiau copi, heb anghofio'r Barri, ac yna bydd cylchoedd llenyddol y wlad yn awyddus i'w darllen – mae hynny'n hanner Cymru.'

'Mi fydd y gyfrol hon yn werth y byd i Rhiannon hefyd.'

'Cannwyll llygad ei thad,' atebodd David Thomas.

'Mae'n ddrwg gen i, edrychwch arnoch yn dal i sefyll yn fanna, a tydw i ddim wedi deud wrthoch am eistedd i lawr hyd yn oed.'

Dechreuodd David Thomas gerdded at y drws. 'Do tad, mi wnaethoch – fi wnaeth ddim gwrando. Ond dwi'n siŵr eich bod yn ysu i eistedd i lawr a dechrau darllen – dyna fyddwn i eisiau ei wneud – a chael llonydd!'

Gwenodd Mary Silyn. 'Hm... beryg mai dyna wna i,' meddai, wrth ei hebrwng tua'r drws. 'Diolch o galon, Dafydd Thomas. Chwi wyddoch beth ddywed fy nghalon.'

'Raid i chi ddim o gwbl. Da boch chi.'

Prysurodd yn ôl i'w dŷ. Doedd o erioed wedi ei gweld mor agos at ddagrau. Roedd o mor falch iddo wneud y gwaith. Roedd hi'n ddiwrnod bendigedig o haf, a chanodd llinell arall yn ei ben...

'Llio Haf, lleufer ein ffurfafen...'

Pennod 48

33 Ffordd y Coleg, 1937

Edrychodd Mary ar y papurau dros lawr y stafell fyw i gyd.

'Rydan ni wedi gwneud llanast go iawn rŵan.'

'Mi wna i ei glirio, y munud fyddan ni wedi gorffen,' meddai Rhiannon, 'ond fasach chi'r union 'run fath tasech chi yn f'oed i.'

'Faswn i ddim wedi breuddwydio mynd i Rwsia.'

'Mam! Aethoch chi yr holl ffordd i Ddenmarc ar eich pen eich hun, pan oedd hi'n llawer llai ffasiynol i ferched sengl deithio.'

'Digon gwir, ond ro'n i'n hŷn na ti.'

'Doeddech chi fawr hŷn.'

'Mae Dafydd Thomas a'r plant yn sôn am fynd i Iwerddon – mae honno'n ddigon o daith ynddi'i hun,' meddai Mary.

'Efo beics a phabell ddeudodd Ffion wrtha i. Fedra i ddim mynd i Rwsia ar feic.'

Rwsia, Rwsia, roedd y ferch wedi mwydro'i phen efo Rwsia, 'nunion fel ei thad. Ond dim ond un ar hugain oedd hi. A fyddai dim o hyn wedi digwydd oni bai ei bod wedi etifeddu'r hanner can punt hwnnw o ewyllys adawyd iddi. Hwnnw a wnaeth y freuddwyd yn bosibl. Dim ond bod Rwsia 1937 yn go wahanol i Rwsia 1930. Roedd bywyd Gareth druan wedi dangos hynny...

'Eisiau profi be ddaru Dad ydw i. Roedd Rwsia mor bwysig yn ei hanes.'

'Bechod iddo fynd yno o gwbl, dyna'r cyfan ddyweda i.'

Dyna oedd agwedd Mary bellach, waeth iddi gyfaddef ddim. 'Tae Silyn heb fynd yno, a fyddai'n fyw rŵan?

Gwelodd Rhiannon ei hwyneb trist. 'Rhaid i chi beidio poeni amdana i, Mam. Dyna pam dwi'n gwneud trefniadau mor fanwl, fel bod llai o siawns i bethau fynd o chwith...'

Pethau yn mynd o chwith, wir, meddyliodd Mary. Onid dyna oedd bywyd – cyfres o bethau yn mynd o chwith, waeth pa mor ofalus roedd rhywun yn trefnu?

'Dyna'n union ddywedodd Meilir fis Mawrth, pan oedd o'n mynd ar yr awyren 'na. "Beth all fynd o'i le?" gofynnodd. Peth nesa, ro'n i'n cael telegram gan Glynn yn deud bod Meilir ar ei gefn mewn ysbyty yn dod dros ddamwain awyren...'

Ochneidiodd Rhiannon. Dyna'r drwg o fod y 'fenga mewn teulu. Roedd camgymeriadau'r plant hynaf wastad yn rhagflaenu unrhyw gynlluniau roedd hi eisiau eu gwneud. A rhwng ceir Glynn a moto beics Meilir ac obsesiwn y ddau efo hedfan, roeddent yn rhoi digon o le i'w mam boeni.

'Fedrwch chi 'mo 'meio i am gael dau frawd mor rhyfygus. Fi ydi'r callaf ohonom. Dydw i ddim yn mwydro 'mhen efo moto beics a hedfan. Dim ond eisiau taith drên ddigon sidêt ydw i.'

'Tase awyren Meilir wedi glanio ar adeilad, a fynta ynddi, byddai wedi ei ladd. Ond doedd neidio ohoni ddim yn beth call i'w wneud chwaith... Byddwn wedi colli 'mhwyll tase fo wedi marw.' Rhoddodd Mary ochenaid ddofn. 'Rhan o brofiad mam ydi pryderu am ei phlant, fedran nhw ddim peidio. Mi wnei di ddeall pan ddoi yn fam dy hun. A phan ti'n eu magu nhw ar dy ben dy hun, mae'n saith gwaith caletach. Dwi yn 'run cwch â Dafydd Thomas – does gennyn ni neb i rannu ein baich...'

Doedd dim ateb i hynny, meddyliodd Rhiannon.

'Mam, ydi mynd drwy'r hen lythyrau 'ma yn codi hiraeth arnoch chi..? Fasa hi'n well taswn i'n mynd drwyddynt fy hun?'

Ysgydwodd Mary ei phen, ac ailgydio yn y dasg. 'Na, na – eiddigeddus ydw i, siŵr... dy fod yn cael mynd ar daith bell...'

'Dwi wedi cynnig i chi wneud y daith efo mi.'

'Gen i ormod o waith ar fy mhlât yma. Reit... lle wyt ti arni bellach?'

Cododd Rhiannon oddi ar ei phengliniau, ac eistedd ar y soffa.

Rhaid dweud ei bod yn ferch hynod o brydferth,

meddyliodd Mary. Cofiai fod mor dlws â hynny ei hun un tro, ond roedd hi'n gymeriad mwy pigog. Roedd Rhiannon yn meddu ar natur addfwyn tu hwnt, digon hawdd dweud ei bod yn ferch i Silyn.

'Rydw i wedi gwneud rhestr o'r llefydd ymwelodd Dad â nhw: Leningrad, Moscow, Kiev...'

Rostov... yn ôl drwy Karkov i Moscow... Leningrad... cyrraedd Lloegr ar y *Siberia* a Llundain ar Orffennaf 9fed, ac adref i Fangor, meddyliodd Mary. Os gwyddai un daith ar ei chof, hon oedd hi. Gallai nodi'r dyddiadau hefyd petai Rhiannon yn dymuno hynny. Wyth mlynedd oedd wedi mynd, a rhaid ei bod wedi ail-fyw'r daith gannoedd o weithiau. Yr oedd yn un ffordd arall eto fyth o ddod â Silyn yn fyw a llawenhau o feddwl iddo gael y fath bleser yn ymweld â'r holl lefydd. Wyth mlynedd – dim ond hynny – doedd o'n ddim, ac eto roedd o'n dragwyddoldeb.

''Runig ffordd o deithio i Rwsia fydd ei wneud o drwy asiantiaeth Intourist, a nhw wnaiff y trefniadau drosot ti. Roedd dy dad yn un o'r ymwelwyr cyntaf â'r Undeb Sofietaidd cynnar.'

Cododd Rhiannon lyfr o'r bocs. 'Rydw i wedi bod yn pori yn hwn, *Life Under Soviet Russia* gan Wicksteed, mae o'n ddifyr.'

'Mi ddylanwadodd hwnna ar dy dad. Newydd gael ei gyhoeddi oedd o. Crynwr ydi'r awdur. Ro'n i'n trio cael copïau i ddosbarthiadau gael ei 'studio fo.'

'Pam roedd Dad mor awyddus i fynd i Rwsia?'

'Roedd Chwyldro Rwsia mor bwysig â'r Chwyldro Ffrengig iddo fo. Dychmyga bregethu Sosialaeth drwy dy fywyd, ac yna gweld hynny yn cael ei wireddu mewn gwlad mor fawr â Rwsia. Doedd darllen ddim digon da iddo fo, roedd rhaid iddo gael mynd yno, a'i weld efo'i lygaid ei hun. Rêl Silyn...'

'Gen i frith gof ohono'n siarad am y daith. Dwi'n ei gofio fo'n gynhyrfus iawn ynglŷn â hi.'

'Nid bod pethau wedi mynd yn esmwyth o bell ffordd iddo. Leonard, rhyw ddyn o Gonwy, oedd yn trefnu'r daith, ac mi aeth hwnnw'n sâl a gorfod mynd adref. Silyn ddewiswyd wedyn i arwain y criw.'

Roedd Rhiannon yn llawn diddordeb. 'Faint ohonynt oedd yna?'

'Tua dwsin. Ond mi roedd 'na un – C.M. Joad, dwi'n cofio ei enw – a wnaeth o ddim byd drwy'r daith ond bod yn ddraenen yn ystlys dy dad. Dyn hunandybus iawn – a merchetwr.'

Gwenodd Rhiannon. 'Be oedd o'n wneud – cambyhafio?'

'Gweld bai ym mhawb a phopeth. Ac wedyn, sgwennu adroddiadau negyddol i'r *Evening Standard*!'

'Ella fod ganddo ei resymau dros wneud hynny.'

'Dyna'r peth, roedd hen ddigon o feirniadu ar lywodraeth y Sofiet ar y pryd, a sôn am erchyllterau, a dyna oedd diben y daith – canfod beth oedd y sefyllfa mewn gwirionedd. Teimlo oedd dy dad nad oedd gan Joad ddigon o ffeithiau i sgwennu erthyglau mewn papur newydd. Ond roedd Silyn braidd ar y pegwn arall – allai'r Undeb Sofietaidd ddim gwneud dim o'i le.'

'Ro'n i'n darllen un o'i gardiau post heddiw. Sgwennodd ataf o Leningrad... be ydi dyddiad hwn? Mehefin 12fed... Roedd o ym mhalas y Tsar: "Cefais hwyl fawr efo rhai o filwyr y Fyddin Goch y bore 'ma. Yr oedd gennym ddehonglwr, wrth gwrs, ac mi wnes iddynt chwerthin dros bob man".'

Gwenodd Mary. 'Dwi'n meddwl mai wedi gofyn i'r Cosacs oedd o gâi o sgwennu llythyr yn Gymraeg... dyna oedd y jôc. A nhwythau'n deud y câi ei sgwennu mewn unrhyw iaith dan haul cyn belled â bod y cyfeiriad yn ddealladwy.'

Gwrandawai Rhiannon yn astud.

'Pobl oedd ei bethau fo, 'te?' aeth Mary yn ei blaen, 'cafodd groeso arbennig yno, rhaid deud. Roedd y daith wedi ei threfnu'n dda hefyd – cael gweld ffermydd, ffatrïoedd ac orielau celf. Roedd un lle ieir lle roedd deuddeng mil o gywion! Roedd holl raddfa'r wlad yn anhygoel, a Silyn yn cymryd nodiadau manwl am bob dim er mwyn iddo gael sgwennu erthyglau wedi iddo ddod adre...'

'Dyna dwi eisiau ei wneud,' meddai Rhiannon, 'canfod beth ydi'r sefyllfa go iawn yno. Mae cymaint o bethau mawr yn cael eu deud am Stalin.'

'Lenin oedd y dyn mawr gan Silyn, 'te? Yn enwedig am iddo gael ei gyfarfod pan nad oedd o'n enwog o gwbl. Gafodd o fynd i weld ei ddelw yn Moscow, a gwyddai i sicrwydd wedyn mai yr un dyn oedd o... Meddylia, tase Lenin yn dal yn fyw, mi fydde Silyn wedi trefnu i alw heibio a chael te efo fo!'

Yn hollol, meddyliodd Rhiannon.

'Cofia di – tase Lenin wedi byw, ac wedi llywodraethu, mi fyddai Rwsia ei hun yn lle gwahanol.'

Bu'r ddwy ohonynt yn cnoi cil ar hyn. Roedd pryder cynyddol am y polisïau yr oedd Stalin yn eu llunio.

'Pwy oedd y dyn o Rwsia ddaeth i'w weld o ym Mangor? Dwi'n ei gofio fo...' meddai Rhiannon.

'Ches i 'mo'i gyfarfod. Ro'n i yn Nenmarc ar y pryd. Awdur oedd o, awdur o bwys. Ilya Ehrenburg oedd ei enw fo. Sgwennodd Silyn amdano mewn llythyr. Landio ddaru o ym Mangor Ucha', a rhoi copi o'i lyfr i Silyn – *The Love of Jeanne Ney*. Tydw i rioed wedi ei ddarllen o, chwaith. Rhaid ei fod wedi gwneud ffrindia efo fo, ac wedi deud wrtho am alw ym Mangor, a'r peth nesa, roedd o wedi gwneud! Dwi'n cofio sgwennu llythyr ato i roi gwybod iddo am farw Silyn, a ches lythyr hyfryd yn ôl ganddo.'

'Dwi'n siŵr bod y llythyr hwnnw ymysg y rhain... ac mae llythyrau Dad atoch chi yma – y rhai sgwennodd o atoch yn Nenmarc.'

'Fedri di ganfod yr un sgwennodd o o Kiev? Fasa hwnnw tua diwedd y daith. Kiev oedd y lle olaf iddo fod ynddo, mi sgwennwyd o ddiwrnod cyn mynd i Rostov...'

Gwyliodd Rhiannon yn bodio'r amlenni. Yn y diwedd daeth o hyd iddo a'i roi i Mary.

Darllenodd Mary ef yn frysiog a chanfod y darn roedd hi'n ei gofio.

'Ia, dyma ni – gwranda ar hwn: "Y mae yma gyflawnder dihysbydd o fwyd a diod, lluniaeth a llawenydd. Ni chefais holiday erioed tebyg i hwn. Ac y maent i gyd eisiau i ni ddod eto! Yr wyf yn gorfod gwneud speeches bob dydd. Awn i Rostov

yfory." Dwi'n lecio'r frawddeg olaf yna, "Awn i Rostov yfory".
Mae hi fel dechrau cerdd.'

Edrychodd Rhiannon ar ei mam. Roedd yn dda ei bod yn
gallu siarad a chofio'i gŵr mor naturiol a siriol. Pan, neu os, y
byddai'n priodi fyth, gobeithio y byddai hithau'n profi'r cariad
a'r teyrngarwch eithafol oedd gan ei rhieni at ei gilydd.

'Mae 'na lythyr arall – mi sgwennodd o Rostov. Mae'n
disgrifio'r profiad o weld gorymdaith... fedri di ddod o hyd iddo?'

Canfu Rhiannon y llythyr a gofynnodd ei mam iddi ei
ddarllen.

'Ugain mil o Folshefics!' meddai Rhiannon mewn syndod.
'"Ni wn faint o fandiau oedd yno. 'Torf yn moli am waredigaeth'
mewn gwirionedd. Yr oedd pawb yn edrych wrth eu bodd, y
merched i gyd yn eu sanau sidan, miloedd ar filoedd ohonynt,
merched a meibion yn cerdded weithiau fraich ym mraich. Yr
oedd yr olygfa y peth mwyaf ardderchog a welais i erioed..."'

'Yr hen ramantydd,' meddai Mary, 'wedi ffoli'n llwyr. Cofia
di, Rhiannon, nid pawb oedd yn glên efo fo pan ddaeth adre o
Rwsia...'

'Pam hynny?'

'Am ei fod o wedi bod yn yr Undeb Sofietaidd. Mi fyddai
pobl yn ei osgoi – hyd yn oed ym Mangor Ucha'. Roeddent yn
dod i'w gyfarfod, ac yna byddent yn croesi'r ffordd i osgoi siarad
efo fo – meddylia.' Bu'n pendroni am dipyn. 'Silyn ddeudodd
hynny wrtha i. Ond cofia, wedi meddwl, falle mai dychymyg
Silyn oedd hynny. Roedd o wedi gwirioni cymaint efo'i
brofiadau, doedd o ddim yn stopio siarad am Rwsia. Falle nad
oedd gan y bobl ddim byd yn erbyn yr Undeb Sofietaidd, ond
eu bod nhw'n gweld Silyn yn dod, a meddwl – dydw i ddim
eisiau hanner awr o druth am Rwsia rŵan. Mi wna i groesi'r lôn
a smalio nad ydw i wedi ei weld...' Bu'n dawel am dipyn, yn ail-
fyw'r cyfnod, a mwya sydyn, ochneidiodd. 'Mae o fel ddoe i mi,
'sti. Ond mi ydw i yn difaru un peth, er nad ydw i'n cyfaddef
hynny yn aml...'

'Beth sgynnoch chi i ddifaru yn ei gylch?'

'Inni golli'r wythnosau olaf... y dyddiau olaf... yng nghwmni ein gilydd.'

Brathodd Rhiannon ei gwefus. 'Doeddech chi ddim i wybod, Mam.'

Edrychodd Mary arni'n ddwys. 'Nag oeddwn, na fynta chwaith. Ond ro'n i'n gadael ddechrau Mehefin, a fynta'n mynd ddiwedd Mehefin, a ddois i ddim yn ôl tan ganol Awst, ddiwrnod cyn iddo farw...' Ysgydwodd ei hun o'i thristwch. 'Faint haws fydden ni o wybod... fasa petha wedi bod yn wahanol? Dwi'n arteithio fy hun weithiau yn meddwl sut y bydden ni wedi treulio ei ddyddiau dwytha ar y ddaear, a dwi'n gwallgofi yn meddwl am y peth. Na, ti sy'n iawn, peidio gwybod oedd orau. Neu fel deudodd Williams Parry, "Boed ei anwybod i'r byd yn obaith".' Sychodd ddeigryn oedd yn bygwth disgyn.

'Mam...' Estynnodd Rhiannon y bocs llythyrau i dorri ar y tawelwch, a rhoddodd bopeth yn un pentwr. Yna cododd oddi ar y soffa a mynd â hwy at y ddresel. 'Y cwbl ddeuda i,' meddai Rhiannon, 'os caf hanner y croeso a gafodd Dad yn Rwsia, yna bydd yn daith gofiadwy. Mi fydda i'n meddwl yn aml am Rwsia, ac yn darllen amdani. Mae 'na wendidau mawr yn perthyn i'r drefn, dydi'r lle ddim yn nefoedd o gwbl. Ond yr hyn dwi'n ei gofio yn aml, mi roeson nhw gynnig ar wneud rhywbeth gwahanol, do? Mi ddaru nhw dynnu'r hen drefn i lawr... Mi af yno efo meddwl agored, a cheisio dod i ddirnad y gwir. Dyna ddaru Dad...'

'Efallai y bydd yn daith fydd yn newid dy fywyd, Rhiannon fach. Jest gwna'n siŵr dy fod yn cyrraedd adre'n ddiogel.'

Pennod 49

Ffordd y Coleg, Bangor, 1936

Rhoddodd y ffôn i lawr. Roedd Mary wedi cael sioc. Prin y gallai gredu'r hyn ddywedodd Glynn wrthi. Ond o feddwl ei fod yn yr Awyrlu, rhaid bod y stori yn wir. Beth yn y byd ddigwyddai yn awr? 'Welsh Nationalists' ddeudodd o, ond roedd o'n swnio'n rhy eithafol i hynny. Wrth gwrs, roedd dadlau mawr – dadlau tanbaid – wedi bod ynglŷn â'r lle, ond go brin eu bod wedi ymroi i ddulliau felly. Eto, o feddwl sut stad roedd y byd ynddo ar hyn o bryd, ni ddylai synnu cymaint â hynny.

Daria, roedd hi'n hwyr rŵan. Roedd bod yn hwyr yn un o'i chas bethau. Ni fyddai'n ei dderbyn gan bobl eraill, ac yn sicr, doedd hi ddim yn ei dderbyn ynddi ei hun. Roedd ei bag yno, roedd ei goriadau ganddi... Pam roedd Glynn wedi ffonio mor fore? Byddai hyn ar ei meddwl drwy'r dydd yn awr. Oedd Cymru yn mynnu troedio rhyw lwybr peryglus na wyddai neb ei ben draw?

Meddyliodd am ei hŵyr bach cyntaf, Sion, yn cael ei eni i'r fath fyd.

Meddyliodd am y criw yn Helsingør, ac mor uchel oedd eu gobeithion hwy am Ewrop heddychlon fyddai'n cydweithredu. Roedd Rhyfel Cartref Sbaen yn ddychryn dyddiol, ac roedd Hitler yn casglu cefnogaeth yn yr Almaen. Ansicrwydd oedd yn nodweddu'r oes, ac roedd hi'n ddigon anodd cynnal unrhyw weithgaredd mewn byd mor sigledig. A rŵan dyma hyn...

Cerddodd i lawr y stryd a gweld ffigwr tal David Thomas yn sefyll o flaen Y Betws. Wrth ei ochr, roedd Arial efo'i feic yn cadw cwmni iddo.

'Helô, Mrs Silyn,' meddai'r hogyn yn siriol.

'I ble'r ei di bore 'ma?'

'I chwarae efo'r hogia, Ta ta!' ac i ffwrdd ag o.

'Mae'n ddrwg gen i, Dafydd Thomas, eich cadw chi'n disgwyl fel'na.'

'Mae'n beth mor anarferol i chi fod yn hwyr, Mrs Silyn, ro'n i'n poeni fod rhywbeth yn bod.'

Dechreuodd y ddau gerdded at y coleg. 'Glynn ffoniodd fel ro'n i'n mynd drwy'r drws.'

'A sut mae'r tad newydd?'

'Nid sôn am hynny roedd o. Newyddion oedd ganddo – mae Gwersyll Penyberth wedi ei roi ar dân...'

Stopiodd David Thomas yn stond. 'Beth?'

'Rhaid ei fod o'n wir, a fynta yn yr RAF. Fydda fo ddim yn cellwair, na fyddai?'

'Ond gweithred wleidyddol oedd hi? Tân bwriadol?'

'*Welsh Nationalists* oedd yn gyfrifol medda fo.'

'Ddeudodd Glynn hynny?'

'Do.'

Ni wyddai David Thomas beth i'w ddweud. Roedd yr Ysgol Fomio wedi bod yn destun dadlau chwyrn yng Nghymru, ac ymgyrchu brwd wedi bod i berswadio'r Llywodraeth i ddewis rhywle heblaw Pen Llŷn ar gyfer sefydliad o'r fath. Roedd y farn gyffredinol yng Nghymru yn chwyrn yn erbyn, ac wedi uno Cymru. Bu llythyru, deisebu, cyfarfodydd cyhoeddus, hyd yn oed dadlau yn y Senedd. Ond i ddim diben. Codwyd yr Ysgol Fomio yn Llŷn. Rhaid bod rhyw benboethyn wedi cael digon ac wedi rhoi matsien yn y lle. Cynsail peryglus...

'Doedd dim byd ar y newyddion bore 'ma.'

'Na, chlywais innau ddim, ond fydde rhywbeth Cymreig ddim yn cael sylw ar newyddion cenedlaethol, na fyddai?' meddai Mary.

'Wel, prin ei fod yn fater lleol i Lŷn... mae'n stori fawr. Ydyn nhw wedi dal y drwgweithredwr?'

'Wn i ddim rhagor – ond rhaid bod rhywbeth wedi ei ddweud i Glynn amau'r Cenedlaetholwyr.'

Oes felly oedd hi, meddyliodd David Thomas; oes y du a gwyn, oes eithafiaeth a gweithredu byrbwyll. Roedd pethau'n ferw yn Sbaen gyda'r Rhyfel Cartref, ac Ewrop gyfan yn paratoi am ryfel... doedd o ddim wedi byw drwy oes debyg. Bu cyfnod y Rhyfel Byd yn un gwallgof, ac roedd Ewrop yn dal i geisio dod i delerau ag o.

Roeddent wedi cyrraedd y Coleg bellach, ac roedd y lle yn llawn wynebau cyfarfwydd ar gyfer Cyfarfod y WEA.

'Bob fyddai'n gwybod – dowch, dacw fo,' meddai Mary, gan frasgamu i'w gyfeiriad. Mewn cornel yn tanio sigarét roedd Williams Parry, a dywedodd Mary y newyddion.

Styrbiodd Bob drwyddo. 'Sut gwyddoch chi?' meddai, 'Dydi'r stori ddim allan eto...'

'Felly mae hi'n wir?' meddai David Thomas, 'fedra i ddim credu...'

'Glynn ffoniodd fi rŵan... gan ei fod yn gweithio i'r RAF. Dyna pam dwi'n hwyr. Eisiau gwybod oedd o oeddwn i wedi clywed rhywbeth... roedd o'n dweud mai gweithred gan y *Welsh Nationalist*s oedd hi.'

'Ia, mae o'n dweud y gwir.'

'Ac oes rhywun wedi ei ddal?'

'Maen nhw wedi rhoi eu hunain i'r heddlu... maent wedi derbyn cyfrifoldeb am y weithred...'

'Oes mwy nag un felly?' holodd David Thomas.

'Oes.'

'Ac maen nhw'n aelodau Plaid Cymru? Ydi Plaid Cymru yn cytuno â'r weithred?'

Nodiodd y bardd. 'Mae'r cyfan i fod yn gwbl gyfrinachol, ond bydd ar y newyddion yn fuan, felly does dim drwg, beryg, mewn dweud... Nid yn unig mae o'n aelod o'r Blaid, ond mae o'n Llywydd arni...' Edrychodd i fyw eu llygaid, 'Ia, Saunders wnaeth...'

'Beth?' meddai Mary a David efo'i gilydd, y ddau ohonynt wedi cael y sioc ryfeddaf.

'Ro'n i wedi meddwl mai rhyw lefnyn ifanc rhwystredig fyddai wedi gwneud,' meddai David.

'Ar ei ben ei hun y gweithredodd Saunders Lewis?'

'Naci, mae wedi bod yn weithred sydd yn yr arfaeth ers amser hir... Roedd D.J. efo fo.'

'Davies?'

'Naci – Williams.' Roedd y rhyddhad ar wyneb Mary yn amlwg. '...a'r Parch Lewis Valentine.'

'Rydach yn tynnu ein coes, Bob.'

'Nac ydw wir, Dafydd Thomas. Fyddwn i ddim ar fater mor ddifrifol. Dyna i chi'r gwir, ar fy myw.' Daeth gwên i'w wyneb, 'a fedra i ddim smalio nad ydw i'n falch – yn fendigedig o falch a dweud y gwir... bod rhywun wedi sefyll ac wedi gwneud rhywbeth yn erbyn y camwri hwn. Mae 'na hen ddigon o siarad wedi bod...'

Pwyllog oedd ymateb David Thomas. 'Dal yn weithred feiddgar, tydi? Does wybod be fydd yr ymateb... rhoi'r lle ar dân...'

'Pa ddewis arall oedd ganddyn nhw? Mi ddaru ni drio pob dull arall, do? Ond mynd ymlaen i'w chodi wnaeth y Llywodraeth. Dau ddewis oedd yna – derbyn pethau fel roedden nhw, neu gweithredu yn erbyn yr union adeilad.'

'Ond mi fydd yna ddial...' meddai David.

'Gawn ni wybod yn o fuan. Maent yn Swyddfa'r Heddlu ym Mhwllheli wrth inni siarad. Bydd cyhuddiadau... ac yna achos llys... Mater i ni wedyn fydd sut rydan ni'n ymateb.'

Syllodd Mary arno. Tu ôl i'w sbectol, roedd cynnwrf yn llygaid Bob. Mor wahanol oedd ei agwedd o i'r newyddion o'i gymharu ag un Glynn... Mae'n siŵr y byddai Mathonwy ar y llaw arall uwchben ei ddigon. Roedd o'n Bleidiwr tanbaid, a Gwilym R. yntau. Hogia Talysarn pob un.

'Y tri yna yn y doc,' meddai Mary, 'dydi o ddim am fod yn achos cyffredin.'

'Nac ydi, mae hynny'n bendant, Mrs Silyn.'

Tybed be ddeudai Caradog Jones, meddyliodd Mary. Faint oedd 'na? Llai na blwyddyn ers pan wnaeth hi a Bob y daith i Fynytho ar achlysur agor y neuadd yno... Byddent wedi mynd heibio Penyberth y noson honno. Pwy feddyliai bryd hynny y byddai rhywbeth fel hyn yn digwydd yn Llŷn?

Sylwodd David Thomas fod pawb arall wedi mynd i mewn i'r Neuadd. 'Well inni fynd i mewn, ffrindiau.'

'Ond cofiwch, peidiwch â meiddio crybwyll hyn wrth neb arall,' meddai Williams Parry. 'Dydach chi eich hunain ddim i fod i wybod. Mae o'n TOP SECRET.'

'Wrth gwrs,' atebodd David Thomas, ac roedd yn rhaid iddo gyfaddef ei fod yntau wedi ei gyffwrdd gan y newyddion. Feddyliodd o rioed y byddai'r fath beth yn digwydd. Mi fyddai dadlau chwyrn rŵan am y weithred. Ond am driawd: Saunders Lewis, D.J. Williams a Lewis Valentine. Mam bach...

Am y tro cyntaf, doedd meddwl Mary ddim ar gadw cofnodion y pwyllgor WEA.

Pennod 50

33 Ffordd y Coleg, Bangor, Awst 1930

Syllodd Rhiannon ar ei thad yn y gwely. Diolch byth, roedd yn esmwyth am dipyn, a gallai hithau ymlacio. Yr hyn a godai ofn arni oedd yr adegau pan oedd o'n chwys oer, ac yn amlwg wedi drysu... Ar adegau felly, allai hi wneud dim i'w dawelu.

Mynnai aros wrth erchwyn ei wely, a dywedodd Megan y forwyn mai'r help mwyaf oedd cadw cadach gwlyb ar ei dalcen. Ond doedd ei thad ddim fel petai'n gwella. Dridiau ynghynt, pan ddaeth adre'n wael o Goleg Harlech, penderfynodd na allai fynd yn ôl i'r Ysgol Haf ddiwedd yr wythnos. Bryd hynny y sylweddolodd Rhiannon mor wael oedd o. Fel rheol, fyddai dim yn ei atal rhag mynd i'r Ysgol Haf.

Sgwennodd ei thad lythyr i Yncl Defi yn gofyn iddo draddodi darlith yn ei le, a Rhiannon aeth i bostio'r llythyr hwnnw. Doedd o ddim yn ddigon cryf i gerdded i lawr y stryd, ac erbyn y diwrnod wedyn, roedd yn ei wely. Roedd y meddyg wedi galw, ond roedd am alw eto y diwrnod wedyn. Doedd pethau ddim yn iawn o gwbl. Gyda'i mam yn Nenmarc, dim ond Rhiannon a Megan oedd yno i ofalu amdano.

Llethwyd Rhiannon gan y teimlad o fod yn annigonol. Roedd y sefyllfa yn gwbl tu hwnt iddi. Roedd yn amlwg fod cyflwr ei thad yn gwaethygu, a doedd dim y gallai ei wneud. Petai ei mam ond yn cyrraedd adref! Echdoe, roedd Mr Price y meddyg wedi gofyn am gael siarad efo Megan yn y stafell wely arall, ac er i Rhiannon glustfeinio, ni allai ddeall beth oedd y sgwrs. Siaradai yn isel, ac yn amlwg, doedd hi ddim i fod i glywed. Wedi iddo fynd, dywedodd Megan wrthi am fynd i anfon telegram i Ddenmarc i ddweud wrth ei mam am ddod adre. Os oedd rhaid galw ar ei mam i ddod adre, rhaid bod pethau'n bur ddifrifol. Pam nad oedd ei thad yn gwella? Ni fyddai byth yn anghofio'r daith fer i fyny Ffordd y Coleg i Swyddfa'r Post. Roedd ei stumog yn troi. Gwyddai fod cyfnod anodd iawn o'i blaen, a'r peidio gwybod oedd y peth anoddaf. Beth petasai? Beth petasai pethau yn mynd tu hwnt... feiddiai hi ddim meddwl. Mae'n rhaid bod 'na feddyginiaeth i'w gael. Fyddai Duw byth yn caniatáu i beth mor erchyll ddigwydd. Doedd hi erioed wedi anfon telegram yn ei bywyd. 'Come home now, Father ill.' Dyna gywasgu'r cyfan mewn pum gair.

Petai ei mam yn cyrraedd, byddai hi'n gwybod yn union beth i'w wneud i wella ei thad.

Roedd Rhiannon mewn cwch ar fôr stormus, heb rwyf, heb ganllaw, na phen draw. Dim ond un cyfnod hir di-gwsg ydoedd heb wahaniaeth rhwng dydd a nos. Mynnai gysgu yn y gadair wrth wely ei thad, dyna'r peth lleiaf y gallai ei wneud. Roedd wedi dechrau ffwndro yn ystod y cyfnodau yr oedd ar ddi-hun, a mynnai Rhiannon fod wrth law yn gysur iddo. Os na allai wneud dim yn feddygol, gallai fod yn gwmni. Os oedd hi mewn lle bregus, roedd ei thad yn troedio tir llawer gwaeth. Roedd wedi adrodd rhai o'i gerddi iddo.

'Rhiannon... wnei di ddarllen i mi?'

'Mi wna i ddarllen yr un "Iesu Grist" i chi, Dad.

Fe ŵyr y byd dy fod yn hardd,
    Yn hardd dy feddwl a dy foes;
Y gŵyr dy saint am ing yr ardd
    A rhinwedd cyfrin angau'r groes.'

Edrychodd ar yr wyneb 'run lliw â'r galchen. Roedd o mor llonydd, a'i lygaid ar gau, ond ei aeliau wedi crychu... oedd o'n ei chlywed? Roedd hi eisiau dweud wrtho bod y farddoniaeth yn gwneud synnwyr iddi hi bellach. Roedd wedi rhoi cynnig ar ei farddoniaeth o'r blaen, ond nis deallai. Ond bellach roedd y geiriau yn siarad gyda hi, roedd ganddi ryw syniad amwys o'i ystyr, ond ni allai gyfleu hynny iddo – dim ond wrth ei adrodd...

'O llanw fi â d'ysbryd glân,
    Nes bo dy ras yn harddu f'oes,
Dy gariad yn fy mron ar dân
    A f'ysgwydd beunydd dan dy groes.'

Bu bron iddi fethu adrodd y bennill olaf,

'Pan ddelo'r awr i groesi'r ffin
    A rhydio tonnau'r afon ddofn...'

Edrychodd ar ei wyneb a sylwi fod ei wefusau yn cyd-adrodd gyda hi,

'Rho falm dy heddwch ar fy min
    I ddofi f'ing a lleddfu f'ofn.'

Sylwodd ar y dyddiad dan y gerdd: 'Rhagfyr 1929' – lai na chwe mis yn ôl. Beth a'i ysgogodd i sgwennu rhywbeth mor drist?

'Dad?'

Dim ateb.

Clywodd sŵn traed Megan yn dod i fyny'r grisiau, a phan roddodd ei phen rownd y drws, roedd hi'n amneidio ar Rhiannon i ddod allan ati.

'Telegram wedi cyrraedd... dyma chi.'

Agorodd Rhiannon yr amlen felen – doedd hi erioed wedi derbyn telegram o'r blaen. Ie, gair o Ddenmarc ydoedd gan ei mam.

'Mae'n dod adref gynta fedr hi – am ddal cwch heno.'

'Diolch byth,' meddai Megan, gan gadarnhau ofn Rhiannon o ddifrifoldeb y sefyllfa.

'Mi fydd petha'n well pan ddaw Mam,' meddai Rhiannon.

'Byddan, 'mechan i.'

Oedd hi'n golygu hynny – go iawn? meddyliodd Rhiannon.

* * *

Nid yma oedd o i fod, nage... ddylai o ddim bod yn ei wely, roedd yn rhaid iddo fod yn rhywle arall. Doedd y daith o Rwsia ddim ar ben, ac eto, roedd meddyg yn dod. Sut oedden nhw wedi cael meddyg oedd yn siarad Cymraeg, tybed? A weithiau, rhwng y cyfnodau o gwsg, roedd Megan yn ymddangos iddo, a Rhiannon, mor fyw! A ble roedd Mary... oedd o wedi ei gadael ar ôl? Doedd o erioed wedi ei hanghofio? Byddai'n rhaid stopio'r llong a throi'n ôl i Rwsia. Ond byddai hynny'n eu gwneud yn hwyr. Falle byddai'r awdur clên hwnnw yn gofalu amdani... ond onid oedd o ym Mangor? Ynteu breuddwyd oedd hwnnw? Coleg Harlech! Dyna lle gwelodd o... roedd o yn fanno. Oedd o? Pam roedd o yn y gwely? A lle roedd o, beth bynnag? Roedd wedi aros mewn cymaint o lefydd newydd, doedd o ddim yn cofio...

Yng ngwyll yr ystafell, roedd llais cyfarwydd yn llafarganu, ac roedd o'n caru'r llais. Llio Plas y Nos ydoedd, yn gofalu amdano, ac yn cadw'r dihiryn draw. 'A phe câi ysbrydion y gorffennol yng nghilfachau'r nentydd gennad i siarad, caem glywed ganddynt gathlau beirdd ebargofiant a ganai gynt am fod tristwch melys serch yn chwyddo ac yn clwyfo'r fron, a dagrau gobaith chwerw'r bedd yn rhedeg dros y rudd. Eithr mud yw'r gorffennol dros amser, ac erys ei ramant fwyaf gwir heb ei ddatguddio.....' Mi ddaw Mary, dydi hi erioed wedi ei adael... Mary fu craig ei fywyd.

Dyna'r llais drachefn, yn y gwyllnos. Mae rhywun yno... rhywun sy'n ei garu.

> 'Ar hyd y wlad disgynnai'r glaw
> A'r nos oedd dros y bröydd,
> Ond nef i mi oedd gwasgiad llaw
> Llaw Olwen Glan Geirionnydd...'

Bechod iddi fynd... bechod i bopeth fynd. Bechod am y bwthyn ar ben y bryn, a'r hen ddodrefn a'r cyfan oedd o fewn ei furiau mwyn. Mi fu yno unwaith, a wyddai o ddim ei fod wedi mynd.

Pa mor hir, pa mor hir? Pa mor hir mae dyn yn byw? Tase fo ond yn gallu dal gafael ar yr atgof.. yr atgo... Aeth popeth i ffwrdd a diffoddodd y golau, a doedd o ddim yn clywed dim byd, dim ond wylo Olwen fwyn...

'Olwen... Olwen?'

'Rhiannon sydd yma,' meddai'r llais clên, llais oedd yn golygu 'adref' iddo.

Rywbryd y noson honno, daeth Olwen ato, a'i wasgu'n dyner. Teimlodd ei dagrau ar ei rudd a phwysau ei gwallt. Gafaelodd yn ei law, a chanu iddo, doedd neb yn gallu canu fel hon. Roedd o'n ei charu, yn ei charu yn angerddol...

'Ar edyn yr awel a gawn ni gwrdd fy nhlws
Ar lannau graean glân Llyn Geironnydd...'

Ar ôl i'w mam gyrraedd adref, gwrthododd adael i Rhiannon gysgu yn y gadair wrth ochr ei thad, lle bu am y pum noson ddiwethaf. Mynnodd Mary ei bod yn cysgu yn ei gwely ei hun, a chael gorffwys gwirioneddol. Ofer oedd dadlau â hi – mynnodd Mary ei bod yn ufuddhau, er bod gan Rhiannon ofn dwfn y byddai'n anlwcus. Methodd ddisgyn i gysgu p'run bynnag. Roedd pryder yn ei bwyta'n fyw, yn fwy felly gan iddi gael ei gwahanu oddi wrtho. Beth petai'n dianc? Beth petai'n llithro o'i gafael i bwll diwaelod tragwyddoldeb? Rhaid ei bod wedi cysgu yn y diwedd, achos roedd rhywun yn ceisio ei deffro...

'Rhiannon... wyt ti'n effro? Mae hi wedi troi deg...'

Agorodd ei llygaid, a threiddiodd holl ofid bywyd go iawn i'w chorff gan beri iddi ddechrau colli ei gwynt.

'Dad... sut mae o?'

Rhythodd ei mam arni fel peth hurt, a sylwodd ar yr arswyd yn ei llygaid.

'Mae o wedi mynd, Rhiannon, mae o wedi mynd.'

Ddaru Rhiannon erioed ddygymod â'r euogrwydd a'i plagiodd am weddill ei bywyd. Fe'i gadawodd, pan oedd o fwyaf ei hangen.

Pennod 51

Coleg Harlech, Ddydd Sadwrn, 16 Awst 1930

Safodd David Thomas ar ei draed a wynebu'r gynulleidfa luosog.

'Nid fi roeddech chi'n disgwyl ei weld yn sefyll o'ch blaen heddiw, mi wn. Wythnos yn ôl, roedd Silyn yn ein mysg, yng nghanol ei bethau, ac yn eiddgar i gychwyn yr Ysgol Haf hon oedd mor agos at ei galon. Aeth adre drannoeth gan nad oedd yn teimlo'n dda. Roedd ei wres yn 102°, ac roedd pryder yn ei gylch. Wrth gwrs, bu'n ddifrifol wael wrth ddychwelyd o Rwsia, ond yn ôl pob golwg, roedd wedi gwella. Pan aeth yn sâl wythnos yn ôl, rhaid bod ei gyflwr yn llawer gwaeth na'r disgwyl... Bu'r meddyg yn ei weld yn ddyddiol, a dychwelodd Mary Silyn o Ddenmarc, bryd hynny roeddem yn hynod bryderus yn ei gylch. Mae arnaf ofn fod gen i newyddion drwg iawn i chi, y newyddion gwaethaf posibl. Mae arna i ofn fod y si yn wir. Y neges yr rydym wedi ei chael o Fangor bore 'ma yw bod Silyn wedi marw.'

Clywyd yr ochenaid ymysg y dorf, ac edrychai pawb ar ei gilydd.

'Derbyniais lythyr ganddo yn ystod yr wythnos yn ymddiheuro'n llaes na fyddai'n bresennol y bore 'ma i ddraddodi'r ddarlith, ac yn gofyn i mi wneud hynny ar ei ran. Wyddwn i fawr mai hwnnw fyddai'r llythyr olaf a gawn ganddo.' Cymerodd ennyd i gael ei wynt ato. Doedd o ddim yn credu'r hyn a ddywedai. 'Y peth mwyaf i Silyn oedd bod yr Ysgol Haf yn llwyddiant, a bod pawb yn mynd oddi yma'n teimlo'u bod wedi cael adfywiad. Dwi'n bwriadu cadw f'addewid iddo: mi draddodaf y ddarlith, ond wedi cael y fath newyddion, efallai y byddech yn gwerthfawrogi toriad bach yn awr, ac mi wnawn ni ailymgynnull... mewn rhyw ugain munud, ddywedwn ni? O ran manylion, does fawr wedi ein cyrraedd, mae arna i ofn. Cael ei bigo gan fosgitos ar y llong o Rwsia barodd y dwymyn, ac mae lle i amau fod cysylltiad rhwng hynny a'r salwch diweddar. Y tristwch ydi ein bod yn meddwl ei fod wedi cael llwyr wellhad o'r aflwydd hwnnw. Ond mae'n amlwg nad felly roedd pethau. Mae ein cydymdeimlad dwysaf gyda Mary, Glynn, Meilir a Rhiannon, ac at ei chwaer, Nel, a Mathonwy wrth gwrs. Gawn ni godi i ddangos ein cydymdeimlad.'

Eisteddai Williams Parry yn ei stydi a'r ysgrifbin yn ei law. Ers clywed am farw ei gyfaill roedd wedi teimlo'n gorfforol sâl, fel petai rhywun wedi ei daro yn hegar a'i glwyfo. Ia, dyna oedd o – clwyf agored nad oedd yn cau. Roedd yn dda bod yng nghwmni ffrindiau o gyffelyb anian, ond roedd o'n chwenychu llonydd hefyd. Llonydd i gofio, llonydd i alaru, a llonydd i roi rhywbeth ar bapur. Ni allai gredu sydynrwydd y peth. Lai nag wythnos ynghynt roedd y ddau ohonynt yn sgwrsio ac yn tynnu coes yn Harlech, a dyma fo wedi mynd. Doedd Silyn ddim bellach yn bod. Ni fyddai'n ei weld byth eto. Hwnnw oedd yn ddychryn. Roedd eisiau ei weld gymaint, ni allai ddygymod â'r syniad o beidio cwmnïa ag o byth eto. Bu yno erioed, yn un o hogia Dyffryn Nantlle, wastad yno yn dadol bresennol ac yn cymryd cymaint o ddiddordeb yn ei yrfa. Bu yno yn y Barri, yn gwmni eithriadol o ddifyr. Fe'i helpodd yn ystod y Rhyfel, Duw a ŵyr beth fyddai wedi digwydd iddo fel arall. Cawsant barhau'r cyfeillgarwch wedi iddo symud i Fangor. Yn fwy na dim, roedd o'n deall... roedd o'n fardd... roedd o ar yr un donfedd...

Y syniad o'i ddenu'n ôl oedd yn chwarae ar ei feddwl. Petai gwyrthiau'n bosibl, ym mha fodd y gellid codi Silyn o blith y meirw? Myfyriodd ar droeon yr yrfa... am yr amryfal gylchoedd yr oedd yn troi ynddynt, yn weinidog, yn bwyllgora, yn eisteddfota, yn gwleidydda, roedd y rhestr yn ddiddiwedd. Ia, falle mai fanno oedd hi. Dychmygodd y bardd ei hun yn labyrinth y meirw, yn canfod ei ffordd at fedd Silyn ac yn galw ei enw... heb unrhyw ymateb... byddai'n sôn am angen yr enwad amdano, ac mor brin oedd gweinidogion fel fo... ond i ddim diben. Yna, byddai'n ceisio ffordd arall, yn cellwair efo fo am gymdeithas agos y 'steddfodau ac mor braf fyddai bod ymysg pobl o gyffelyb anian, a'r brawdgarwch oedd i'w gael. Na, dim yn tycio... apelio at gydwybod, bod pwyllgorau yn methu fforddio bod hebddo, mai 'er mwyn Cymru' yr oedd y gwaith. Falle byddai yna gynhyrfiad yn y pridd, ond ei ddychymyg o fyddai o. Ond wedyn, roedd yna un peth... un peth oedd yn crisialu bywyd Silyn, a dyna fyddai diwedd y gerdd. Y syniad na fyddai dim – dim hyd yn oed angau – yn ei gadw rhagddynt, sef dosbarth o weithwyr oedd angen athro. Daeth y bennill olaf iddo'n syth.

"Eu doniau'r awron sy' dan rwd
O ddiffyg cymorth athro brwd."
Ni lwyddai bolltau'r dorau dwys
I gadw Silyn dan y gŵys.

Erbyn dydd y cynhebrwng ym mynwent Glanadda, Bangor, roedd y gerdd wedi ei chyhoeddi yn *Y Genedl* dan y teitl 'Yr Hen Sosialydd'. Doedd Williams Parry erioed wedi cyfansoddi cerdd mewn cyn lleied o amser. Erbyn diwedd yr angladd, roedd wedi dechrau cyfansoddi un arall.

Fuo 'na ddim cynhebrwng tebyg iddo. Sut aeth pawb drwyddo, does wybod. Actio cynhebrwng oeddent. Ar un olwg, roedd fel petai criw yr Ysgol Haf yn ailymgynnull, ond yn eu dillad galar. Doedden nhw ddim yn chwerthin ac yn tynnu coes, ac roedd hynny mor annaturiol. Gwisgai bawb fwgwd angladd. Rhythu i wyneb y naill a'r llall a wnaent, fel petaent yn holi, 'Ai gwir hyn?' Mynd drwy'r mosiwns... Ac eto, roedd yno arch, ac roedd corff ynddi. Dyna'r cadarnhad affwysol. A'r ffaith nad oedd ysbryd Silyn yn llenwi'r lle. Roedd ei absenoldeb mor amlwg.

Rhyfeddai pawb at urddas Mary. Daliai ei hun yn syth gan wynebu holl rym y storm. Wrth ei hochr roedd Rhiannon, druan, yn ymddangos mor eiddil. Y bechgyn yn wŷr ifanc, ond fedren nhw ddim bod fawr hŷn nag ugain. Nel, chwaer Silyn, yn ymddangos yn llesg, a Mathonwy fel tŵr wrth ei hochr yn dal ei braich ac yn rhythu o'i flaen...

Syllodd Williams Parry arnynt i gyd, fel petai'n sylwebydd ar ddrama Roegaidd. Yna, daeth y gweddill i mewn i'r capel fesul un, mawrion y byd llenyddol, pob un yn gyfystyr â chwedl, a phobl gyffredin anghyffredin. Addysgwyr, gweision sifil, gwleidyddion, gwerinwyr... roedd hi'n gynulleidfa glodwiw, ac roedd Silyn yn gyfaill iddynt oll.

Daeth y gwasanaeth i ben, ac aethant i fyny i fynwent Glanadda yn dorf aneirif. Doedd Williams Parry ddim eisiau siarad efo neb. Syniad hurt oedd angladd cyhoeddus. Wrth iddo gerdded tua'r fynwent cofiodd yr adegau pan gerddodd Silyn ac yntau Grib Nantlle yng ngolau lleuad. Byddai oriau'n mynd heibio a 'run ohonynt yn yngan gair. Ond bryd hynny y byddent yn profi gwir gymundeb. Dyna fyddai angladd cymwys i Silyn – angladd tawel yn y mynyddoedd. Dim ond ambell dderyn fyddai'n dyst. Dim ond twll yn y ddaear fydde 'na, a'r Cymffyrch yn derbyn un o'i meibion yn ôl i'r pridd.

Yr unig sŵn fyddai cân ehedydd. Wedi gorchuddio'r corff, byddai'n gwneud y daith ei hun yn ôl o'r unigeddau. Wynebu bywyd hebddo oedd y gamp fawr o'i flaen. Cydiodd y ddelwedd ynddo, dychmygai ei hun yn edrych dros ei ysgwydd, dim ond i gael yr olwg olaf ar y Cymffyrch... a safai ei gyfaill yno, yn codi llaw. Bu'r darlun hwnnw o gymorth mawr iddo.

Torrodd geiriau George M.Ll. Davies ar ei fyfyrdod.

'Canmolwn yn awr ein gwŷr enwog,' meddai, mewn llais oedd yn gyrru ias drwy'r dorf. Ond allai Bob ddim canolbwyntio. Doedd o ddim eisiau bod yno. Roedd o eisiau bod yn unrhyw le arall heblaw mynwent, yn angladd Silyn.

'Wele ddagrau y rhai gorthrymedig heb neb i'w cysuro...' âi'r llais yn ei flaen, hen, hen lais o bellter canrifoedd yn llefaru hen, hen oracl. Cododd Bob ei ben a sylwi fod dagrau ar wyneb George. Roedd ei lygaid ar gau, a'i wyneb tua'r nefoedd. A dweud y gwir, roedd dagrau ar wyneb pawb. Fuo fo ddim mewn angladd tebyg.

'Bwrw dy fara ar wyneb y dyfroedd...' Roedd y geiriau'n llifo'n un rhaeadr, ond rhoddodd Bob y gorau i geisio deall y druth. Collodd y frwydr i wneud synnwyr o'r dydd. Fe'i llethwyd gan y cyfan. Rhoddodd ei ben i lawr, a gadael i'r argae dorri.

Pennod 52

Safodd Mary ar ei thraed a cherdded at y rostrwm.

'Mae'n bleser gen i...' dechreuodd, a gallai glywed pìn yn disgyn, 'gael annerch y cyfarfod anrhydeddu hwn i Mr David Thomas. Mi welaf wynebau ifanc yn y blaen fan hyn, a dwi'n dyfalu beth ydi eich argraff chi heddiw wrth i chi edrych ar hen, hen wraig o'ch blaen, yn canu clodydd eich taid. Ond ers talwm, flynyddoedd maith yn ôl, roedden ni'n dau hefyd yn ifanc, credwch neu beidio. Ac roedden ni eisiau rhoi'r byd ar dân.

'Mae fy adnabyddiaeth i o David Thomas yn mynd yn ôl i ddechrau'r ganrif, o leiaf. Roedd o'n gyfaill ac yn gydymgyrchwr i'm gŵr, Silyn, ac mae'n bywydau ni wedi cyd-blethu dros y degawdau. Ac mae un peth wedi sicrhau fod y cyfeillgarwch hwnnw'n tyfu ac yn parhau, sef y WEA, Cymdeithas Addysg y Gweithwyr. Dyna'r achos sydd wedi denu ein teyrngarwch trwy ein bywydau.

'Rydan ni'n perthyn i'r genhedlaeth honno welodd wir werth addysg – nid addysg er mwyn dod ymlaen yn y byd, ond addysg sy'n cyfoethogi bywyd, addysg sy'n dyrchafu dyn, yn agor byd newydd iddo. Ac rydyn ni wedi ymroi i wneud popeth fedrwn ni er mwyn hyrwyddo neges y mudiad hwn: Cymdeithas Addysg y Gweithiwr.

'Mae wedi bod yn frwydr faith, yn frwydr galed yn aml, ond mae wedi bod yn antur, byddai'r ddau ohonom yn cytuno â hynny. Ac mae'n rhyfedd fel mae troeon yr yrfa yn digwydd. Ro'n i a Silyn wedi bod yn byw yn Nhanygrisiau ac yn y Barri cyn dod i Fangor, yma i Ffordd y Coleg. A phan ddaethom i fyw i Rhoslas, pwy oedd ein cymdogion dros y ffordd ond Mr a Mrs David Thomas, credwch neu beidio. Felly cawsom adfer yr hen gyfeillgarwch a dod yn gymdogion. Rydan ni wedi mynychu pwyllgorau y WEA gyda'n gilydd dros y blynyddoedd, y cynadleddau, yr Ysgolion Haf, wedi cynnal ein dosbarthiadau, ac wrth gwrs, mae Mr Thomas wedi gwneud y gwaith aruthrol o olygu *Lleufer* ers ugain mlynedd, ers 1945, fel y gwyddoch o'r gorau.

'Ond doeddwn i ddim am adael i'r cyfle hwn fynd heibio, i hen wraig, i hen gymydog a hen ffrind gael talu teyrnged i ŵr arbennig iawn. Diolch i chi, Dafydd Thomas.'

Welodd hi mohono wedyn, gan iddo gael ei gymryd i'r de yn ôl ei arfer i dŷ Ffion dros y gaeaf. Aeth misoedd heibio ac ni chlywodd yr un gair ganddo, a ddaeth o ddim adref o gwbl yn y cyfamser. Yna, yn gwbl annisgwyl, cyrhaeddodd amlen efo'i sgrifen ddestlus arni.

Burry Port
Gorffennaf 1967

Annwyl Mrs Silyn,

Dyma fi o'r diwedd yn troi ati i sgwennu atoch ac i egluro f'absenoldeb o Fangor am gyhyd. Er i mi fethu dod llynedd, ro'n i'n benderfynol o ddod eleni, ond mae pethau'n arafu. Fel rheol, byddaf yn dychwelyd adref gyda dyfodiad y gwanwyn, ond dydi fy iechyd yn dal heb fod rhy dda. Chwi gofiwch i mi gael pwl llynedd, a rhaid ei fod wedi gadael ei ôl ar fy nghalon. Erbyn y diwedd, roedd yn rhaid iddynt ddod â cylinders oxygen i'r tŷ i'm cynorthwyo i anadlu, ac ofnwn mai felly fyddwn i.

Ond wedi pythefnos yn yr ysbyty, ddechrau'r flwyddyn dois ataf fy hun. Mae diffyg anadl yn dal yn broblem, ac mae'r gwely wedi dod i lawr grisiau i wneud fy mywyd yn hwylusach. Dwi'n crefu am gael mynd adref, ond dywedodd y meddyg y byddai'n rhaid i mi aros yma nes 'mod i wedi llwyddo i ddringo'r grisiau. Dyna ydw i wedi bod yn ei wneud – un ris ychwanegol bob dydd. Mae'n ymdrech, ond dwi bron iawn wedi eu cwblhau. Mae'n rhaid i mi aros ar y ffordd, ond yr hyn sydd yn fy nghadw i fynd ydi'r gobaith o gael bod ymysg fy llyfrau unwaith eto – a byddech yn deall hynny.

Tydi hi'n fendith i mi roi'r gorau i *Lleufer* pan wnes? Byddai wedi bod yn amhosibl ei gael allan dan yr amodau hyn. Dwi'n darllen cymaint ag erioed, ac wedi gweithio yn reit ddygn ar fy hunangofiant. 'Diolch am gael byw' ydi ei deitl, ac mae'r atgofion yn llifo'n ôl unwaith rydw i'n troi ati. Mae'r teipiadur ges i'n rhodd gan y WEA yn hwyluso'r dasg yn fawr. Mae mor rhwydd i'w gymharu efo'r anghenfil mawr hwnnw oedd gennyf.

Mae Ffion yn fawr ei gofal ohonof, chwarae teg iddi, ond ysu am fod adref yn Y Betws ydw i. Cofiwch fi at bawb sy'n fy nghofio ym Mangor Uchaf.

Gan hyderu y caf alw heibio i chi yn go fuan,

Yn gywir,
David Thomas.

A dyna'r diwethaf a glywodd Mary ganddo. Daeth Arial draw ryw dair wythnos yn ddiweddarach i ddweud bod ei dad wedi marw. Dangosodd Mary y llythyr a gafodd, a chytunodd ei fod wedi mynd yn sydyn yn y diwedd. Sicrhaodd Arial hi ei fod wedi llwyddo i gyrraedd top y grisiau, a'i fod wedi dechrau pacio'i bethau i ddod adref i'r Betws. Ond nid felly roedd hi i fod.

Sut y byddai Dafydd Thomas yn disgrifio Angau? Roedd ganddo linell oedd yn crynhoi'r cyfan,

a'i draed plu, a'i drawiad plwm.

Hwnnw oedd o, y tawelwch llethol wedi'r angladd sy'n taro rhywun. Mynych wedyn y tybiodd Mary iddi glywed sŵn traed y tu allan i'r tŷ. Oedodd, gan ddisgwyl y curiad cyfarwydd ar y drws, ond ei dychymyg hi ydoedd. Fe'i collodd. Dim esgus i agor y drws i weld y llygaid tu ôl i'r sbectol gron honno'n sbio'n ddisgwylgar arni efo pwt blasus o newyddion, neu stori dda. Diflannodd y bensil fechan a'r llyfr nodiadau bach, a holl chwedloniaeth *Lleufer*. Distawodd y tynnu coes, a'r agosatrwydd cyfforddus. Rhan o'r gorffennol oedd y mwynder o Faldwyn. Ac yn fwy na dim, peidiodd y cwlwm annatod hwnnw â Silyn.

Oedd, roedd hi wedi colli cydnabod a theulu fesul un ac un, ond roedd Dafydd Thomas wedi aros – fel angor. Waeth beth a ddigwyddai, roedd modd picio lawr i'r Betws i fynegi pryder neu i rannu newyddion da. Mwya sydyn, doedd yr angor ddim yno mwy.

O ganlyniad, ni allai setlo. Roedd y byd wedi mynd yn lle dieithr. Gyda thorri'r ddolen olaf honno, datododd pethau, a fuon nhw byth yr un fath wedyn. Mae colli ffrindiau bore oes yn brifo'n fwy na dim.

335

Pennod 53

Ar y ffordd adref o Flaenau Ffestiniog, 1965

'Roedd honna yn noson arbennig, Rhiannon,' meddai Mary. 'Mi fyddwn i'n deud mai honna oedd yr orau o'r nosweithiau wnaed i gofio dy dad.'

Ar eu ffordd adref oeddent o gyfarfod agoriadol Cangen WEA Blaenau, a thraddodwyd darlith goffa Silyn gan Cynan.

Edrychodd drwy ffenest y car. 'Rhyfedd ydi bod yn ôl yn Blaenau...'

Roedd Rhiannon mor falch iddi allu dod, yn enwedig gan i Glynn a Meilir fethu. Os gallai ei mam yn wyth deg wyth oed wneud yr ymdrech, fe ddylent hwythau fod wedi ceisio'n galetach. Byddai wedi golygu cymaint iddi. Ac roedd y ffaith mai cangen Blaenau Ffestiniog oedd wedi trefnu'r achlysur yn golygu cymaint mwy.

'Cyn dy amser di, 'toedd?'

'Oedd. Babi'r Barri oeddwn i! Sgwn i fyddwn i wedi bod yn wahanol taswn i wedi cael fy magu yn Nhanygrisiau?'

Rhyw ddeufis ynghynt roedd Rhiannon wedi ymweld â Thanygrisiau efo protest Cymdeithas yr Iaith yn erbyn Brewer Spinks. Roedd y ffatri wedi gwahardd dau ddyn rhag siarad Cymraeg, ac roedd pobl y pentref wedi eu cythruddo. Roedd wedi dyfalu bryd hynny sut brofiad fyddai byw yn Nhanygrisiau...

'Mi fyddet wedi bod yn hapus iawn. Chydig flynyddoedd yn iau na ti oedd Meredydd Evans. Byddech wedi bod yn yr ysgol efo'ch gilydd... Dwi'n ei gofio'n curo ar fy nrws ym Mangor pan oedd o'n stiwdant, y cyntaf o lawer o ymweliadau. "Hogyn Tangrisiau" ro'n i'n ei alw, roedd o'n *special*....'

Roedd gan Mary atgofion cynnes iawn am Merêd, fel y câi ei adnabod, ac i feddwl iddo fynd yr holl ffordd i Harvard, a dod yn ôl i Goleg Harlech... Roedd o'n dal i alw i'w gweld. Y tro diwethaf, rhoddodd ei hanes yn cyfarfod Einstein yn Merica.

Ychydig iawn gofiai Rhiannon o'i dyddiau yn y Barri tase hi'n dod i hynny. Llanrhychwyn ac Ysgol Trefriw oedd ei gwreiddiau hi.

'Roeddech yn deud eich bod wedi cael lojer newydd i 22,' meddai Rhiannon. Byddai ei mam yn dod o hyd i'r amrywiaeth ryfeddaf o bobl i rannu tŷ efo nhw.

'Do, hogan glên iawn – Oo ydi ei henw.'

'Ŵ? Be sy'n dod ar ôl "Ŵ"?'

'Dim byd. "Oo" ydi ei henw, dynes o Burma ydi hi. Mae'n fyfyriwr ymchwil, ac yn ferch fonheddig iawn. Rydan ni'n cael sgyrsiau diddorol. Mae hi wedi fy ngwadd i Burma, ond dwi ddim yn meddwl yr af. Mi fydd yn rhaid i mi drefnu fod y ddwy ohonoch yn cyfarfod.'

'Mae hi'n swnio'n ddiddorol.' A dweud y gwir, drwy ei mam yr oedd wedi cyfarfod y rhan fwyaf o bobl ddiddorol ddaeth i'w bywyd.

Roedd meddwl Mary yn dal i fod ar y cyfarfod.

'Da oedd Cynan heno, 'te?'

'Arbennig o dda. Mi ddylien ni ofyn am gopi o'i ddarlith,' atebodd Rhiannon, yn gwneud nodyn meddyliol o'r cais.

'Dwi wedi holi am y *tape recording* ac maent yn meddwl bydd hynny'n bosibl. Fasa Glynn a Meilir yn gallu ei glywed wedyn. Roedd Cynan a dy dad yn ffrindiau mawr, mae o wedi bod yn driw iawn i'r WEA.'

Ac onid dyna oedd yn cyfrif yn y diwedd? 'Triw i'r WEA' – byddai hynny'n feddargraff addas iawn i'w mam. Hynod driw... triw i eithafion...

'A wyddost ti be blesiodd fwya?'

'Na wn i, Mam.'

'Côr Meibion y Moelwyn yn canu geiriau Williams Parry. Roedd yr alaw yna wedi ei chyfansoddi'n arbennig, ddeelltais di hynny, do? Fydd hwnnw hefyd ar y *recording*...'

Dyna'r unig adeg o'r noson roedd Rhiannon wedi methu dal

y dagrau yn ôl. Roedd geiriau Dewyrth Bob i'w thad wastad yn brathu, roedd cymaint o hiraeth ynddynt...

Odid y trosai hanner tro,
Ond parai gryndod yn y gro.

Roedd y syniad bod ei thad yn ymwybodol yn ei fedd yn peri dychryn iddi, a chofiai gael ei deffro ganol nos sawl gwaith o hunllef am y ddelwedd honno... sefyll wrth ei fedd a thystio i'r cryndod yn y gro...

'Ac mi ddeudodd C.E. Thomas bethau clên, chwarae teg iddo...' meddai Mary.

'Do.'

'Fynta'n un o hogiau Blaenau hefyd. Ew, maen nhw'n griw da. Dyna be oedd mor braf am y noson, roedd *pawb* yno. Ac wedi cymaint o flynyddoedd, ti'n sylweddoli eu bod hwythau hefyd yn dal i alaru amdano, dal i gofio...'

'Wrth gwrs eu bod nhw.'

'Mai dim jest ni... bod teulu ehangach gan Silyn, ac maen nhw'n dal i deimlo'r golled...'

'Siŵr iawn.'

Ochneidiodd Mary. 'Mae nosweithiau fel hyn yn help. Mae pobl weithiau ofn codi hiraeth, ond mae o mor bwysig. Mae o hefo ni drwy'r amser, 'thgwrs, ond mae nosweithiau fel hyn yn dod â fo'n ôl yn fwy byw. Wyt ti'n deall? Dwi'n dal i siarad efo Silyn bob dydd, fedra i ddim peidio...'

Roedd Rhiannon wedi hen arfer â sgyrsiau fel hyn. Dim ond efo'i mam y gallai gael y fath sgyrsiau. Byth ers ei farw roedd Rhiannon wedi galaru am ei thad, ond roedd y gymundeb a gâi gyda'i mam yn arbennig. Wedi i'w mam fynd, fyddai neb arall a allai ddod â'i thad yn ôl i gof mor fyw. Faint oedd ganddi eto, tybed? Roedd yn mynd yn gynyddol fusgrell... 'Pa mor hir mae dyn yn byw?' fel y dywedai ei mam weithiau. Gwthiodd Rhiannon y peth i gefn ei meddwl. Byw i heddiw oedd yn bwysig. Rŵan oedd yr adeg i drafod ei chynlluniau efo hi.

'Mam, mae Wicktor a mi wedi bod yn trafod...'

Beth oedd gan hon i fyny ei llawes rŵan, dyfalodd Mary.

'Rydan ni wedi sôn sawl gwaith am symud o Gasnewydd... ac wedi bod yn dyfalu lle yn y gogledd yr hoffem fyw. Fyddai nunlle yn fy siwtio yn well na Thŷ Newydd...'

Edrychodd Mary ar ei merch. 'O ddifri?'

'Hwnna ydi'r lle dwi'n ei gysylltu fwyaf efo 'mhlentyndod... Dwi'n cysylltu Bangor efo marw Dad. Tase neb arall eisiau byw yn Llanrhychwyn, mi fydden ni wrth ein boddau yn gofalu am yr hen gartref.'

Meddyliodd Mary am y lle oedd mor agos at ei chalon. Byddai'n braf cael Rhiannon a Wicktor yn nes. Lleihau oedd ei chylch cydnabod bellach.

'Mi fyddwn wrth fy modd. Fydd o ddim yn ddiarffordd i chi 'rôl Llundain a Chasnewydd?'

'Wedi bod yn chwilio am lefydd diarffordd ydan ni.'

'Wel, Rhiannon, os byddwch chi hanner mor hapus ag oedd Silyn a minnau yno, gwyn eich byd chi.'

'Ac mi gewch chithau ddod draw i de ambell waith, os cewch chi gyfle!' meddai Rhiannon yn smala.

'Dyna setlo hynny, 'ta,' meddai Mary wrth orffwys ei phen ar gefn sedd y car. Mwya sydyn, teimlai'n flinedig iawn. Ond doedd dim syndod. Roedd y cyfarfod yn y Blaenau wedi para tan ddeg, ac roedd hi dros awr o siwrne yn ôl i Fangor...

Pan fu farw Silyn roedd cannoedd o lythyrau cydymdeimlo yn dod drwy'r drws, nes roedd ei phlant wedi rhyfeddu. Roedd Mary am iddynt ddeall mor fawr oedd y parch at eu tad, drwy Gymru gyfan, a thu hwnt. Ond iddynt hwy, tad oedd o, a dyna oedd yn bwysig. Doedd dim gwahaniaeth ganddynt pa mor enwog oedd o.

Rhiannon oedd ei phryder pennaf pan fu farw Silyn. Doedd hi ddim yn dda o gwbl, ac roedd hi'n cadw'r cyfan iddi'i hun. Ychydig o ffrindiau oedd ganddi ar y gorau, ond doedd hi ddim am weld neb. Roedd yn amlwg na allai ddelio o gwbl â'r brofedigaeth. Yn y chwe wythnos y bu Mary yn Nenmarc roedd yn amlwg fod Silyn a Rhiannon wedi closio, ac roedd popeth wedi digwydd yn rhy sydyn i Rhiannon ddygymod ag o... roedd ei byd wedi chwalu'n dipiau.

Yna, roedd y gwaith yr oedd Silyn wedi ei adael ar ei ôl, a hithau, Mary, yn poeni ei henaid. Byddai pobl yn deall bod rhaid wrth gyfnod o alaru, ond doedd gwaith y gaeaf ddim yn aros yn ei unfan am ei fod wedi marw. Rhaid oedd cydio yn y dasg o drefnu dosbarthiadau, gwneud yn siŵr bod myfyrwyr wedi cofrestru ac athrawon ar gael – oni bai fod y gwaith hwnnw'n cael ei wneud, byddai'r cyfan yn ffradach. Roedd cais wedi dod i ofyn a fyddai hi'n gwneud y gwaith am y tro gan mai hi wyddai fwyaf beth bynnag. Y deyrnged orau allai pawb ei thalu i Silyn oedd parhau â'r gwaith, ond roeddent fel criw ar long heb gapten. Canfu ei ddyddiadur, canfu'r ffeiliau... doedd neb wedi eu cyffwrdd ers i Silyn fynd.

Sut roedd modd iddi droi ati i wneud unrhyw waith a rhywun yn galw bob munud i gydymdeimlo? Yn y diwedd, teimlai ei bod yn cael ei thagu. Hi yn y diwedd fyddai'n codi eu calon hwy.

Un peth oedd yn mynd ar ei nerfau go iawn oedd pobl yn dweud pa mor dda oedd hi, pa mor 'ddewr'. Dewr? Roedd hi mor 'gryf', roedd hi'n destun edmygedd. Wydden nhw ddim amdani. Gwadu bod Silyn wedi marw oedd hi mewn gwirionedd, roedd y syniad yn rhy hurt. Roedd Silyn allan yn Rwsia am gyfnod amhenodol, roedd yn llawer gwell ganddi gredu hynny. Roeddent wedi hen arfer bod ar wahân, fo neu hi ar gyfandir gwahanol, neu yn eu bydoedd gwahanol, p'run bynnag. A dyna lle roedd wedi gosod Silyn am y tro, ar ryw drên tragwyddol rhwng Moscow a Leningrad, yn mwynhau ei daith ddiddiwedd. Oni ddywedodd ei hun mai honno oedd taith orau ei fywyd? Oni ddywedodd fod y Rwsiaid am iddo aros yn hwy? Roedd yn llawn gwell ganddi gredu hynny, roedd yn haws dygymod ag o. Yn gwledda, yn teithio, yn mwynhau eu cyfeillgarwch. Ia – dyna oedd ei dewis. Gallai ddelio efo hynny.

Cofiodd eistedd wrth y teipiadur, gosod y papur yn ei le, a dechrau teipio.

UNCONFIRMED MINUTES OF THE 5th ANNUAL MEETING OF THE NORTH WALES DISTRICT OF THE W.E.A HELD AT BANGOR ON THE 18th OCTOBER, 1930...

Bu yn y swydd am bymtheng mlynedd wedi marw Silyn.

Pennod 54

Cartref Gofal Plas Y Llan, Llanfairfechan, 1969

Daria, roedden nhw wedi ei dal yn y diwedd – roedd hi wedi amau y bydden nhw. Ac fel roedden nhw'n dweud, roedd hi'n naw deg tri wedi'r cwbl. Fel petai hi'n gyfrifol am y blynyddoedd yn mynd rhagddynt. Fu dim rhaid i Dafydd Thomas fynd i Gartref... wel, do, ar un ystyr. Bu raid iddo fynd yr holl ffordd i'r de i fyw efo'i ferch. Roedd Rhiannon wedi cynnig iddi hi fynd lawr i Gasnewydd atynt, ond doedd hi ddim eisiau bod yn hen wraig mewn cornel. Bellach, roeddent yn Nhŷ Newydd, ond doedd dim lle i chwifio cath yn y fan honno. Siŵr y câi fynd at Meilir, ond doedd o ddim yn byw yng Nghymru hyd yn oed. Nage, ym Mangor oedd ei lle...

Ond roeddent wedi canfod bod y Cartrefi ym Mangor i gyd yn llawn. Roedd mynd mawr ar gartrefi henoed mwya sydyn. Aeth ei phlant, fel rhyw Joseff a Mair, i dramwyo Cartrefi Bangor i weld a oedd ganddynt le yn y llety i un hen wreigen arall. A phan fethwyd, dyma gael cornel iddi yn Llanfairfechan – oedd yn well na dim, debyg.

Felly yno yr oedd hi, yng Nghartref Plas y Llan, yn dawnsio'i thendans, yn gwneud dim byd drwy'r dydd. A châi hi wneud fawr ddim yn ei hystafell chwaith. Ers pan y cofiai, byddai paned gynta'r dydd yn cael ei gwneud drwy dywallt cynnwys y botel ddŵr poeth i'w chwpan. Dyna fu'r arferiad yn Llanrhychwyn erioed, ac roedd o'n arbed mymryn ar y cario dŵr. Ond châi hi ddim gwneud hynny yno 'rhag ofn llosgi'. Sut oedd modd llosgi efo dŵr claear? 'Mi ddown *ni* â phaned i chi, Mrs Roberts, peidiwch poeni...' Ia, tua naw o'r gloch y bore, pan fyddai hi bron â thagu.

Chwarae teg, roedd y staff yn glên iawn, doedd dim gwadu – y rhan fwyaf ohonyn nhw'n Gymry. Gwerthfawrogai'r holl help. Roedd y bwyd yn dda, ac ar un ystyr roedd bywyd yn haws. A bod yn gwbl onest, roedd hi wedi syrffedu ar fwyta Ryvita i arbed coginio. Roedd hi fel rhyw hen ddafad yn cnoi arno drwy'r dydd, ac mae'n siŵr nad oedd o mor faethlon â hynny. Fyddai dim ots ganddi dreulio deuddydd yr wythnos yno, byddai'n handi iawn. Ond roedden nhw am iddi aros yno – saith dydd yr wythnos – a pheidio â bod ar gyfyl Bangor! O ganlyniad, roedd hi'n colli ei llyfrgell, y teipiadur oedd mor handi, y ffôn, ei gwely ei hun – popeth oedd yn rhoi blas ar fyw. Collodd ei hannibyniaeth. Ei hawgrym hi oedd y byddai'n cytuno i gysgu yno, tase hi ond yn bosib iddi gael tacsi ambell ddiwrnod yn ôl i'w thŷ i weithio.

'Does neb yn gweithio yn eich oed chi,' meddent, gan chwerthin yn ysgafn.

Dyna ddangos eu hanwybodaeth. Gwyddai am nifer o bobl oedd yn agosáu at eu cant oedd yn hen ddigon prysur. Gwyddai am bobl yn Nenmarc oedd yn cyfrannu llawer i'r gyfundrefn addysg gan fod ganddynt y fath gyfoeth o brofiad. A be ddeudodd y pennaeth wedyn, '*Sit back and relax*, Mrs Roberts. Rydach chi wedi bod yn brysur ar hyd y blynyddoedd, fedrwch chi fforddio riteirio rŵan.'

Roeddent mor nawddoglyd. A doedd neb yma yn ei galw yn Mrs Silyn. Gweddw frau oedd hi, wedi byw ei blynyddoedd gorau. Gwnaent iddi deimlo fel hen asyn oedd wedi ei adael yn y cefn i bori, heb fod o ddefnydd i neb.

Doedd hi ddim wedi gorffen rhoi trefn ar bapurau Silyn chwaith. Roedd hynny'n ei phoeni yn fwy na dim. Bu wrthi mor ddygn, ond doedd hi ddim wedi cwblhau'r dasg. A bellach roedd hi'n sownd yn fan hyn. Roedd pobl fel R.T. Jenkins wedi cynnig cymorth, ond roedd yntau bellach yn fregus iawn ei iechyd, ac yn methu symud. Yr unig ddatrysiad y gallai feddwl amdano oedd i rywun ddod â ffeiliau iddi i'r Cartref. Roedd C.E. Thomas yn bosibiliad, ond roedd o'n hen ddigon prysur, a'r peth olaf a ddymunai oedd bod y gorffennol yn tarfu ar waith heddiw...

Agorodd y drws a daeth y nyrs i mewn efo'i phaned bore...

nid 'nyrs' oedd hi i fod i'w galw, ond rwbath arall, ond ni fedrai gofio beth.

'Paned, Mrs Roberts?'

'Diolch yn fawr.'

'Pwy sy'n *lucky girl* heddiw – mae 'na lythyr wedi dod i chi. Tydach chi'n lwcus? Dyma chi... dach chi isio i mi ei agor o i chi?'

'Dwi'n credu y medra i wneud cymaint â hynny...'

'Dyna chi 'ta. Rwbath arall fedra i neud i chi? Dach chi 'di bod yn toilet? Watsiwch chi losgi efo'r baned 'na, Mrs Roberts...'

'Dwi'n iawn, diolch.'

'Siort ora. Rwbath yn bod, canwch y gloch 'na. *So long*!'

Trugaredd, roedd eisiau 'mynadd.

Ond ambell waith, byddai'r amynedd yn pylu, a byddai Mary yn cael llond bol. A hyn a hyn o amser fedrai bod dynol ei dreulio yn eistedd mewn cadair cyn gwallgofi. Gwyddai'n union pa ffeil roedd hi ei hangen. Roedd ar y drydedd silff ar yr ochr dde yn y stafell fyw. Petai hi'n cael mynd yno i'w nôl, gallai roi ei llaw arni'n syth. Roedd hi wedi rhoi gorchymyn pendant i Meilir, oedd yn aros yn y cyffiniau am gyfnod, ac roedd o wedi dod yn waglaw. Wel, ddim yn union: roedd wedi dod â ffeil, ond nid yr un iawn. Doedd o ddim wedi gwrando.

Fasa dim ots heblaw bod hynny'n ei hatal rhag parhau. Heb yr wybodaeth am y dulliau ffermio yn Nenmarc, doedd y traethawd ddim yn datblygu. Pryderai am ei llawysgrifen. Llwyddodd i gael cerdyn priodas i ferch Alun Llywelyn a'i lofnodi, ond roedd y pîn sgwennu yn mynd i bobman, ac yn y diwedd, prin bod modd ei ddarllen. Roedd fel petai pry cop meddw wedi bod wrthi yn creu gwe. Tase hi wedi gwneud hynny yn yr ysgol, byddai wedi cael ei hanfon i gornel.

Edrychodd o amgylch am ei ffon – dacw hi. Reit, codi'n araf rŵan, a sythu. Dau funud i'w harbed rhag teimlo'n chwil, dyna'r drefn... a dechrau cerdded. Ddim yn rhy gyflym, dyna ni. Agorodd y drws, ac aeth yn ei blaen.

Fel roedd hi'n cyrraedd y drws ffrynt, daeth un o'r nyrsys tuag ati.

'Pnawn da, Mrs Roberts, ga' i'ch helpu chi?'

344

Petrusodd Mary. Doedd hyn ddim yn rhan o'r cynllun. Roedd yn rhaid camu'n ofalus neu byddent wedi ei sodro mewn cadair olwyn a mynd â hi i'r toiled.

'Dach chi'n iawn, Mrs Roberts?'

Sythodd Mary ei chefn gystal ag y gallai. 'Ydw, dwi'n iawn, diolch am ofyn. Sut ydach chi?' Wyddai hon ei bod hi'n ferch raddedig, wedi canu ar lwyfan unwaith mewn opera? 'Mhell cyn ei geni hi, na geni ei mam na'i nain, synnai hi ddim. 'Ar fy ffordd i'r ardd ydw i, ei gweld yn bnawn mor braf...'

'Syniad da iawn. Gafaelwch yn fy mraich, ac mi a' i â chi. 'Mond rhag ofn inni gael codwm, 'te?'

Ildiodd Mary a gadael i'r ferch ei chynnal. Aethant at fainc o flaen y Cartref, a gwnaeth y nyrs yn siŵr ei bod yn gyfforddus yno. Estynnodd am y gloch.

'Dyma ni – *we're only a tinkle away*... Os ydach chi isio rwbath, *jest give it a shake.*'

Be oedd yn bod arnynt? Pam roedd angen dweud wrthi sut roedd cloch yn gweithio?

'Mrs Roberts? Ydach chi'n iawn?'

Ochneidiodd. 'Ydw, diolch yn fawr i chi.'

Drwy ryw drugaredd diflannodd Florence Nightingale, ac edrychodd Mary o'i chwmpas. Ni allai weld unrhyw un... nes yr ymddangosodd y nyrs eto.

'Dwi wedi dod â het i chi... rhag ofn i'r haul 'ma fod yn boeth. Dyna chi, Mrs Roberts,' a gosododd yr het am ei phen. Diolchodd Mary drwy ei dannedd.

Ymhen pum munud, roedd hi'n werth rhoi cynnig arni, a safodd Mary unwaith eto.

Dau funud i sadio, yna un droed o flaen y llall. Dyna fo, dim ond llonydd roedd hi ei angen, neb i'w gwylio fel gŵr â chleddau bob awr o bob dydd... Trugaredd, doedd gennyn nhw ddim rheitiach pethau i'w gwneud? Fesul cam, i lawr â hi ar hyd y llwybr at y giât a chyn pen dim, roedd ar y lôn bost. Wel, falle'i fod o wedi cymryd dipyn mwy nag roedd hi wedi ei feddwl, ond y peth mawr oedd nad oedd wedi syrthio. Byddent yn flin iawn,

iawn efo hi am syrthio... ac yn bwysicach, byddai wedi siomi ei hun.

Pa ffordd i fynd wedyn oedd y cwestiwn – i'r dde ynteu i'r chwith? 'Mi wyraf weithiau ar y dde, neu ar yr aswy law...' fel dywedodd Pantycelyn. I ba gyfeiriad oedd adre? Tyrd 'laen, Mary, meddwl lle mae'r haul yn machlud... Dyna fo, chwith amdani. Mae 'na bafin, felly rwyt ti'n berffaith ddiogel. Does dim angen brysio...

Peth od oedd y corff dynol, meddyliodd Mary wrth droedio'n ofalus, a'i ffon yn gymorth. Pryd oedd corff rhywun yn penderfynu na allai gerdded mwyach? Roedd cymaint yn y cartref wedi rhoi'r ffidil yn y to. 'Da ydach chi'n gallu cerdded,' meddent wrthi, heb ddeall mai ewyllys a chryfder meddyliol ydi cerdded, yn gymaint â gallu corfforol. Roeddent wedi mynd yn un â'r gadair, yn ymestyniad o'r glustog, doedd ryfedd eu bod yn teimlo'n sownd iddi. Gymaint felly fel bod yn rhaid iddynt gael help nyrs i'w codi allan ohoni. Twt, fynnai hi – Mary Parry – ddim bod felly..

Bysys, ceir, moto beics... roeddent yn mynd heibio iddi ar gyflymder anhygoel. Dyna un peth mawr oedd wedi digwydd yn ei hoes – y modd y cyflymodd pob dim dan haul. Wsh! Dyna gerbyd arall yn mynd. I ble yr âi'r holl draffig? Doedd o'n gwneud dim synnwyr. Pan oedd hi'n fach, doedd dim cymaint o draffig â hyn, hyd yn oed yn Llundain... Stopiodd i gael ei gwynt ati, a syllu mewn rhyfeddod at y ceir. Oes ryfedd iawn oedd hon.

Ymhen hir a hwyr, stopiodd un car wrth ei hochr a daeth dyn allan. Roedd yn flin ddychrynllyd.

'Fan hyn ydach chi!' ysgydwodd ei ben. 'Dwi 'di bod yn chwilio'r lle amdanoch chi. *Get into the car*, Mam... *for goodness sake.*'

Edrychodd arno. Oedd o'n ei nabod? Oedd ganddo hawl i siarad yn y fath fodd efo hi? Roedd ceir eraill yn flin bellach, roeddent yn canu corn ar y car llonydd am fod yn rhaid iddynt arafu.

'Mam...'

Roedd hi'n nabod ei lais. 'Meilir?'

'Ia, Meilir eich mab – ylwch, mi 'gora i ddrws y car. *In you go...*'

'Be ar y ddaear wyt ti'n da yma?'

'Ddaru nhw ringio fi, mewn panic llwyr – deud bo' chi wedi mynd... Pam, Mam? Pam wnaethoch chi'r fath beth?'

'Paid â siarad efo fi fel'na, Meilir. Be wyt ti'n da mor bell o dy gartref?'

Tuchan wnaeth o. '*I'm on holiday*, tydw i?'

'Yn Llanfairfechan?'

Collodd ei amynedd yn llwyr, a mynnu ei bod yn mynd i eistedd yn ei gar.

'*Right, back we go...*' medda fo.

'Paid â meiddio tanio'r car tan rwyt ti wedi egluro.'

'Dim fi ydi'r un sydd angen gwneud hynny. *It's your job to explain...* I lle oeddech chi'n mynd?'

'Adre.'

'Lle mae fanno?'

'22 College Road, be sy'n bod arnat?'

Ysgydwodd Meilir ei ben ac edrych arni. 'Naci, dach chi ddim yn byw yn College Road rŵan, dach chi'n byw yn fan hyn.'

Peth cas, meddyliodd Mary. Roedd o'n iawn, yn hollol iawn. Teimlai'n wirion. Ceisiodd sythu ei hun yn y sedd.

'Dwi'n gwybod hynny. 'Mond picio adre ro'n i, picio i College Road...'

'I be?'

'I nôl ffeil rydw i ei hangen.'

Brathodd Meilir ei wefus. '*I've already brought you a file...*'

'Pryd?'

'Ddoe. Mi welais i chi ddoe.'

Do? Doedd gan Mary ddim cof. Y peth gorau oedd cymryd arni.

'Wel, tase gen i'r ffeil iawn, fyddwn i ddim wedi trafferthu mynd adre.'

Trodd Meilir y car. 'Does dim pwynt mynd i Fangor rŵan.

Gan ein bod yn y car, waeth inni fynd adre – hynny ydi, Plas y Llan...'

'Meilir – dau funud fasan ni yn y car...'

Llyncodd Meilir ei boer. Gwell oedd peidio dweud dim. Doedd ei fam yn amlwg ddim yn cofio bod y tŷ wedi ei werthu.

'Meilir...'

'Mae'n rhaid i mi fynd â chi'n ôl, Mam, *they're worried sick about you.*'

Daria, meddyliodd Mary, roedd pethau wedi mynd o chwith.

'*Tell you what*, mi ddo' i â beth bynnag ydach chi eisiau tro nesa.'

'Ond ti'n byw yn bell i ffwrdd...'

'Ia, ond dwi ar *holidays*, tydw? Yn trio bod.' Nes ei fod yn cael *phone-call* i roi gwybod bod ei fam wedi dianc o'r cartref... Gobeithio na fyddai hyn yn dod yn rhywbeth cyson...

Ymhen dipyn, meddai Mary mewn llais tawel, 'Mae'n ddrwg gen i, Meilir, doeddwn i ddim wedi bwriadu achosi trafferth. Trio osgoi styrbio rhywun oeddwn i.'

Gafaelodd Meilir yn ei llaw. 'Dwi'n gwybod, Mam. Jest panics gafodd pawb. 'Dw innau'n *sorry* hefyd.'

Un clên oedd Meilir. Roedd rhywbeth annwyl iawn yn ei gylch.

'*Promise me it won't happen again*, dim ond hynny dwi'n ei ofyn,' meddai, gan droi ei gar i giât Plas y Llan. Roedd mam pawb arall yn iawn mewn cartref. Pawb arall yn plygu i'r drefn, yn derbyn eu bod yn naw-deg-rhywbeth, ac yn byhafio felly. Pam na allai ei fam yntau fod yr un peth? Yn y bôn, fe wyddai yr ateb yn burion.

Dim ond un Mary Silyn oedd 'na... ac ar ôl treulio'i hoes yn efengylu Addysg, doedd hi ddim am adael i'w chyflwr brau ei threchu. Brwydro wnaeth hi gydol ei bywyd yn erbyn rhwystrau fil, a brwydro henaint oedd hi bellach. Beryg mai hwnnw oedd y gelyn a gâi'r gorau arni yn y pen draw, ond myn coblyn, doedd hi ddim am ildio iddo nes tynnu ei hanadl olaf.

Pennod 55

Dyffryn Nantlle

Roedd o am ei gweld eto, roedd o'n awyddus iawn a dweud y gwir. Anfonwyd ei lythyr ymlaen iddi o Lundain i Goleg Aberystwyth. Oedd modd iddi ddal trên o ble bynnag yr oedd i Ddyffryn Nantlle? Oedd hynny yn beth hy' i'w ofyn? Doedd o ddim am iddi hel merched Hendre Cennin efo hi y tro hwn, byddai ei chwmni hi'n ddigon. Byddai'n dod o Fangor ac yn ei chyfarfod yng Ngorsaf Talysarn. Oedd hynny'n apelio ati? (a chymryd ei bod eisiau cwrdd o gwbl?)

Roedd hithau'n llawn cywreinrwydd... roedd o'n hŷn na hi, ac roedd o'n wahanol. Roedd ganddo olwg newydd ar y byd. Pam lai? Nid oedd ganddi ddim i'w golli. A hithau wedi dechrau yn y Brifysgol, roedd bywyd yn llawn posibiliadau. Gwisgodd ei ffrog orau, ac i ffwrdd â hi.

Roedd o am iddi weld ei gartref, Brynllidiart, ond roedd ffordd reit serth i gyrraedd yno – er nad oedd mor faith â'r daith i Gwm Silyn... Tynnodd ei hesgidiau cerdded o'r bag, ac mewn dim, roeddent i fyny yr yr uchelderau. Roedd Brynllidiart ar ei ben ei hun yng nghanol nunlle a'r olygfa o'i amgylch yn anhygoel. Welodd hi ddim lle tebyg. Cafodd groeso gan ei rieni a'i chwaer – roedd pawb yn glên – wedyn awgrymodd Silyn eu bod yn cerdded tua'r llynnoedd – llynnoedd Cwm Silyn.

'Dwi mor falch dy fod wedi dod..' meddai o, 'ro'n i 'mhell o fod yn siŵr...'

'Petaet yn fy nabod, mi wyddet fy mod yn berson hynod fusneslyd. Roedd gen i awydd gweld mwy o dy ardal, wedi'r diwrnod cofiadwy hwnnw yng Nghwm Silyn.'

'Ydi hwn yr un mor gofiadwy?' Daliodd ei wynt.

'Ydi siŵr, ges i de go iawn heddiw!' a chwarddodd yn harti wrth ei bryfocio. Roedd ei gwallt tywyll yn cael ei chwythu gan yr awel.

Pan welodd Mary yr haul yn taro ar y mynyddoedd o'i blaen, stopiodd yn stond.

'Chwarae teg, mae cael dy fagu mewn lle fel hyn... does ryfedd dy fod yn fardd...' meddai gan droi tuag ato. Toddodd calon Silyn.

'Pwy soniodd 'mod i'n fardd?'

Goleuodd ei hwyneb. 'Ddeudais i 'mod i'n fusneslyd, do?'

Cerddodd y ddau tuag at y llynnoedd a mentrodd Silyn afael yn ei llaw.

'Dy law di ydi honna?' gofynnodd hi.

'Ia – ydi ots gen ti?'

'Nac ydi, ond byddwn i'n poeni tase hi'n llaw rhywun arall...' Gwasgodd hi.

'Ydi'n od byw ym Mangor wedi bod cyhyd yn fan hyn?'

'Mae Bangor yn fwy cyfleus... mae o'n newid... Ond ambell waith, mi fydda i'n colli fan hyn... neu yn colli ymgolli yma, os fedri di ddeall hynny.... Sut mae bywyd yn Aberystwyth?'

'Wyddost ti beth, dwi wrth fy modd efo'r lle! A'r hyn sy'n rhoi'r boddhad mwyaf i mi ydi'r môr. Ddeudais i 'mod i wedi cael stafell yn edrych tua'r môr? Ei donnau ydi'r peth olaf a glywaf wrth fynd i gysgu, a'r peth cyntaf wrth ddeffro. Mae o mor agos, dwi'n cael trafferth i dynnu fy hun oddi wrtho... ac weithiau, mi fyddaf yn mynd allan ato wedi iddi dywyllu – fy hun bach, a dim ond gwrando ar sŵn y tonnau....'

'Ydi'r awdurdodau yn gadael i ti fod allan yn hwyr y nos?'

'Ŵyr neb... sleifio drwy ffenest y llawr gwaelod fydda i...'

'Ar f'enaid i! Ti'n mentro!' meddai Silyn, wedi ei synnu. Roedd rhywbeth newydd i'w ganfod am hon bob munud. ''Dw innau wrth fy modd efo'r môr hefyd. Dydi'r Fenai ddim yn fôr, ond mae modd mynd â chwch arno...'

Erbyn hyn, roedd y ddau wedi dod i olwg y llyn. Disgleiriai yn y pellter: y llyn mawr a'r llyn bach.

'Silyn – mae o mor anghysbell...'

'Fan hyn ro'n i'n dod i chwarae pan o'n i'n ddim o beth. Gad inni fynd i lawr at ei lan ac eistedd yno...'

Doedd hi ddim wedi gweld lle tebyg iddo. Doedd dim modd gweld na thŷ nac anifail o'r fan, roedd o fel bod yno ar gychwyn amser.

'Ac rydan ni fel Adda ac Efa...' meddai Silyn.

Siarad a siarad fuon nhw, yn trafod popeth dan haul, yn dysgu am brofiadau'r naill a'r llall, yn adrodd straeon eu bywyd, ac yn rhyfeddu fod ganddynt gymaint i'w rannu. O'r diwedd, closiodd Silyn ati, gafael yn ei gên yn dyner, a'i chusanu. Gwenodd Mary arno.

'Ydi ots 'mod i wedi gwneud hynna?' gofynnodd yn swil.

'Wel, dydi dynion eraill ddim mor hy' efo mi!'

'Falle 'mod i'n wahanol.'

Syllodd Mary arno. 'Rwyt ti'n wahanol, mae hynny'n bendant...'

'Ga' i gusan arall, 'ta?'

Cyffyrddodd eu gwefusau, a theimlodd Mary yr ias ryfeddaf yn saethu drwy ei chorff, profiad nas cafodd ei debyg. Roedd ei nerfau'n dawnsio, a'i phen yn siglo. Wyddai hi erioed fod modd profi teimlad fel hwn. Mwythodd Silyn ei gwallt. Y fath angerdd!

Doedd hi erioed wedi cwrdd â rhywun mor rhamantus, a dyna oedd cychwyn y daith. Gafaelodd yn ei llaw, gofalodd amdani, roedd o'n ei hanner addoli, a lapiodd ei gariad amdani. Ni allai fod wedi gofyn am fwy. Cerddodd gyda hi drwy gydol ei fywyd, a'i charu i'r lleuad a thu hwnt.

A phan fu raid gollwng gafael, fe'u gwahanwyd gan angau, ond daliodd i deimlo'i gariad ati, ar hyd yr holl flynyddoedd. Fe gafodd brofi'r gwleddoedd hud a'r gloyw win. Dyna yn wir oedd arlwy'r sêr, ac roedd yn dal i ddotio ati.

Cefais gwrdd â hi unwaith, neu wrando arni'n annerch, i fod yn fanwl gywir. Roedd hi mewn gwth o oedran, ac ro'n i tua saith oed. Yr achlysur oedd anrhegu fy nhaid, David Thomas, am ei wasanaeth i'r WEA. Fy nhaid sgwennodd gofiant Silyn, wedi iddi hi bwyso'n daer arno. Pan fu farw Mary Silyn, ni sgwennodd neb gofiant iddi hi. Dyna fu cychwyn y gwaith hwn, ond trodd yn nofel.

Yn 2018, trefnwyd i osod plac ar Afallon, cartref Silyn a Mary yn Nhanygrisiau, ac o weld y criw ddaeth i'r achlysur hwnnw, ceisiais ganfod rhagor o wybodaeth am Mary. Cefais gymorth parod dwy arall: Iona Price o Danygrisiau a Luned Meredith, merch Alun Llywelyn Williams fu'n Drefnydd Addysg Allanol y Brifysgol, ac rwy'n ddyledus iawn iddynt. Ar ôl llwyddo i gael mynediad at archifau y WEA, oedd heb eu catalogio, daeth trysorau fil i'r golwg, megis llythyrau coll R. Williams Parry o'r Rhyfel Byd Cyntaf i Silyn. Mae'r cant a mwy o focsys bellach wedi eu trosglwyddo i'r Llyfrgell Genedlaethol, a phapurau Silyn a Mary i'w gweld yn Archifau Prifysgol Bangor, llawer ohonynt â nodyn o eglurhad yn ysgrifen gain Mary. Oni bai am ei gwaith anferthol, ni fyddai archif y WEA yn bod.

Murddun yw Brynllidiart bellach, ond mae'n werth gwneud y siwrne i'w weld. Mae Tŷ Newydd, Llanrhychwyn, wedi ei gadw'n dda, ac yn dal yn nwylo'r teulu. Ar wasgar y mae teulu Silyn a Mary, ond yn ddiweddar, daeth Sally, eu wyres, i fyw i Gymru ac mae'n dysgu Cymraeg. Diolch iddi hi am ei chymorth parod a llu o atgofion.

Mae rhan helaeth o'r nofel yn digwydd ar un stryd ym Mangor Uchaf. Wrth droi oddi ar Ffordd Caergybi, mae cartref Mary pan oedd yn weddw yn 22, Ffordd y Coleg. Bedwar drws i lawr, ar y gornel â Ffordd y Tywysog, mae cartref 'Taid Bangor', David Thomas, lle ganed fy nhad. Bron iawn gyferbyn, mae 33 Ffordd y Coleg, cartref Silyn a Mary, a chartref Swyddfa'r WEA am flynyddoedd maith. Yno y bu farw Silyn. I lawr y lôn y mae

Prifysgol Bangor, ac yno, yn yr Archifau, mae'r ohebiaeth wreiddiol rhwng Silyn a Mary. Yn seler y coleg hwn y bu Silyn yn rhoi trefn ar y creiriau ddatblygodd yn Amgueddfa Dinas Bangor, Storiel bellach.

I lawr un o'r strydoedd culion mae Regent St, lle bu Silyn yn lojio tra oedd yn fyfyriwr ym 1895. Ar ôl codi'r Coleg ar y Bryn, yma y byddai Silyn wedi dod i drefnu dosbarthiadau i'r Adran Allanol. Ar hyd y stryd hon y byddai David Thomas wedi cerdded yn ddyddiol i weithio yn Ysgol y Central. Yma y tyfodd Rhiannon Silyn, i lawr y lôn hon y deuai Mary ar ôl bod ar y trên yr holl ffordd i Norwy. Y ffordd hon fyddai pobl wedi ei chroesi i osgoi Silyn wedi iddo ymweld â'r Undeb Sofietaidd ym 1930. I lawr hon y byddai'r hers oedd yn ei gludo i fynwent Glanadda wedi dod. Oes ryfedd bod nofel wedi datblygu o'r cyfan?

Diolch i bawb gymerodd ran yn y daith, i Iona a Luned am gyd-gerdded ac i Sally am wybodaeth na allai neb arall fod wedi ei rhoi. I Myrddin a Gwasg Carreg Gwalch am gydsynio i'r syniad, i staff Archifdai Bangor a Chaernarfon am eu cymorth, a'r Llyfrgell Genedlaethol yn ogystal. Diolch i Angharad Price am ddarllen y nofel cyn iddi gael ei chyhoeddi a sawl sgwrs fuddiol. Diolch i Lloyd Jones am gerdded strydoedd Llanfairfechan efo mi yn ceisio gwybodaeth am ddyddiau olaf Mary, ac am gael cyhoeddi'r llun o Frynllidiart ar dudalen 352. Diolch am amynedd di-ben-draw Tina Jones o Addysg i Oedolion a gariodd focsys di-rif yr Archif, ac i Ffion Eluned am ei diddordeb ysol yn Mathonwy. Diolch i Sion, ŵyr Silyn a Mary, am siarad dros Zoom o Seland Newydd i rannu ei atgofion. Yn wir, mae'r daith ar hyd y dair blynedd ddiwethaf wedi bod yn rhyfeddol o ddifyr, a diolch i Ben a Hedydd am gyd-fyw efo'r syniadau. Mewn byd mor hurt, mae'n dda bod Mary a Silyn yn dal i allu ysbrydoli pobl heddiw. Maent yn angor gadarn i bawb sy'n ceisio gwireddu delfrydau.

Angharad Tomos
Betws, Penygroes, 2023

LLINELL AMSER

1884   Sefydlu Prifysgol Gogledd Cymru, Bangor
        Sefydlu'r gymdeithas Sosialaidd, y Fabian Society
1889   Silyn yn ddeunaw oed yn mynd i Ysgol Eben Fardd,
        Clynnog, wedi pum mlynedd yn y chwarel
1893   Sefydlu'r ILP, yr Independent Labour Party,
        rhagflaenydd y Blaid Lafur
        Silyn yn cael ysgoloriaeth i Brifysgol Bangor
1895   Silyn a Mary (Parry) yn cwrdd am y tro cyntaf yn
        Nyffryn Nantlle
1896   Mary i Brifysgol Aberystwyth
1898   Mary yn graddio a chychwyn cwrs ymarfer dysgu
1899   Silyn yn graddio ac yn cychwyn cwrs BD yng Ngholeg y
        Bala
1900   Y Blaid Lafur yn cael ei sefydlu
        Silyn a W.J. Gruffydd yn cyhoeddi *Telynegion* ar y cyd
1901   Silyn yn cychwyn fel gweinidog ar Eglwys Gymraeg
        Lewisham, Llundain
1902   Eisteddfod Genedlaethol Bangor: Silyn yn ennill y
        Goron a T. Gwynn Jones yn ennill y Gadair
        Silyn yn cyhoeddi ei bryddest, 'Trystan ac Esyllt a
        Chaniadau Eraill'
1903   Sefydlu'r WEA (Workers' Education Association /
        Cymdeithas Addysg y Gweithwyr). Y gangen gyntaf yn
        Wrecsam ym 1908
1904   Mary yn mynd i ddarlithio i Ddenmarc am y tro cyntaf
1905   Mary a Silyn yn priodi ac yn symud i fyw i Danygrisiau
1913   Mary a Silyn yn symud i fyw i'r Barri
        Trychineb Glofa Senghennydd
1914   Sefydlu'r *Welsh Outlook*

1914-8	Rhyfel Byd Cyntaf
1916	Gwrthryfel Iwerddon
1917	Chwyldro Rwsia
	Mary yn Drefnydd y Land Army yng Nghymru
1918	Merched (dros 30) yn cael y bleidlais
1922	R.T. Jones yn Aelod Seneddol Llafur cyntaf Sir Gaernarfon, a David Thomas yn asiant iddo
	Mary a Silyn yn gadael y Barri a dod i Fangor
1925	Sefydlu Rhanbarth Gogledd Cymru o'r WEA
1926	Gorymdaith Heddwch y Merched
1927	Sefydlu Coleg Harlech fel coleg i bobl hŷn
1930	Marw Silyn wedi ei daith i Rwsia. Mary yn dod yn ysgrifennydd y WEA, Gogledd Cymru
1935	Gareth Jones, mab Edgar Jones, yn cael ei ladd yn Wcrain. Seiliwyd y ffilm *Mr Jones* (2019) ar ei fywyd
1936	Llosgi'r Ysgol Fomio
1939-45	Yr Ail Ryfel Byd
1944	Sefydlu *Lleufer*, Cylchgrawn Cymraeg Cymdeithas Addysg y Gweithwyr
1945	Mary a David Thomas yn ymddeol
1956	Cyhoeddi *Silyn*, gan David Thomas
1963	Protest gyntaf Cymdeithas yr Iaith ar Bont Trefechan, Aberystwyth
1972	Marw Mary Silyn

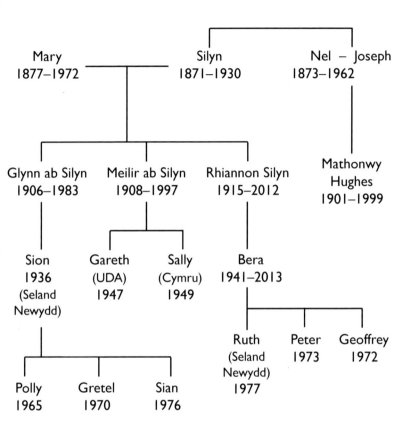

Mary
1877–1972

Silyn
1871–1930

Nel – Joseph
1873–1962

Glynn ab Silyn
1906–1983

Meilir ab Silyn
1908–1997

Rhiannon Silyn
1915–2012

Mathonwy
Hughes
1901–1999

Sion
1936
(Seland
Newydd)

Gareth
(UDA)
1947

Sally
(Cymru)
1949

Bera
1941–2013

Polly
1965

Gretel
1970

Sian
1976

Ruth
(Seland
Newydd)
1977

Peter
1973

Geoffrey
1972

Y Cerddi

Diolch i Elen Simpson a'r staff yn Archifdy Prifysgol Bangor, am eu caredigrwydd yn hwyluso mynediad at bapurau Mary a Silyn Roberts. Diolch i Addysg Oedolion am eu caredigrwydd hwythau yn caniatáu i mi weld Archif y WEA (sydd bellach yn y Llyfrgell Genedlaethol).

Tudalen 7
'Y Wŷs', Silyn, *Lleufer*, Haf 1945 (derbyniwyd yn llawysgrifen Silyn, cyfansoddwyd ar Gorffennaf 30, 1915. Nis cyhoeddwyd yn unman arall)

Pennod 7
'Is it a dream?', Edgar Alan Poe
'Gorffwys Don', Silyn, *Trystan ac Esyllt a Chaniadau Eraill*, Jervis & Foster, 1904

Pennod 8
'Rwy'n edrych dros y bryniau pell', William Williams Pantycelyn

Pennod 9
'Priflys y Gwyllnos', Silyn, *Trystan ac Esyllt a Chaniadau Eraill*, 'Our sweetest songs', Shelley

Pennod 11
'Dagrau'r Nos', Silyn, *Trystan ac Esyllt a Chaniadau Eraill*
'Llyn Geirionnydd', Silyn, *Trystan ac Esyllt a Chaniadau Eraill*

Pennod 12
'Oh we're sunk enough here' – 'Cristina', Robert Browning

Pennod 13
'Give me the life I love' – 'The Vagabond', R.L. Stevenson
'Bore o'r cwmwl aur', *Aylwin*, Theodore Watts-Dunton

Pennod 15
'Ar orsedd wen cadernid Eryri', pryddest Silyn, 'Trystan ac Esyllt'

Pennod 16
'Ei thresi duon', Silyn, 'Trystan ac Esyllt', *Trystan ac Esyllt a Chaniadau Eraill*
'Cerdd yr Ysbryd', Silyn, *Trystan ac Esyllt a Chaniadau Eraill*
'The Ways of Death', William Ernest Henley

Pennod 18
'Parting is such sweet sorrow', Shakespeare
'Miss Jane a Froken Iohanne', R. Williams Parry, *Cerddi'r Gaeaf*

Pennod 19
'Ar Lannau'r Tawelfor', Silyn, *Trystan ac Esyllt a Chaniadau Eraill*
'Awdl Ynys Afallon', T. Gwynn Jones, *Caniadau*

Pennod 20
'Y Wŷs', Silyn, *Lleufer*

Pennod 22
Araith Thomas Jones o 1909 a gyhoeddwyd yn *Cerrig Milltir*, Llyfrau'r Dryw 1942

Pennod 25
'yr Hen Sosialydd', R. Williams Parry, *Cerddi'r Gaeaf*
Englyn Neuadd Goffa Mynytho, R. Williams Parry, *Cerddi'r Gaeaf*

Pennod 26
'Cerdd yr Hydref', Silyn, *Trystan ac Esyllt a Chaniadau Eraill*
'Gwennie', Hedd Wyn
'Llyn Hiraethlyn', Hedd Wyn

Pennod 31
'Haf' (Y Glöwr), R. Williams Parry, *Cerddi'r Haf*

Pennod 32
'Cerdd i Fro Morgannwg', Silyn

Pennod 34
'Englynion i Hedd Wyn', Silyn

Pennod 35
'Robat Einion', R. Williams Parry, *Cerddi'r Haf*

Pennod 39
'O gofadail', R. Williams Parry, *Cerddi'r Haf*
'Cofia'n gwlad benllywydd tirion', Elfed

Pennod 42
'Hiraeth am Olwen', Silyn, *Trystan ac Esyllt a Chaniadau Eraill*

Pennod 44
'Ben Bowen (in Memoriam)', Silyn, *Trystan ac Esyllt a Chaniadau Eraill*

Pennod 46
'Rhiain Ynys Dulas', Silyn
'Penmon', T. Gwynn Jones

Pennod 50
'Iesu Grist', Silyn, *Yr Efrydydd*, Rhagfyr 1929
Llio Plas y Nos, Silyn, Gwasg Gee 1945
'Olwen Glan Geirionnydd', Silyn

Pennod 51
'Yr Hen Sosialydd', R. Williams Parry, *Cerddi'r Gaeaf*

Pennod 53
'Yr Hen Sosialydd', R. Williams Parry, *Cerddi'r Gaeaf*